とんぼ玉の技法

MAKING TECHNIQUE OF GLASS BEADS

監修　なかの雅章　海津屋

STUDIO TAC CREATIVE

Contents

目　次

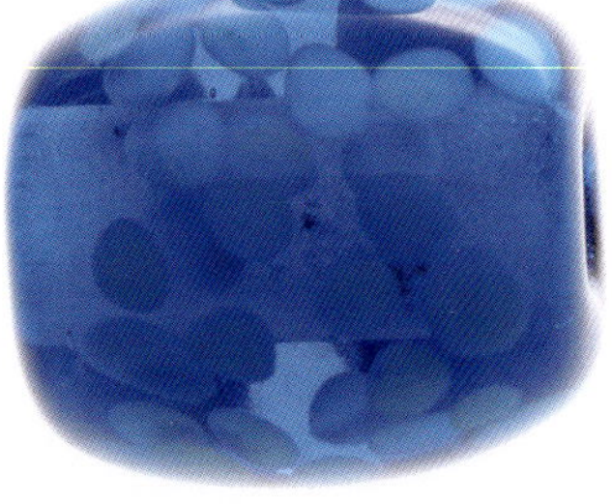

本書で作り方を解説する作品

P.18　基本のとんぼ玉

P.28　基本のとんぼ玉
成型アレンジ 筒型

P.30　基本のとんぼ玉
成型アレンジ 俵型

P.31　基本のとんぼ玉
成型アレンジ サイコロ型

P.36　クリアをかぶせた
「すきがけ玉」

P.46　銀箔を巻いて作る玉

P.50　「細引き」を使った
「点打ち玉」

P.58　「点打ち玉」のアレンジ
点を引っかいて作る花弁玉

P.42　重曹を使った
「泡玉」

P.66 立体成型で作る
「うさぎの帯留め」

P.74 星型のムリーニを埋めた
泡玉

P.61 「点打ち玉」のアレンジ
点打ちの層を重ねた玉

P.84 クローバーのムリーニを
埋めた玉

P.102 金魚のムリーニを埋めた玉

P.92 金箔と菊のムリーニを埋めた玉

P.116 透明感のある花のムリーニ

P.132 桜のムリーニを埋めた混色玉

P.148 人形の顔のムリーニ

※下写真の作品はムリーニを使用した参考作品で、作り方の解説は上写真のムリーニのみとなります

P.166 アルファベットのムリーニ

※右写真の作品は参考作品で、作り方の解説は左写真の3点のムリーニのみとなります

とんぼ玉制作に使用する
材料と器具・工具

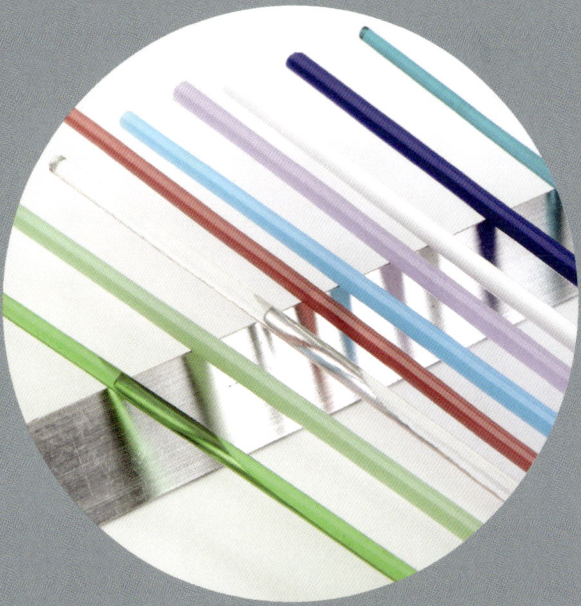

材料

バーナーワーク用 カラーガラスロッド

基本作品から応用作品まで、本書で作り方を解説するとんぼ玉は全て、以下で解説する「佐竹ガラス株式会社」製のバーナーワーク用カラーガラスロッドを使用して制作します。

ガラスロッドの種類

ガラスロッドは製造時に使用する原料の化学成分により分類され、膨張係数・屈伏点・融点（後述）や、透明感・発色・色合い等の特性がそれぞれ異なります。本書で主に使用する佐竹ガラス製カラーガラスロッドは、以下で解説するクリスタル系とソーダ系の二種類です。

クリスタル系（鉛ガラス）

珪砂と酸化鉛を主な原料とするガラスで、透明度が高く、柔らかくて重いという特徴があります。比較的低い温度で熔けるために扱いやすく、とんぼ玉の制作に最もよく用いられます。クリスタル系ガラスロッドは、膨張係数は125〜128、屈伏点（熔け始める温度）は460℃、融点は850℃です。

ソーダ系（ソーダガラス）

珪砂とソーダ灰を主な原料とするガラスで、発色が良く、硬く、軽いという特徴があります。屈伏点と融点はクリスタル系ガラスよりも僅かに高いですが、クリスタル系ガラスと同様に用いることができます。ソーダ系ガラスロッドは、膨張係数は110〜120、屈伏点は480℃、融点は880℃です。

※上記二種の他、鉛分0%、膨張係数約104の「104シリーズ」もあります。

予熱と徐冷

とんぼ玉は、ガラスロッドを炎で熔かして成型し、冷ますことで固めて制作します。これは、熱を加えると膨張し（熔け）、冷ますと縮む（固まる）というガラスの性質に則った方法です。しかし、この「膨張」と「縮み」の際、急加熱や急冷却によりガラスに大きな温度差が生じると、温度差がある部分にストレスが掛かり、「歪み（ひずみ）」が生じます。大きな歪みが生じると、その瞬間にガラスが弾けてしまったり、その時点で変化は無くとも、ある程度時間が経った後にヒビが入ったり、割れてしまうといったトラブルが発生することがあります。このため、ガラスを熔かす際と冷ます際は必ず、歪みの原因となる温度差を低く抑える「予熱＝徐々に温める」と「徐冷＝徐々に冷ます」をする必要があります。

膨張係数

前述した膨張と縮みの度合いを「膨張係数」といい、この膨張係数はガラスの種類によって異なります。膨張係数の異なるガラスを組み合わせる際は、それぞれの屈伏点や融点、徐冷点（徐冷開始に設定する温度）が異なるため、熔着部（熔けて混ざり合う部分）に歪みが生じ易いという点に留意する必要があります。メーカーが異なると、それぞれのガラスロッドの膨張係数や性質も大きく異なり、歪みによるトラブルが発生する確率も非常に高くなるので、異なるメーカーのガラスロッドを合わせることは避けてください。本書で使用する佐竹ガラス製のクリスタル系・ソーダ系ガラスロッドの場合、それぞれの膨張係数や融点が比較的近いため、歪みによるトラブルが生じる可能性を低く抑えることができます（※ただし、小さな点を打つ程度ならあまり問題はありませんが、違う種類のガラスを混ぜて使用すると色が濁ったり、割れたりすることもあるので充分に注意してください）。

カラーガラスロッドサンプル

佐竹ガラスが取り扱っている、バーナーワーク用ガラスロッドのカラーサンプルを掲載します。本書の各作品制作解説の冒頭、「使用する材料」に記載しているアルファベットと数字は、このサンプルの各ガラスロッドに該当します。

サンプルボードG

サンプルボードS

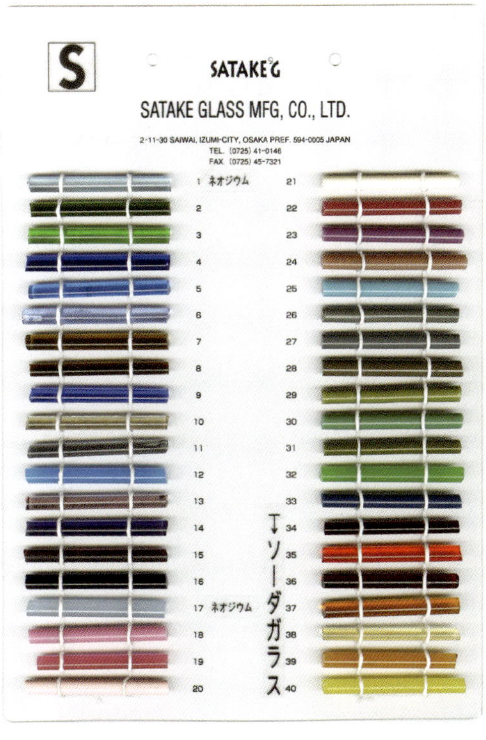

※ここに掲載した各写真は、印刷の都合上、実物の色とは微細な誤差がある可能性があるのでご注意ください。

サンプルボードA

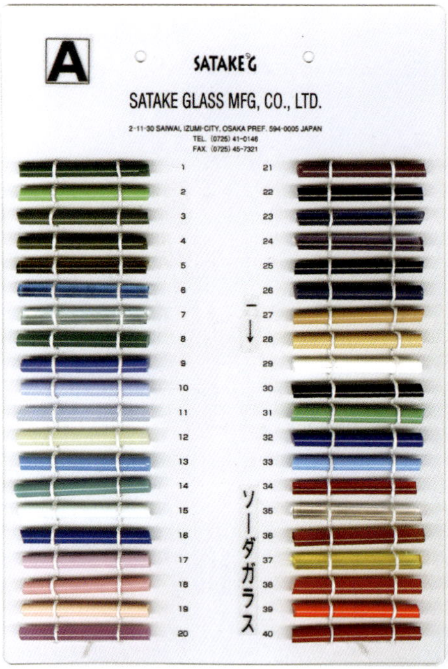

サンプルボードE

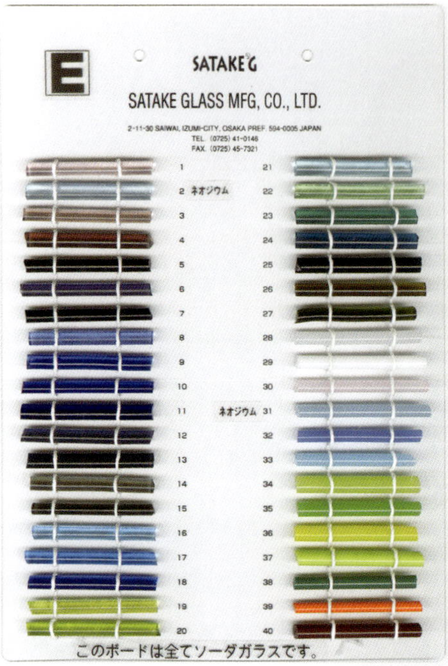

※ここに掲載した各写真は、印刷の都合上、実物の色とは微細な誤差がある可能性があるのでご注意ください。

サンプルボード104

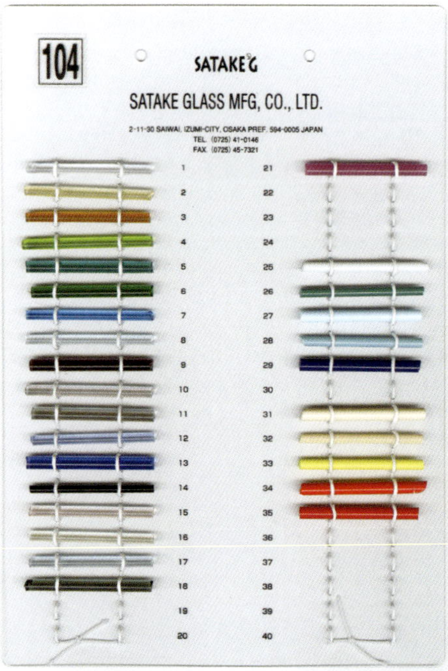

カラーガラスロッド取扱店

佐竹ガラス株式会社製のカラーガラスロッドは、同社の通信販売で購入できる他、下記リストの各メーカー・店舗及び、全国の各カルチャー教室やガラス工芸教室で取り扱っています。（※色数が少ない店舗もあります）

佐竹ガラス株式会社

〒594-0005 大阪府和泉市幸2-11-30
TEL.0725-41-0146　FAX.0725-45-7321
URL. http://www.satake-glass.com/

アークオアシスデザイン 仙台泉店	022-771-2080
Beads Shop j4	03-5821-7553
㈲中道義眼製作所	03-3872-1566
JOYFUL-2 荒川沖店	029-841-3511
JOYFUL-2 宇都宮店	0285-55-2272
JOYFUL-2 幸手店	0480-40-4161
東急ハンズ池袋店	03-3980-6111
ユニアート 湘南平塚店	0463-25-0784
がらすらんど㈱カスタマーサービスセンター（埼玉/卸売店）	049-292-7351
がらすらんど㈱（大阪支店/卸売のみ）	06-6963-7351
株式会社十條	052-795-0033
アートグラスマーケット（愛知）訪問時は要事前連絡	080-5104-7645
東急ハンズ 名古屋店	052-566-0109
東急ハンズ ANNEX店	052-953-2811
ガラススタジオ Ａｒｋ	075-921-7912
株式会社カワチ 東急ハンズ 心斎橋店（8F）	06-6252-5802

器具・工具

本書で作り方を解説するとんぼ玉は、ここに紹介する器具・や工具を使って制作します。各種工具に関しては全く同じ物でなくとも、同じ用途の物であれば使用することができます。

エアー式ガスバーナー

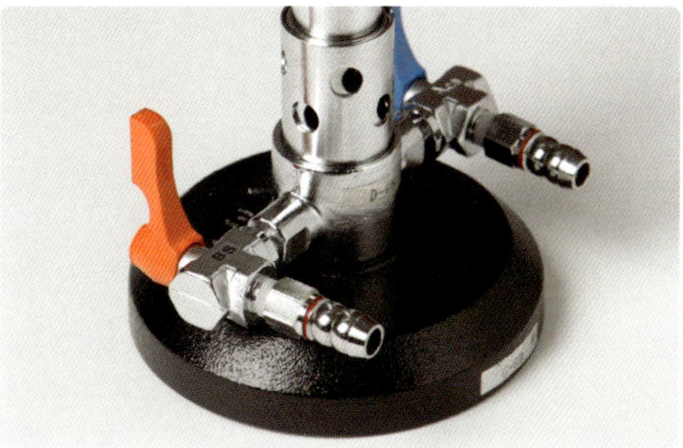

とんぼ玉の材料となる、カラーガラスロッドを熔かすのに使用するエアー式ガスバーナーです。オレンジ色の栓の裏にガスホースを、青色の栓の裏に下記エアーポンプのホースをつなぎ、円柱の頂点にある火口に着火して使用します。

バーナーワーク用エアーポンプ

ガスバーナーに空気を送り、炎の燃料となるガスに空気＝酸素を混ぜるためのエアーポンプです。ガスバーナーの炎は、酸素を混ぜることでより温度の高い強力な炎となり、ガラスロッドを熔かすのに充分な火力(熱量)が得られます。

バーナーとエアーポンプの取り扱い先

ロペット・コバタ電気工業株式会社
〒601-8475 京都市南区八条内田町62-2
TEL.075-661-3134　FAX.075-671-3134
URL. http://www.ropet-kobata.com/

ステンレス芯（芯棒）

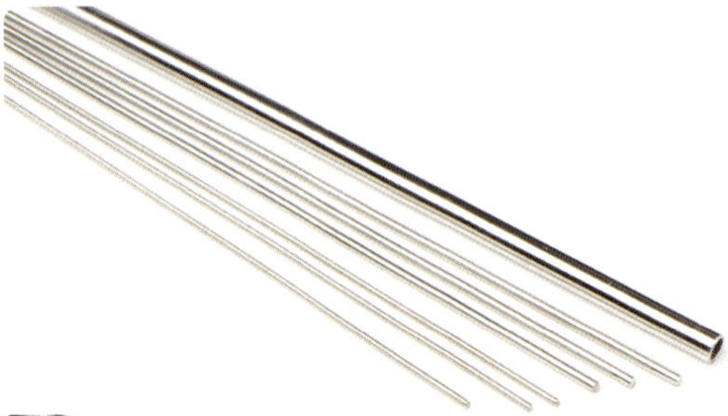

熔かしたガラスを巻き取る芯棒で、様々な径が選べます。とんぼ玉用の円柱の他、帯留めの制作に使用する楕円形の芯棒もあります

離型剤（資材）

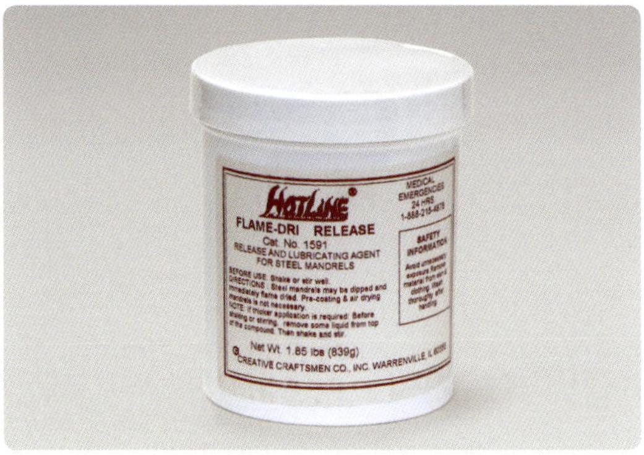

ガラスを巻き取る前に、芯棒のガラスを巻き取る部分に付着させて焼き、完成したとんぼ玉を外しやすくするための溶剤です

ガラス台

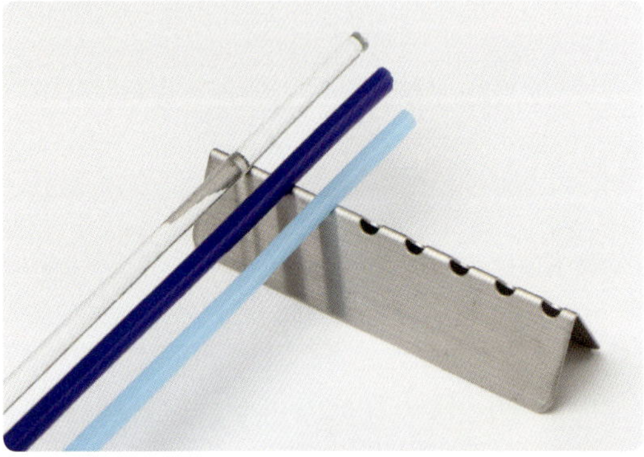

とんぼ玉制作に使用するガラスロッドを、作業スペース近くに並べておくための台です

徐冷材（資材）

制作したとんぼ玉を徐冷する（徐々に冷ます）ために使用します。写真のバーミキュライトの他、ワラ灰やガラス工芸専用の徐冷材があります

耐火作業台（耐火ボード）

ガスバーナーの下や作業スペース周辺に敷くことで、熔けたガラスが垂れ落ちてしまうといったトラブルの際、作業スペース周辺を保護します

ガラス瓶と水

使用するガラスロッドの汚れ落としや、成型に使用するヘラ、ピンセット、ひっかき棒といった工具を差し入れて冷却するために使用します

ヘラ／バチケガキ

ガラスの成型に使用します。写真のバチケガキは、平たい先をヘラとして使用する他、鋭利な先を引っかき棒として使用することもできます

こて

ヘラやバチケガキと共に、ガラスの成型に使用します。こては主に、面の上でガラスを転がして使用します

ピンセット（300mm）

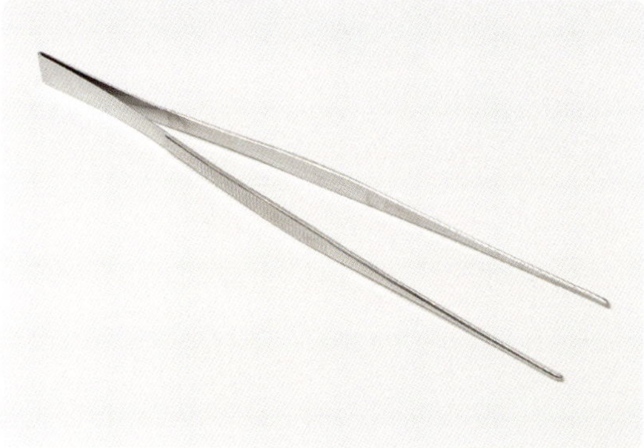

炎から手を遠ざけて作業できる、充分な長さのあるピンセットです。熔けたガラスをつかんで成型したり、引っ張る用途に使用します

フラットピンセット

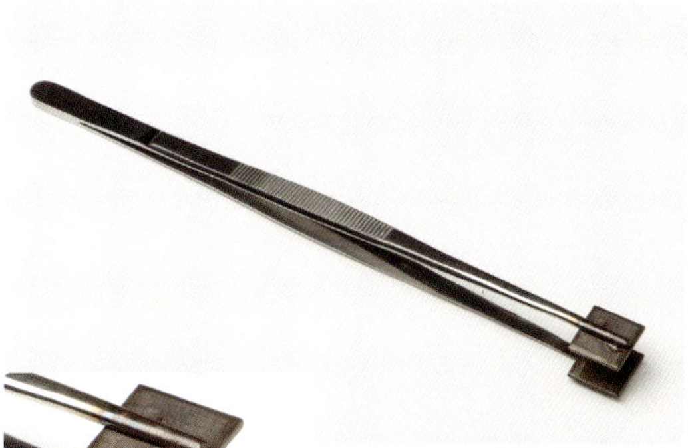

先端に平滑な鉄板が付けられたピンセットで、熔かしたガラスを挟み、成型する際に使用します（※トングでも代用可）

耐熱ピンセット

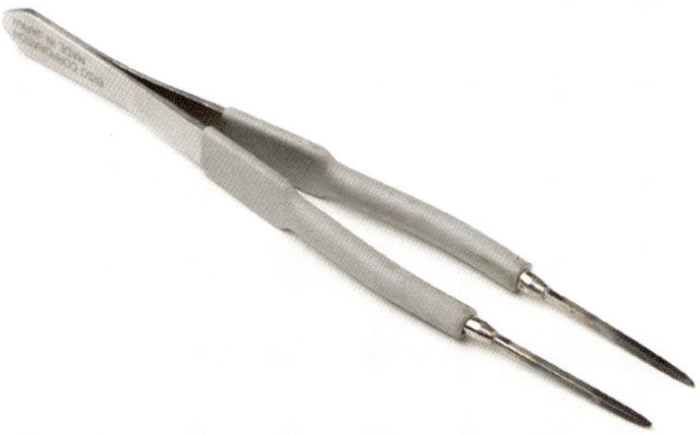

細かい作業がしやすいコンパクトなピンセットで、耐熱処理が施されているため、ある程度であれば炎の傍で作業を続けることができます

引っかき棒

熔けたガラスの表面を引っかき、模様を付ける際に使用するタングステン製の工具です

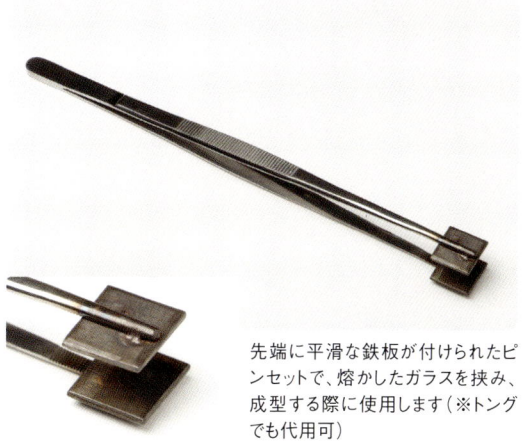

アルミマーバー

表面に溝が並んだアルミ製の板で、熔かして成型したガラスを転がすことでスリット状の模様を入れることができます

クラフト用ハサミ

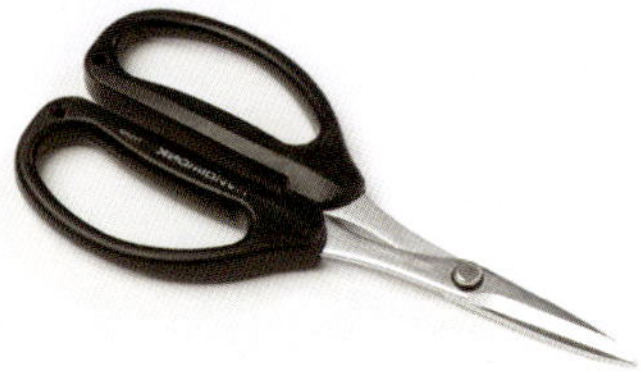

とんぼ玉を成型する際、熔かしたガラスをカットするのに使用します

押さえ用鉄板

熔かしたガラスを上にのせ、こてで潰す際の台に使用する他、金箔や銀箔を玉に貼り付ける際にも使用します

ガラス切り

カラーガラスロッドをカットする他、制作した細引きやムリーニをカットする際に使用します

予熱台

ガスバーナーの火口にセットし、とんぼ玉制作に使用するムリーニやパーツを予熱する台です。高温になるため、セットした後の扱いには注意する必要があります

棒ヤスリ

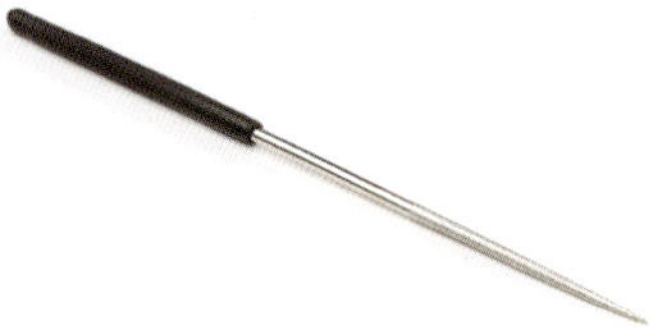

完成したとんぼ玉を芯棒から外した後、とんぼ玉の穴に残った離型剤を除去するために使用します

● 作業を安全に進めるために

とんぼ玉の制作には、ガスを燃料とする高温の炎を使用します。このため、常に換気されている場所を作業スペースとし、その周辺からは燃えやすい物を一切排除してください。また、熔かしたガラスが弾け飛ぶ可能性もあるため、難燃性の衣類や防護メガネの着用も推奨します。

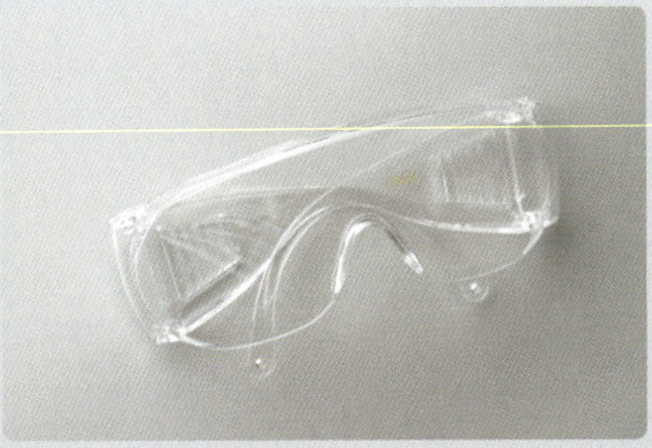

写真のような防護メガネを装着する他、肌の露出を抑えることができる長袖の上着（熔けやすいナイロン等の化繊は避ける）の着用を推奨します

とんぼ玉作りの基本

エアーバーナーの炎のみで成型するとんぼ玉の作り方、そのとんぼ玉をヘラやこてで成型する方法、そして、短くなったガラスロッドの接ぎ方といった、とんぼ玉作りの基本をここで解説します。

基本のとんぼ玉を巻く

ここでは、最も基本的なとんぼ玉の巻き方を解説します。ガラスロッドを熔かすエアーバーナーの点火方法と、熔かしたガラスを巻き付ける芯棒への離型剤の付け方、そして正しいガラスの巻き取り方を確実に覚えてください。

エアーバーナーの点火

エアーバーナーにガスホースとエアーホースを正しく接続し、作業スペース周辺の安全を確認した上で、バーナーに点火します。

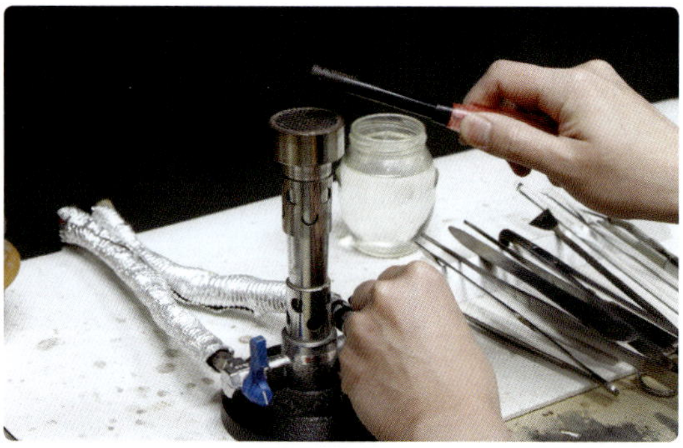

ガス栓に片方の手を添え、もう片方の手にチャッカマン等の点火器具を持ち、器具の点火口をバーナーの火口に近付けます

01

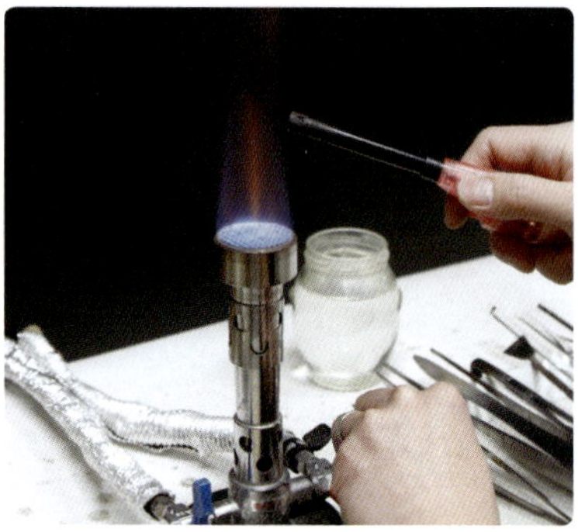

ガス栓を開くのと同時に点火器具を操作し、バーナーに点火します。炎が勢い良く立ち上がるので、火口には顔を近付けないように注意してください

02

エアーポンプの栓を操作し、炎の状態を調整します。ガス栓は基本的に全開近くを保ち、エアーポンプの栓を開いて空気を送り、下の「中性炎」に調整します

03

還元炎

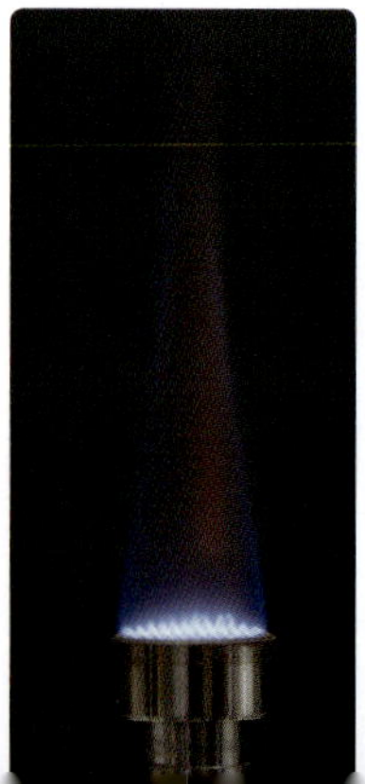

02の状態でガスのみを燃焼させた、空気の量が少ない炎を「還元炎」と呼びます。ガラスロッドを熔かす際は、この還元炎にエアーポンプで空気を送り、ガスと空気（酸素）を混ぜた状態で燃焼させた、右の中性炎を使用します

中性炎

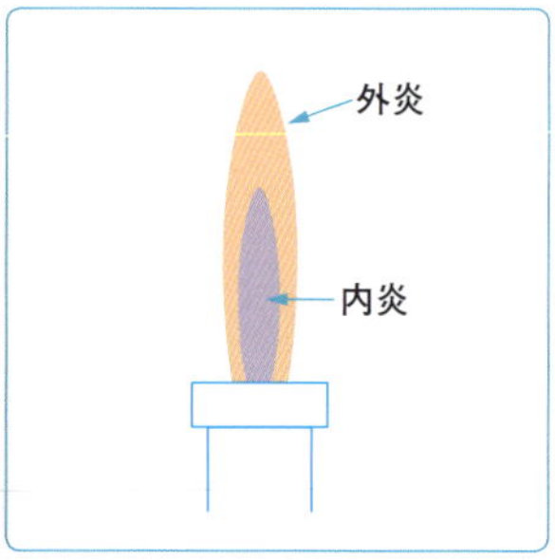

ガスと空気を混ぜて燃焼させた炎を「中性炎」と呼び、外側の大きな炎を「外炎」、内側の小さな炎を「内炎」と呼びます。本書で作り方を解説するとんぼ玉は、基本的に全てこの中性炎で制作します

ステンレス芯に離型剤を付ける

ガラスを巻く芯棒（ステンレス芯）の先に、完成したとんぼ玉を外しやすくするための離型剤（本書では、との粉を混ぜた離型剤を使用します）を付けます。

芯棒の先を離型剤の容器に挿し入れ、芯棒の先端から4〜5cm程に離型剤を付けます

01

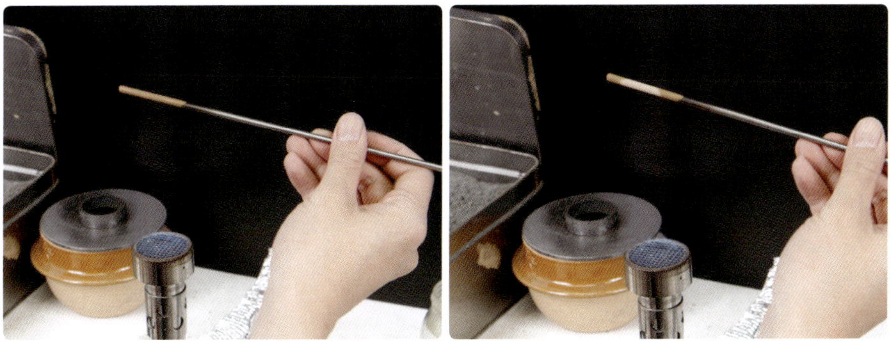

バーナーのエアーポンプの栓を閉め、炎を還元炎にします。芯棒に付けた離型剤を、還元炎の上の方で炙って半乾燥させます

02

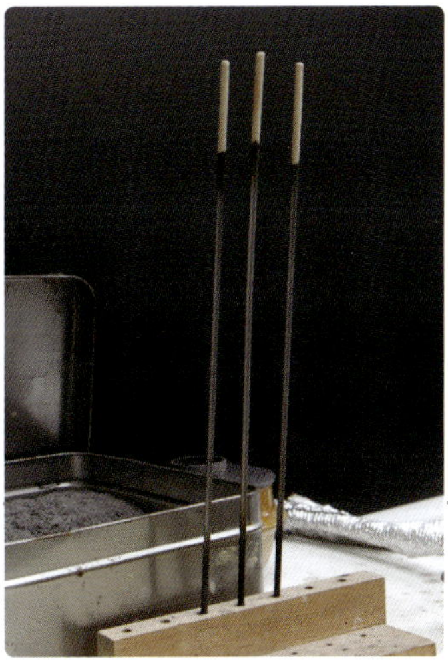

03 半乾燥させた芯棒は、芯棒立て等に立てて置き、ガラスを熔かして玉を巻く直前に焼き切ります

離型剤の焼き過ぎ

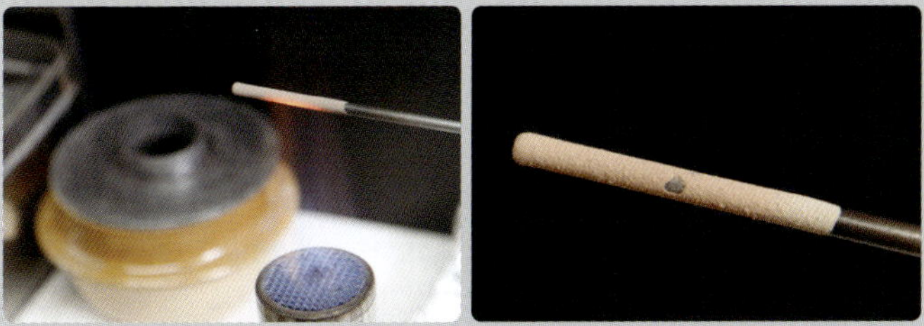

離型剤は、還元炎より強力な中性炎で焼き切ってしまうともろくなり、右写真のように剥がれ落ちることがあります。離型剤が剥がれた芯棒は使用できないので、必ず半乾燥に留めておきます（※離型剤のメーカーによっては、始めから焼き切るものもあります）

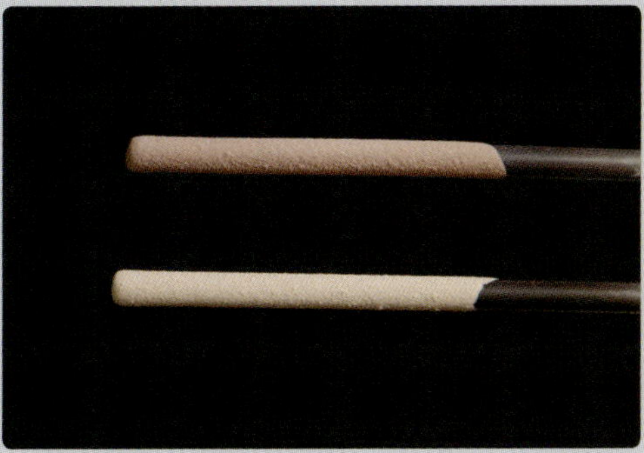

上は中性炎で焼き切った離型剤、下は還元炎で半乾燥させた離型剤です。離型剤の水分が程よく抜け、芯棒から垂れ落ちない程度に焼きます。使用する離型剤の色や状態を確認し、焼き切った状態と半乾燥の状態を覚えておくと良いでしょう

ガラスロッドを熔かし芯棒に巻き付ける

芯棒に離型剤を付けて準備を整えたら、バーナーでガラスロッドを熔かし、熔かしたガラスを芯棒に巻き付けて玉を作ります。

使用する工具・資材

- ステンレス芯（Φ4mm）
- 離型剤
- ガラス瓶と水
- 耐熱ピンセット
- 徐冷材
- 棒ヤスリ

使用する材料

- G-10

● ガラスロッドの汚れを落とす

使用するガラスロッドは、制作したとんぼ玉の中に汚れ等が残ってしまう可能性があるため、熔かす前に水を付け、きれいな布等で表面を拭き取って、手の皮脂汚れやホコリ等を落としておきます

①ガラスロッドを予熱する

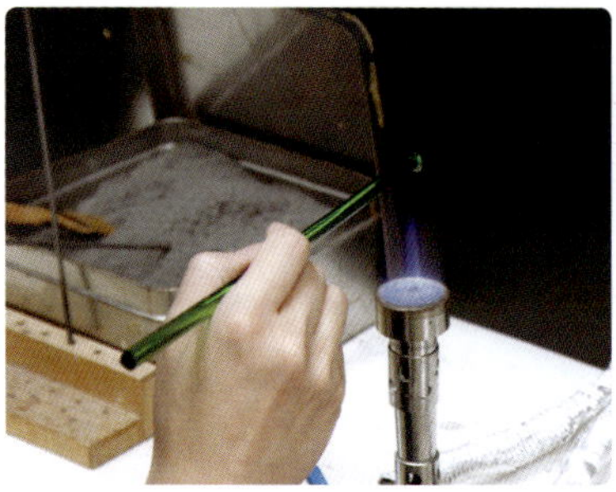

炎を中性炎に調整し、ガラスロッドの先端を外炎で予熱します。いきなり炎の中に入れると急加熱により弾ける可能性があります

01

②ガラスロッドを熔かす

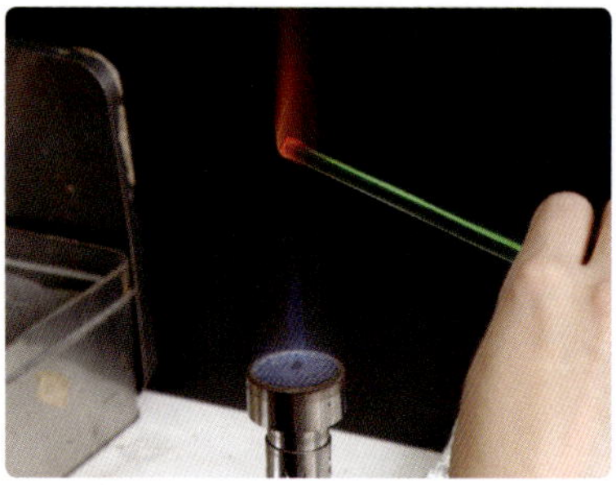

ガラスロッドの先端を30秒程度予熱した後、その先端を内炎の上で熱すると、先端が写真のように赤く変色し、ガラスが熔け始めます

02

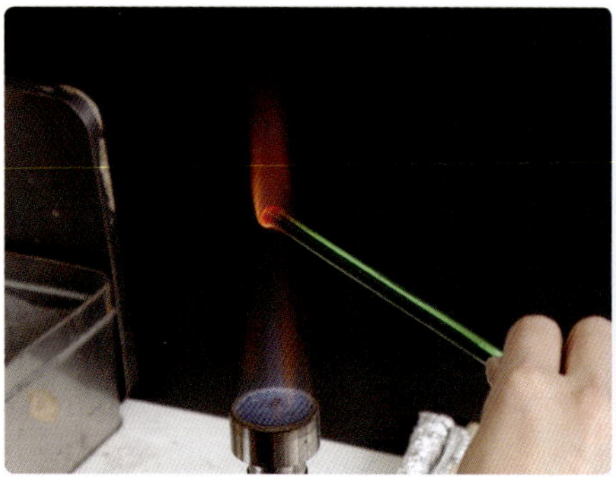

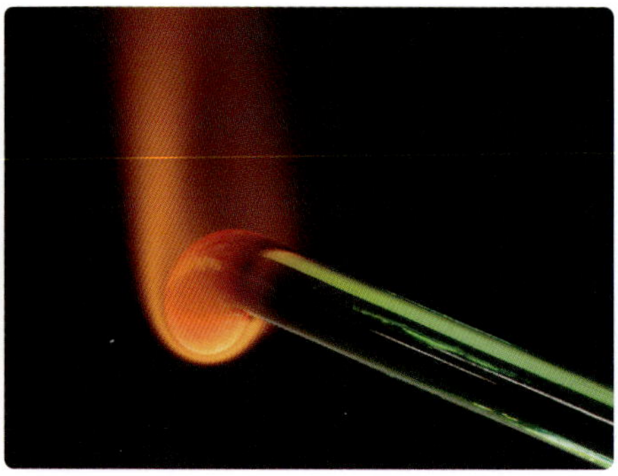

02と同じ炎の位置で熱し続けると、ガラスロッドの先端がさらに熔け、熔けたガラスが垂れ始めてきます

03

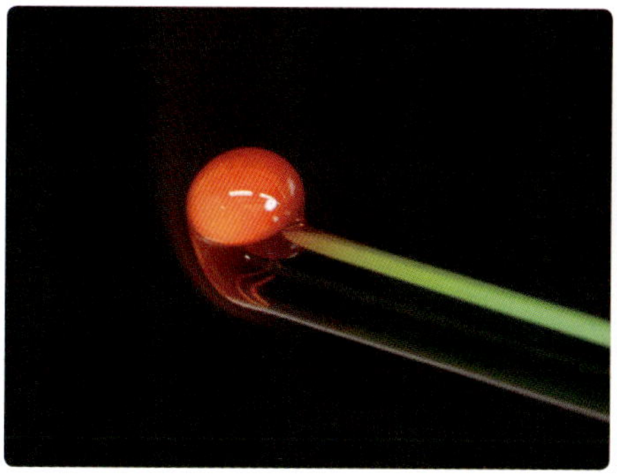

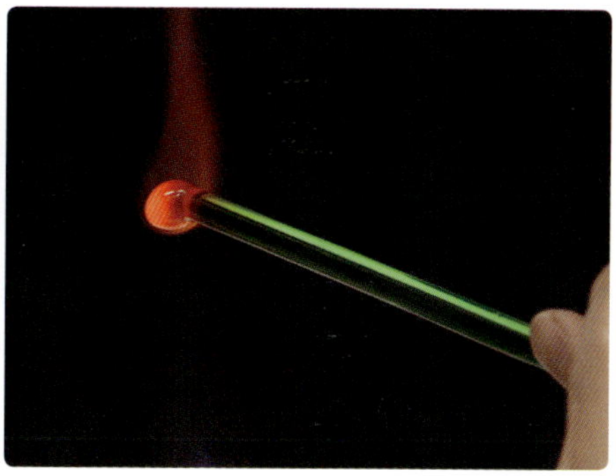

溶けたガラスが垂れ始めたら、これが垂れ落ちないようにガラスロッドを返して向きを変え、さらに先端を溶かします

04

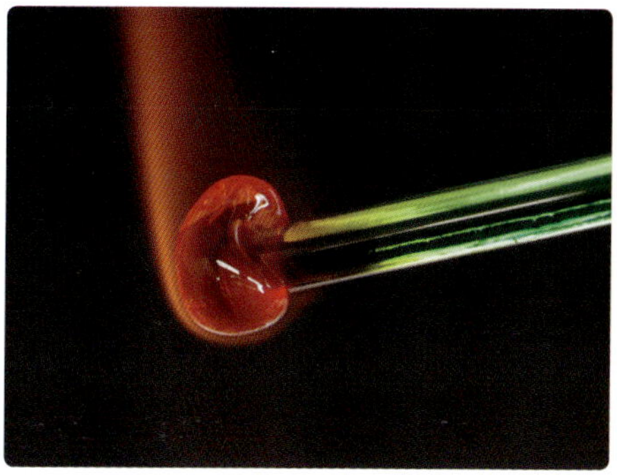

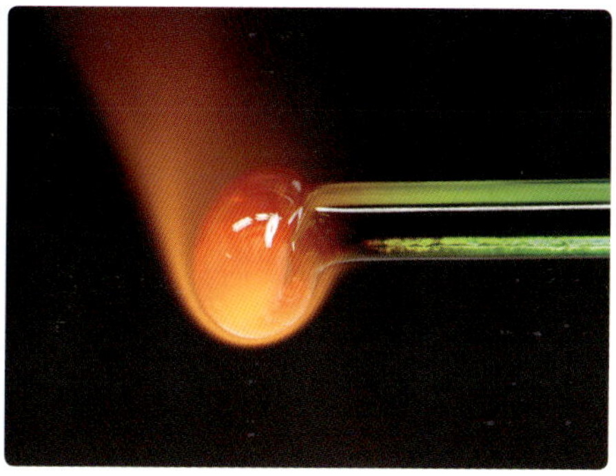

溶けたガラスが垂れ落ちないよう、ガラスロッドを交互に返しつつ、玉を巻くのに必要な量のガラスを溶かします。ここでは、サクランボ大程の大きさになるまでガラスを溶かします

05

● **汚れや異物を取り除く**

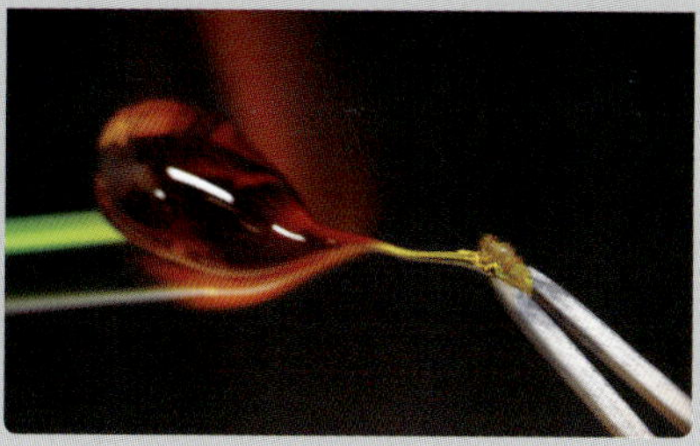

ガラスを溶かしている途中、目視で確認できる汚れや異物が見つかった場合は、耐熱ピンセットでガラスごとつまみ取ります。つまみ取ったガラスは、耐熱ピンセットの先ごと、水を入れたガラス瓶に入れて始末します

③芯棒の離型剤を焼く

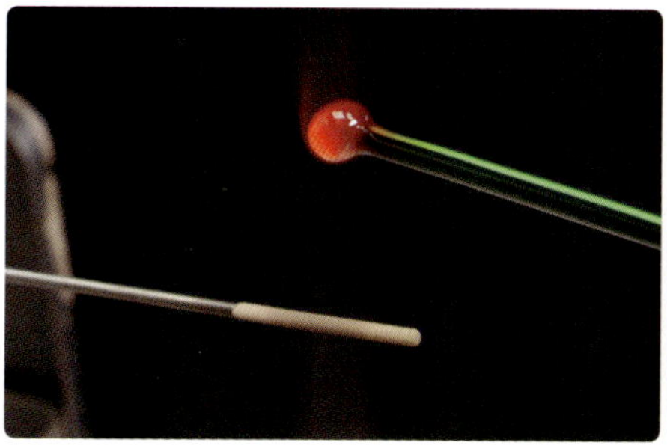

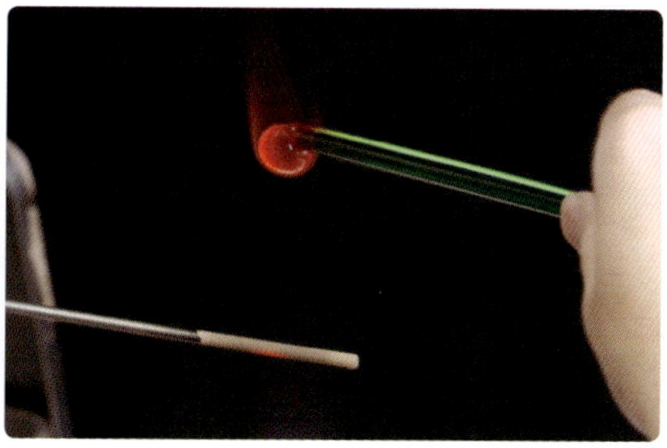

必要な量のガラスを溶かしたら、溶かしたガラスを外炎の上の方で熱しつつ、芯棒の離型剤を内炎の先で完全に焼き切ります。離型剤は、その下の芯棒が真っ赤に変色するまで確実に焼き切ります

06

● 熔かしたガラスは、必ず保温する

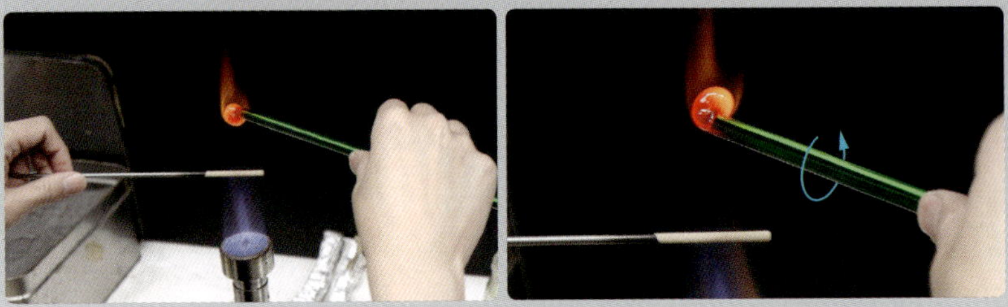

写真のように芯棒とガラスロッドをそれぞれの手で持ち、熔かしたガラスが冷えて固まらず、またそれ以上熔けないように保温しつつ、離型剤をしっかりと焼き切ります。保温している最中もガラスは垂れてくるので、垂れ落ちないように返しながら保温します

④熔かしたガラスを巻く

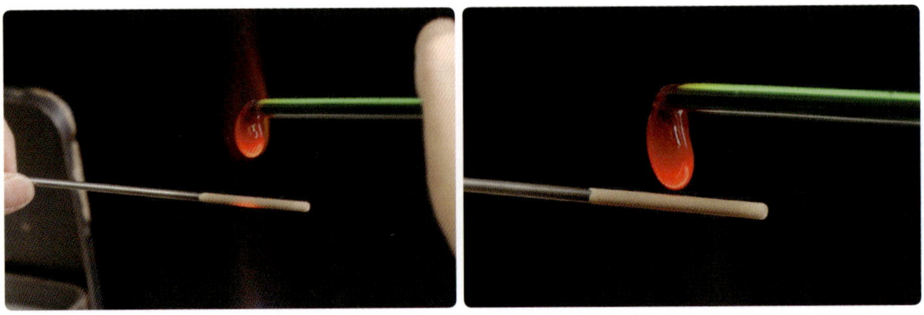

離型剤を充分に焼き切ったら、芯棒を水平に保った状態で、離型剤の中心へ上から熔かしたガラスを垂らします

07

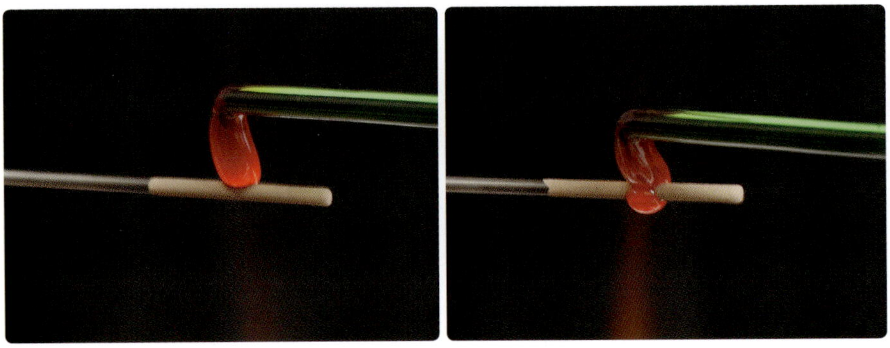

離型剤の中心に熔かしたガラスを垂らし、芯棒を回転させてガラスを巻き取ります。この時は、離型剤を付けた芯棒の先を炎の中に入れ、ガラスロッドの先端はその手前、炎の外にして巻き取ります

08

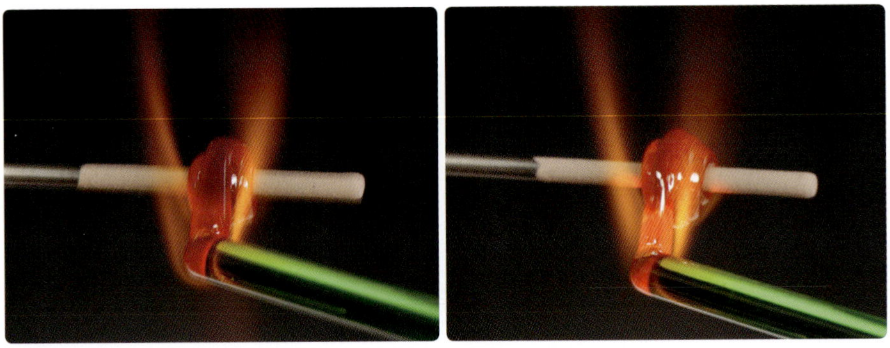

ガラスロッドの先端を内炎の3～4cm上に移動し、ガラスをさらに熔かしながら、好みの大きさになるまでガラスを巻き取ります

09

● ガラスを巻く時の、芯棒とガラスロッドの位置

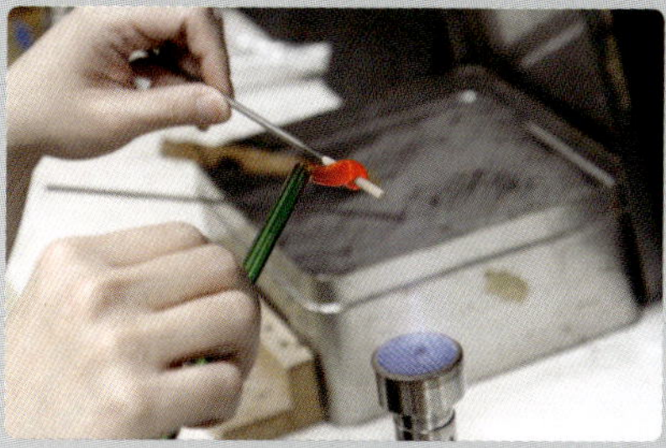

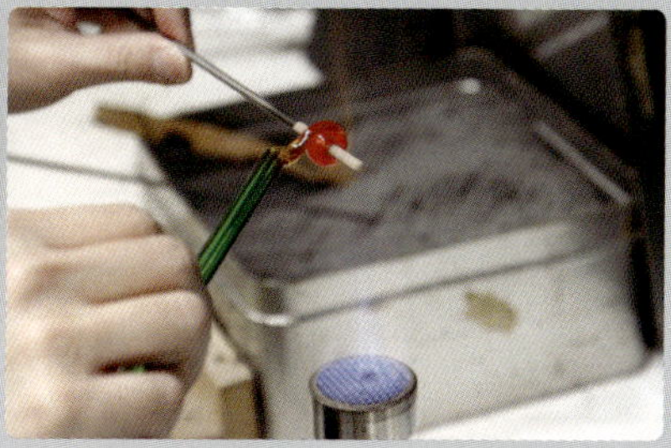

07〜08の工程を側面から見た状態です。芯棒の先を炎の中に入れ、ガラスロッドの先端を炎の側面、外炎で熱しながら巻き取ります

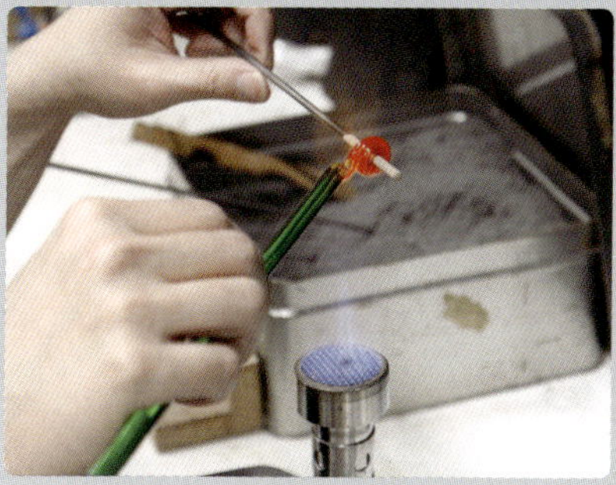

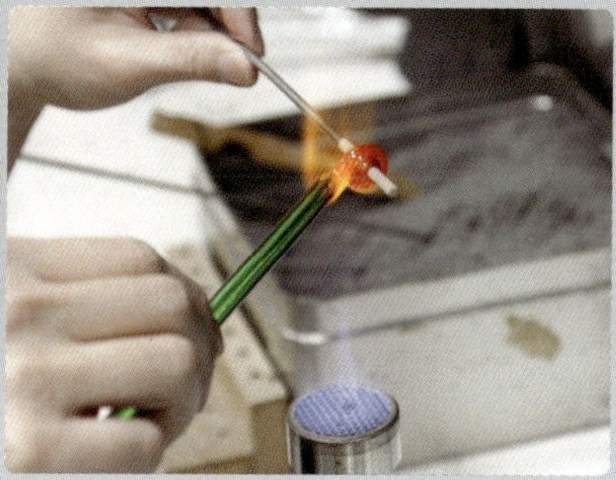

09の工程を側面から見た状態です。芯棒を僅かに奥へずらし、ガラスロッドの先端を内炎の上3〜4cmの位置で熔かしながら巻き取ります

⑤巻いた玉からガラスを切る

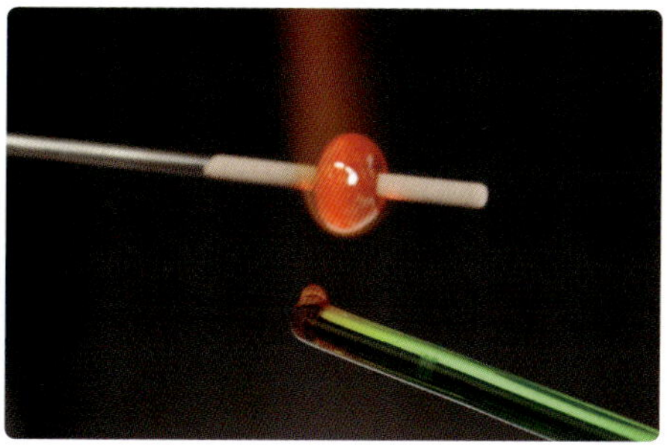

熔かしたガラスを芯棒に巻き、玉を好みの大きさにしたらガラスを切ります。ガラスロッドの先端を内炎の3〜4cm上で保ちつつ、巻いた玉とガラスロッド先端の熔かしたガラスを離して分離させます

10

● 玉からガラスを切る時の、芯棒とガラスロッドの位置

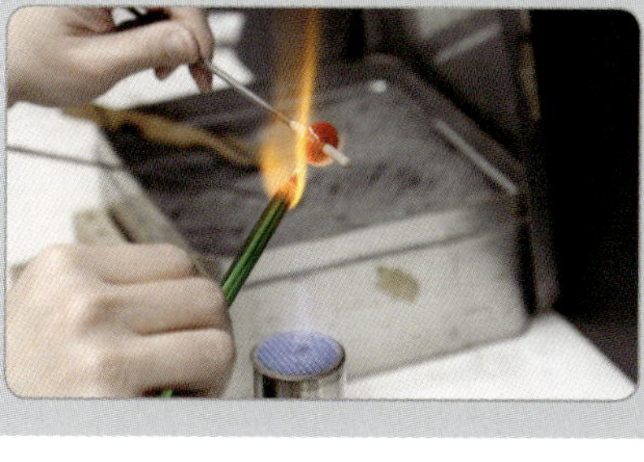

10の工程を側面から見た状態です。ガラスロッドの先端は内炎の上に置いたまま、玉を巻いた芯棒を奥の上方へ離してガラスを切ります。この時、芯棒をガラスを巻き取った時と同じ方向に回します

⑥芯棒を回して成型する

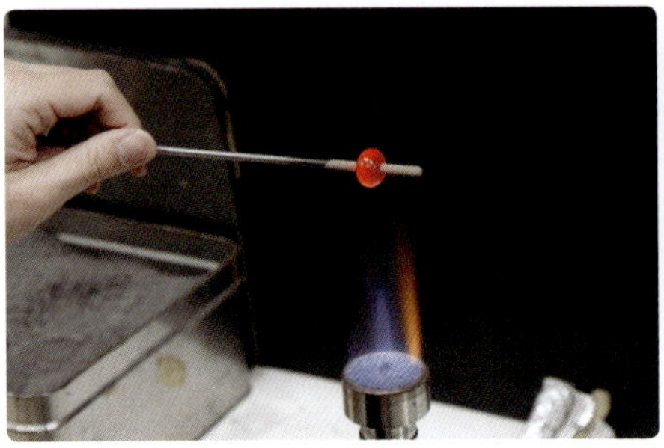

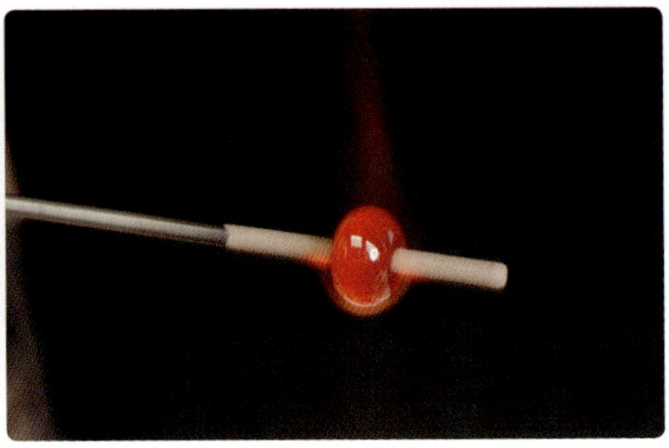

芯棒に巻いた玉を内炎の3〜4cm上で熱し、芯棒をゆっくり回して玉の形を整えます。芯棒を水平に持って回し、熔かしたガラスの表面を、ガラスの表面張力で自然に整えます

11

⑦成型した玉を徐冷する

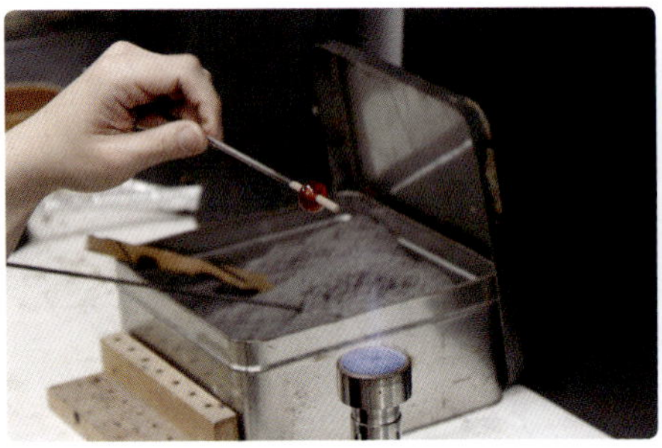

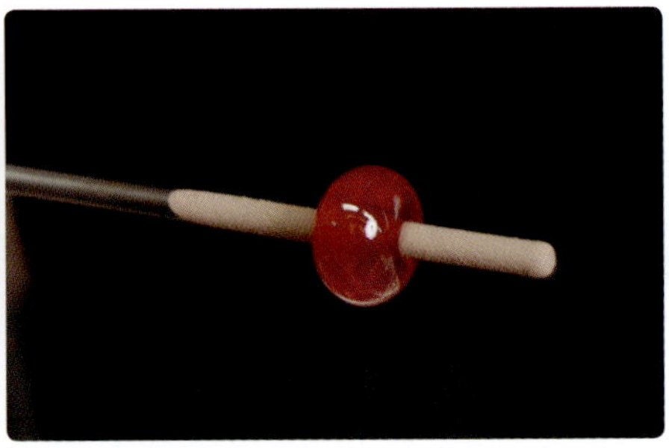

急冷によるトラブルを防ぐため、成型した玉を徐々に炎から離して徐冷します。11で炎の中に入れていた玉を、芯棒をゆっくりと回転させつつ炎から外し、温度を下げます

12

芯棒の回転を保ちつつ、巻いた玉の色の変化を見ます。赤みが退き、ガラスの透明感が戻って固くなったタイミング（※炎から玉を外し、20〜30秒程度経過した程度）で徐冷材に入れます

13

玉から赤みが退き、透明感が戻った左写真のような状態で、芯棒を回転させながら玉を徐冷材へ沈めるように入れ、玉を完全に徐冷材の中へ収めます

14

巻いた玉を芯棒から外す

徐冷材の中で徐冷を終えた玉を、芯棒から取り外します。離型剤に水を含ませ、これを崩して玉を外した後、玉の穴に残った離型剤を丁寧に除去します。

徐冷材に入れた玉は、30〜40分程度経過して完全に冷めたことを確認したら、芯棒から取り外すことができます

01

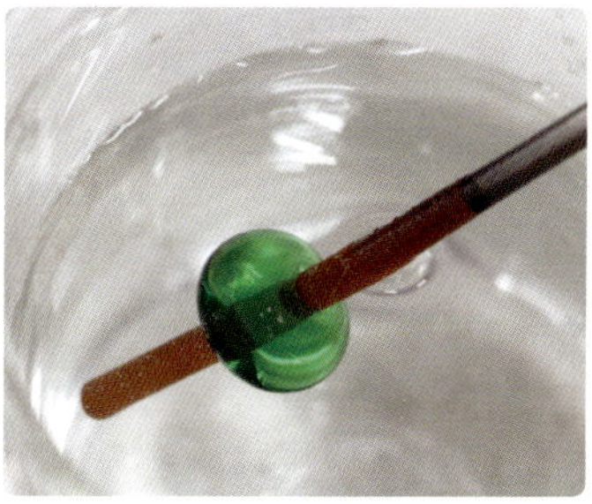

02 ガラス瓶に入れた水に、芯棒の先の離型剤を完全に浸します

03 布等を介して玉をつかみ、芯棒を回転させてもろくなった離型剤を崩します。玉が割れてケガをする可能性があるため、必ず布等を介して玉をつかんでください

● 芯棒を回せない場合

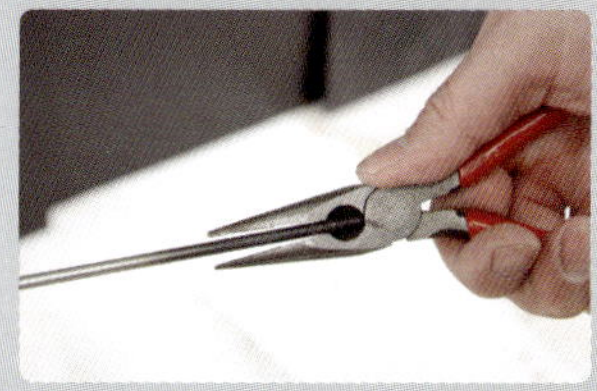

芯棒を素手で回せない場合は、ペンチ等で芯棒をつかんで回します

04 芯棒を回して離型剤を崩すと、玉が自由に動くようになります。玉が動くようになったら、素手で玉をつかみ、ゆっくり回転させながら芯棒から外します

05 外した玉の穴に残った離型剤へ、さらに水を含ませます。穴に棒ヤスリを入れ、玉を傷付けない木板等の上で転がし、穴に付着した離型剤を完全に除去します

● より丁寧な除去方法

リューターを使用すれば、より丁寧に離型剤を除去することができます

基本の玉　失敗例

以下の写真は、前項で作り方を解説した基本の玉の正しい完成形と、とんぼ玉制作時に起こりやすい失敗例の玉です。3種の失敗例に関し、右ページで解説する原因を確認し、基本の玉を巻く際は注意してください。

OK

正しく巻いた基本の玉です。工具を使わずに炎のみで成型した玉は、穴と平行な表面（写真中）が熔けたガラスの表面張力により球面を持ちます。また、両方の穴の側面は僅かに窪みます（写真右）

NG 1

NG 2

NG 3

左上のNG1は、玉の中に気泡ができた失敗例、右上のNG2は、片側の穴の側面が間延びした“玉ねぎ型”の失敗例、そして左のNG3は、両方の穴の側面が窪まず、逆に突出して“バリ”となった失敗例です

NG 1 離型剤が完全に焼けていない

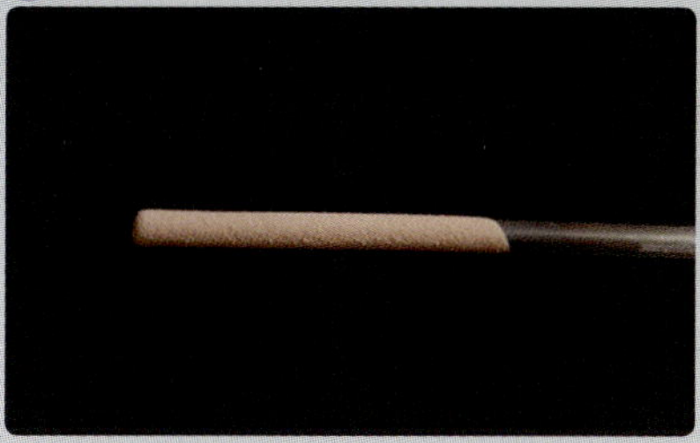

離型剤を完全に焼き切らずに玉を巻くと、熱により蒸発しようとする水分が離型剤から出て、これを閉じ込める形となり、気泡がガラスの中に生じてしまいます

NG 2 芯棒を斜めに持っている

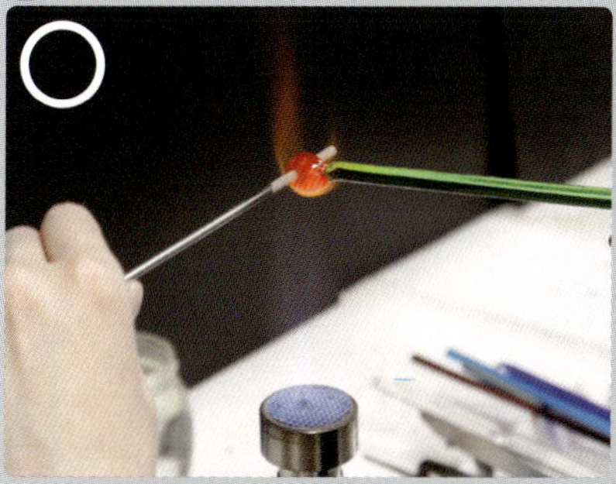

正しい完成形の玉を巻くには、ガラスの巻き始めから徐冷直前まで、常に芯棒を水平に保って回す必要があります

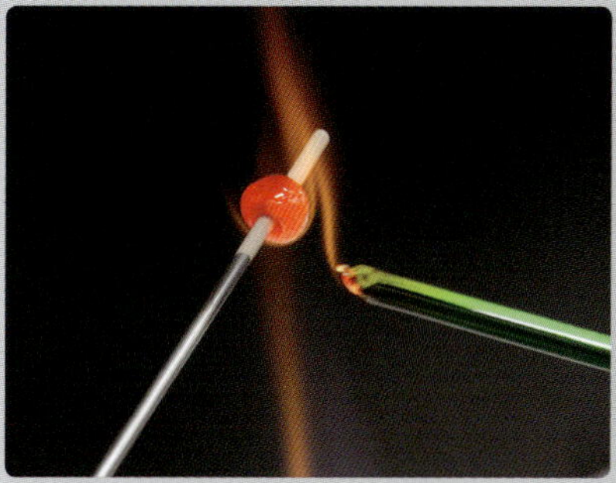

芯棒が斜めに傾いていると、巻き取ったガラスが重力で傾いた下方へ流れてしまいます

NG 3 熔かしたガラスの押し付け

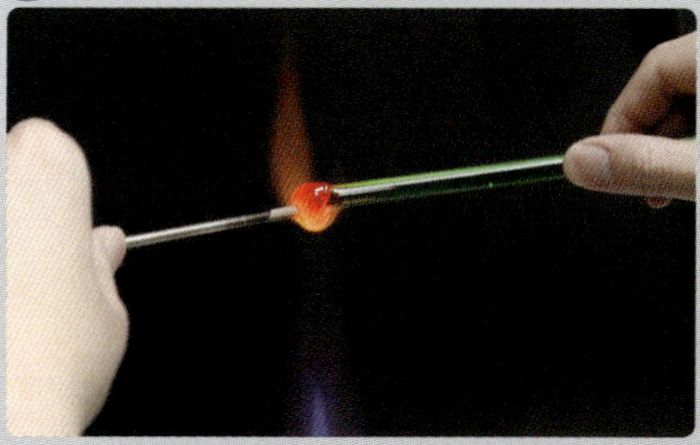

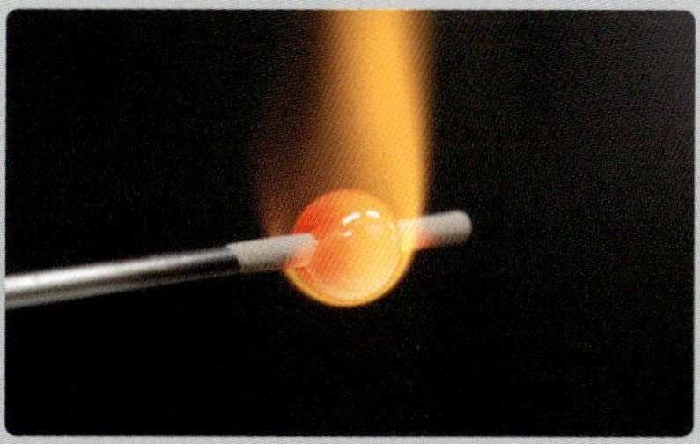

熔かしたガラスを巻き取る際、芯棒へ側面から押し付けるようにガラスをのせてしまうと、芯棒の上でガラスが横に広がり、穴の側面が窪まずに突出してしまいます

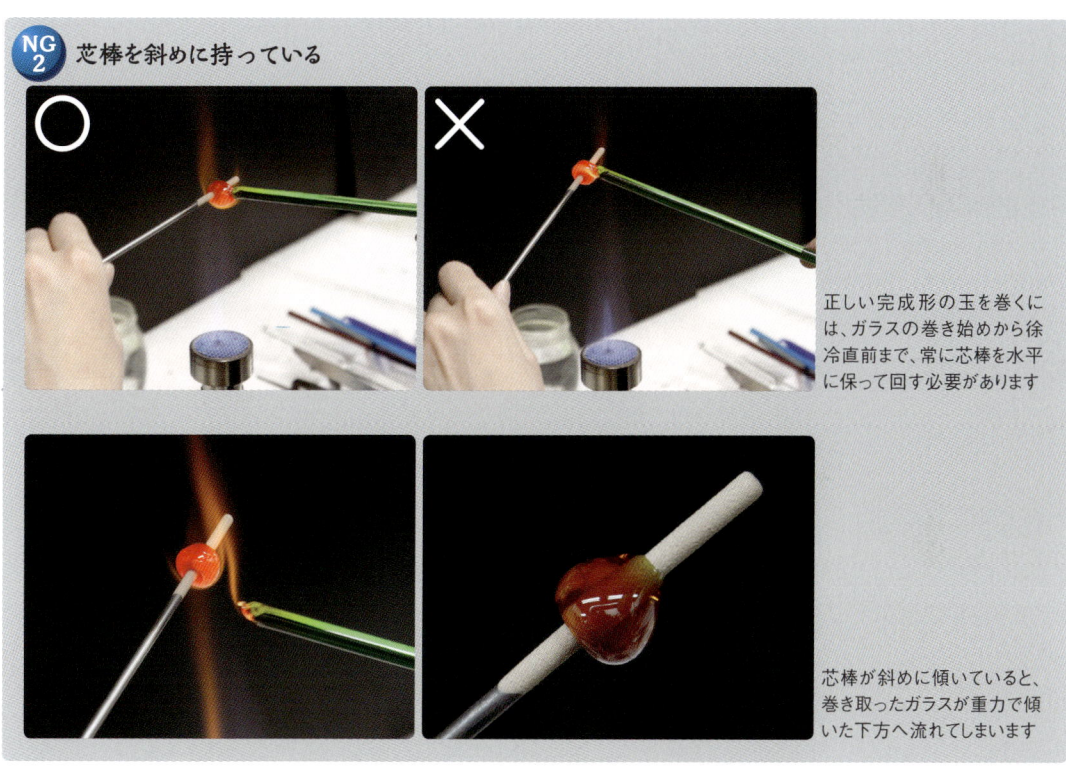

基本のとんぼ玉　成型アレンジ

基本のとんぼ玉を成型し、「筒型」、「俵型」、「サイコロ型」にする方法を解説します。何れの形に成型する際も、ベースの玉は基本のとんぼ玉と同じで、ヘラ、こて、フラットピンセットの各工具をあてることで成型します。

筒型

細長く横に延びた、円柱に近い筒型のとんぼ玉です。基本の玉の表面にヘラで面を付け、こての上を転がすことで面を均し、平滑な筒型に成型します。

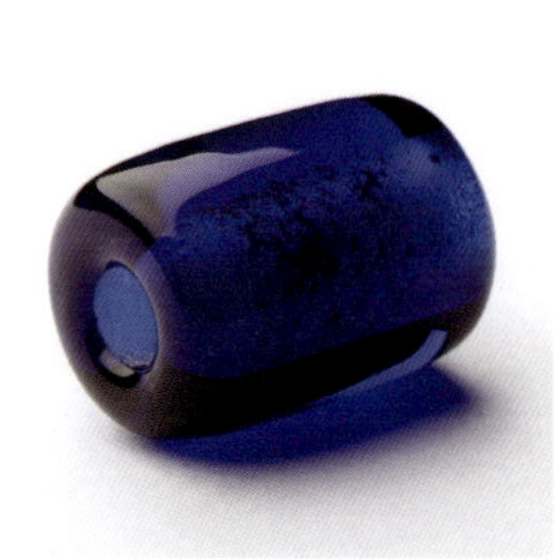

①基本の玉を巻く

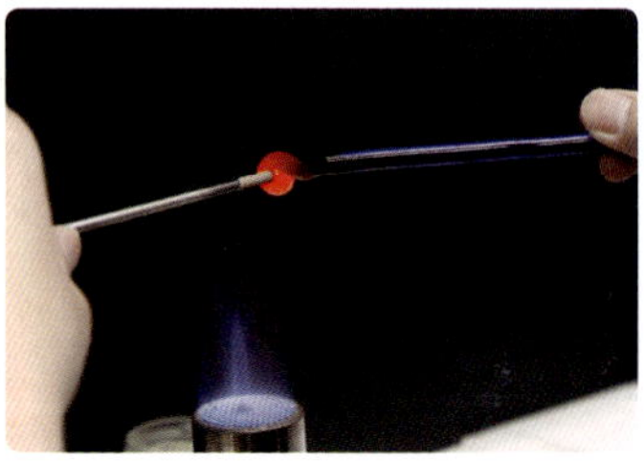

01 芯棒にガラスを巻き取り、基本の玉を作ります

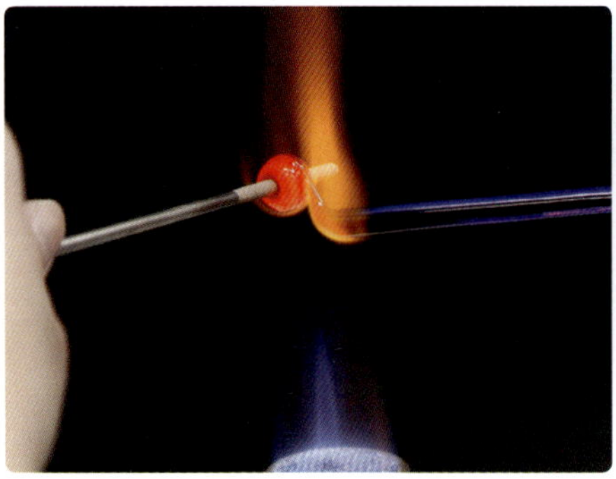

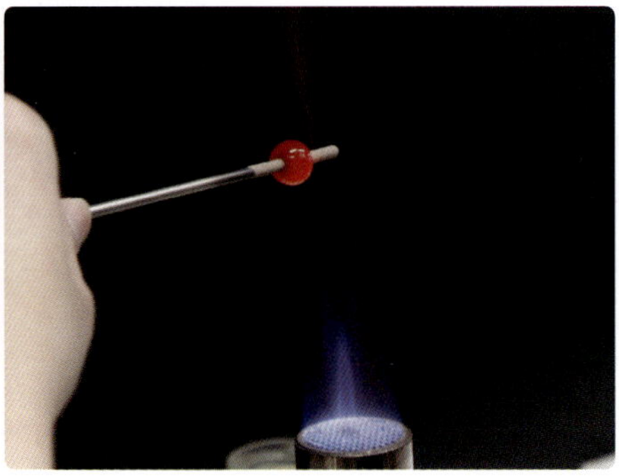

好みの大きさになるまでガラスを巻き取り、炎の中で巻いた玉を回して成型します

02

②ヘラで面を付ける

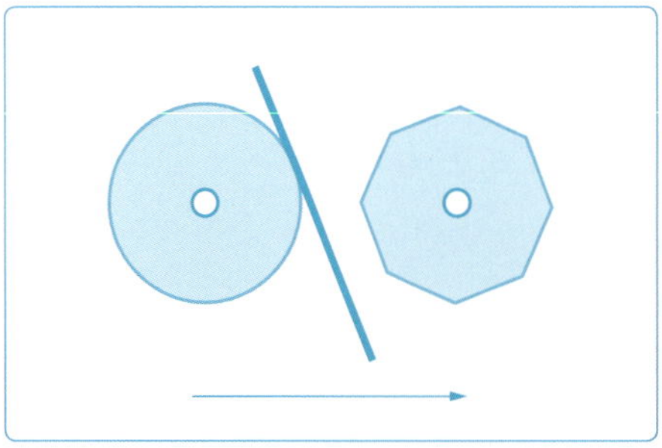

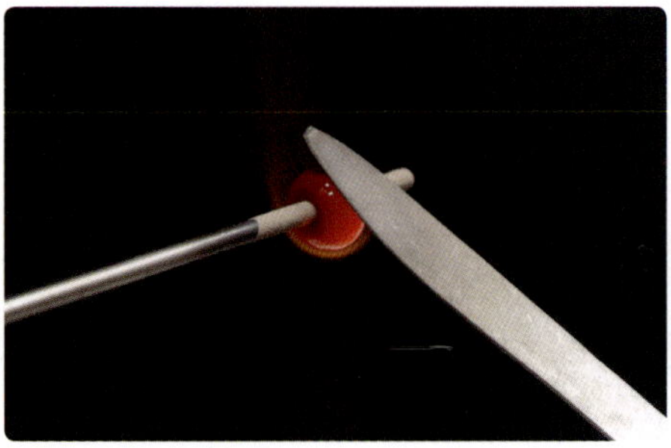

左図のように、芯棒に対して水平にヘラの面をあて、炎で成型した玉の球面（表面）に面を付けます

03

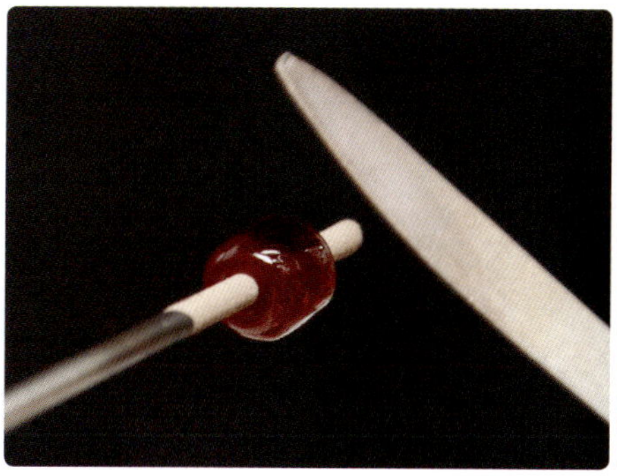

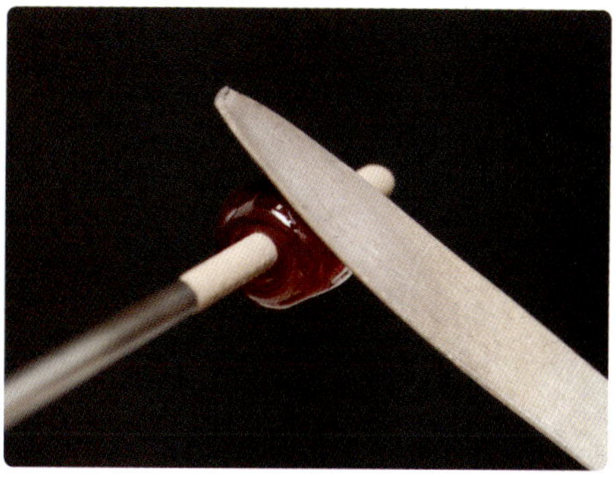

玉を軽く回しながら、できる限り等間隔に、側面を6～8等分程度に分ける面を付けていきます。ヘラが熱くなるとガラスにくっついてしまうため、できるだけ素早く作業します

04

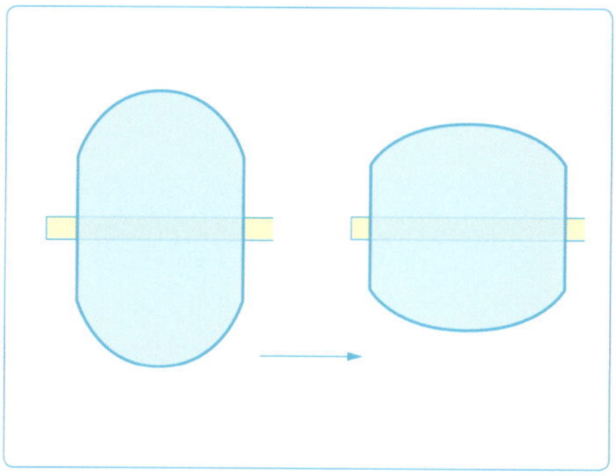

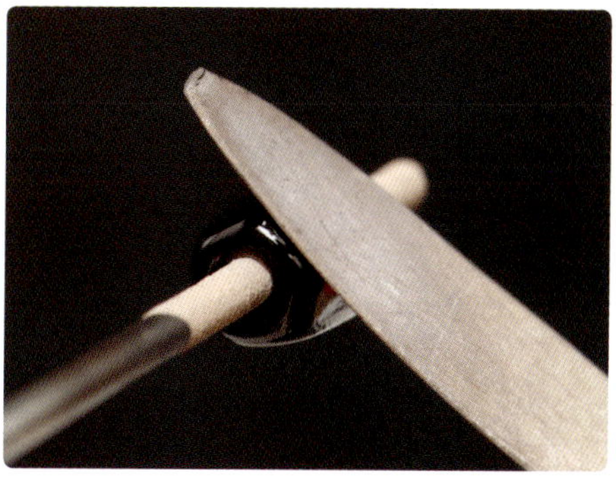

ヘラを玉の表面に押し当て、面を付けていくことで、玉の幅が徐々に広がります

05

③こての上で玉を転がす

玉の全表面に面を付けたら、こての上で玉を素早く転がし、面と面の境目にある角を落として表面を平滑に均します。この時は、こての面と芯棒を水平に保ち、手前か奥の一定方向に玉を転がします

06

玉を急冷させないように時折玉を炎で熱し、玉の温度を一定に保ちながら表面を均していきます

07

④徐冷～完成

筒型に玉を整えたら、基本の玉と同様に徐冷し、徐冷終了後に芯棒から取り外します

08

俵型

ワラで作った米俵のような形をした、その名の通り俵型のとんぼ玉です。この形は直前の筒型をベースに、こての上でその両側面を成型して作ります。

①筒型の玉を作る

01 直前の項で解説した、筒型の玉を作ります

②片側面を斜めに成型する

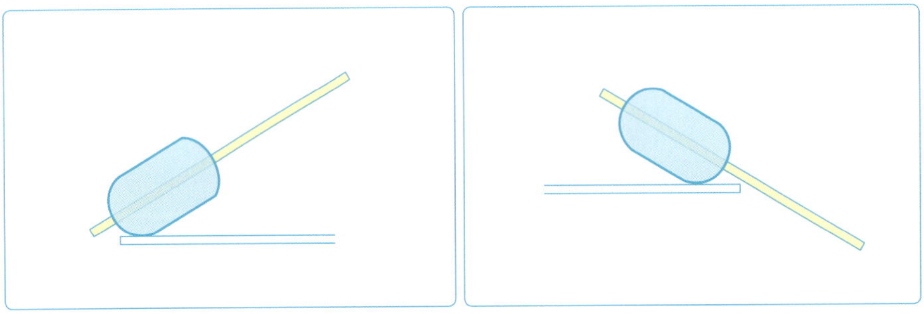

筒型に成型した玉の各側面をこてにあて、玉を転がして斜めに成型します。各イラストは成型時の概念図で、芯棒の先がこてに干渉しないよう、こての端に玉の側面をあて、芯棒を回して成型します

02

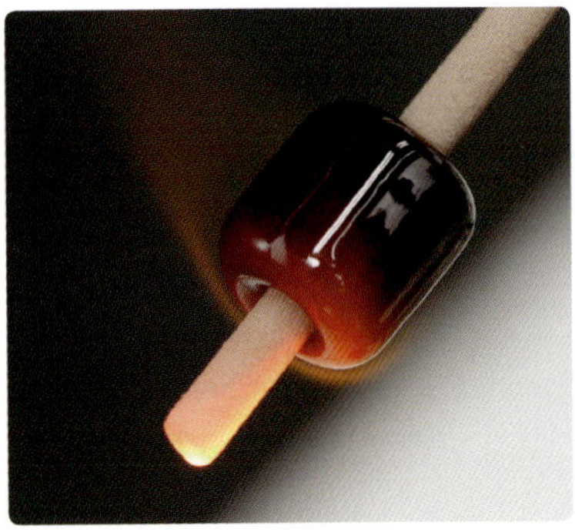

01で筒型に成型した玉の、先に成型する片側面のみを熱します。成型する側面は、どちらが先でも構いません

03

こての端に熱した側面をあて、芯棒を斜めにした状態で一定方向に回し、側面を斜めに成型します

04

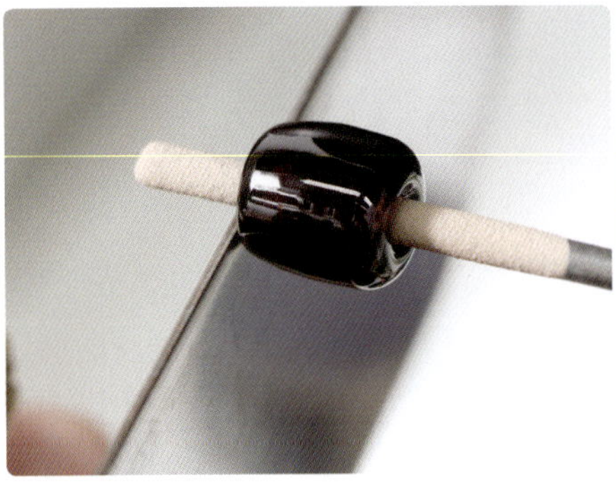

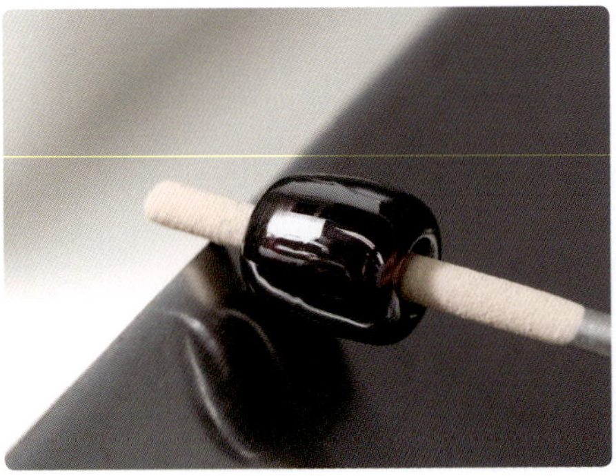

側面を斜めに成型するに従い、芯棒が通る穴の側面に歪みが生じるため、左写真のように穴の側面へこてをあて、この歪みを正しながら成型します

05

③残りの側面を斜めに成型する

片側面の成型を終えたら、反対側の側面も同様に熱して成型します。先に成型した側面とバランスを揃え、中央が膨らみ過ぎた場合は、これも滑らかに整えて成型します

06

④徐冷～完成

基本の玉と同様に徐冷し、徐冷終了後に芯棒から取り外せば完成です。右写真は筒型と比較した参考写真です

07

サイコロ型

球型が基本のとんぼ玉ですが、フラットピンセットを使うことで、あえて角を強調した成型をし、丸みを帯びたサイコロのような形にすることもできます。

①フラットピンセットで成型する

01 芯棒に基本の玉を巻き、側面をフラットピンセットで挟むことで面を付け、サイコロ型に成型します

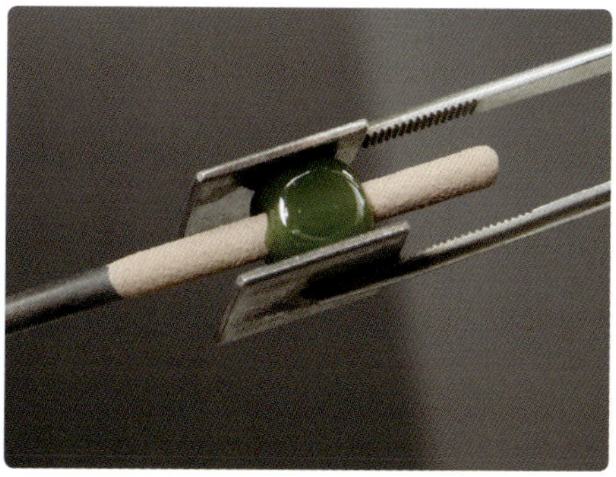

基本の玉を充分に熱し、フラットピンセットの面を芯棒と水平にして挟み、玉の側面に2つの面を付けます。最初の面を付け終えたら、芯棒を90°回転させ、最初の面と直角になる面を付けます

02

②徐冷～完成

サイコロ型に成型した玉を徐冷し、徐冷後に芯棒から取り外します。芯棒が通る穴の側面は物理的に成型できませんが、丸みを帯びたサイコロに近い形に成型することができます

03

こてやヘラを使った成型時のポイント

こてやヘラでとんぼ玉を成型する際、ガラスの表面にこてやヘラの跡が付くことがあります。その場合は、ここで解説する方法で跡を除去します。

01 こてやヘラで玉を成型している途中、右写真のような跡がガラスの表面に付くことがあります

01のような跡を発見したら、バーナーのエアーを弱めて還元炎にします。そして、還元炎の中で玉をゆっくりと回しながら熱すると、跡をきれいに消すことができます

02

03 跡を消さずに成型を続けると、その跡が重なって大きく広がります。大きく広がった跡は消すことができず、完成後にも右写真のように残ってしまいます

ヘラを冷やす

成型の途中では、ヘラをこまめに水に浸けて冷やすようにします

短くなったガラスロッドの接ぎ方

とんぼ玉の制作に使用するガラスロッドは、短くなるとこれを持つ手が炎に近付き、そのままでは使用できなくなります。ここでは、そのような場合も無駄なく使い切ることができる、ガラスロッドの接ぎ方を解説します。

01 短くなったガラスロッド(下)と、全く同じガラスロッドを用意します

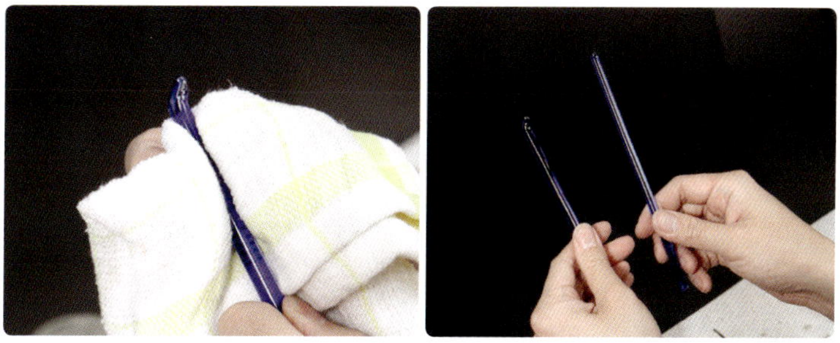

02 既に使用して熔かした側の汚れを落とし、各ガラスロッドをそれぞれの手で持ちます

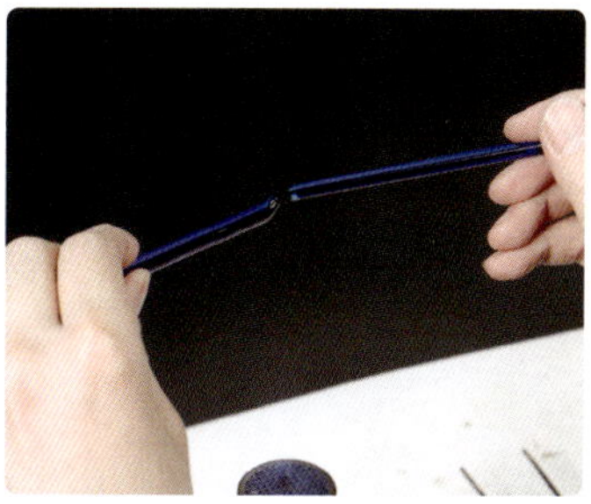

03 接続する各ロッドの先端を、玉を巻く際と同様に予熱します

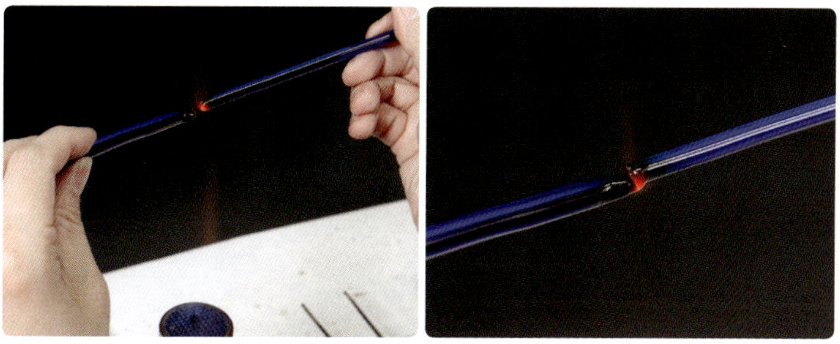

04 予熱を終えたロッドの先端を内炎の上で熱し、熔け始めた所で双方の先端を合わせます。各ロッドを1本の線に見立て、できるだけまっすぐに合わせます

ガラスロッドのずれ

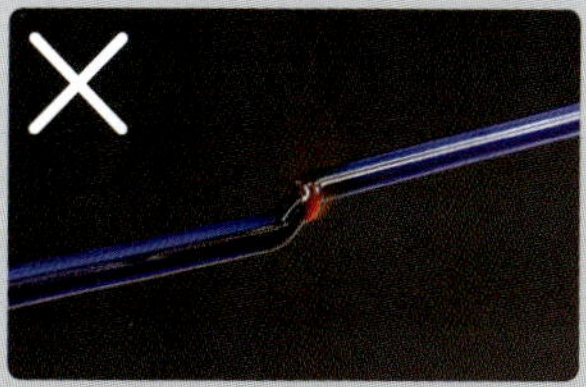

ロッドをずらすと線が崩れ、次に扱いやすい1本のロッドにできません

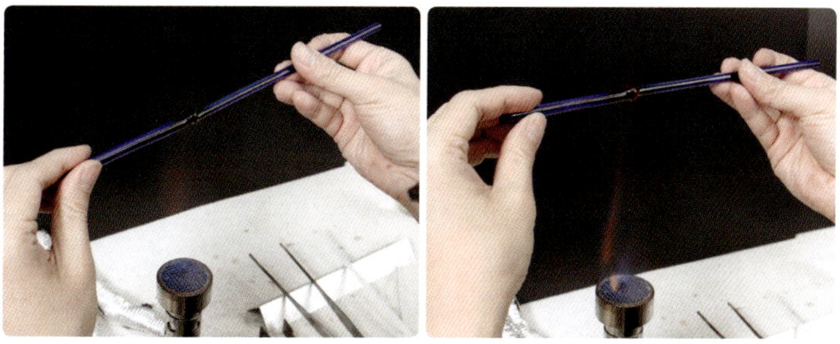

05 合わせた先端をさらに熔かし、熔かして合わさった部分を熔融させます。両方のロッドを押し合わせるようにすると、まっすぐ合わせた状態で熔融させることができます

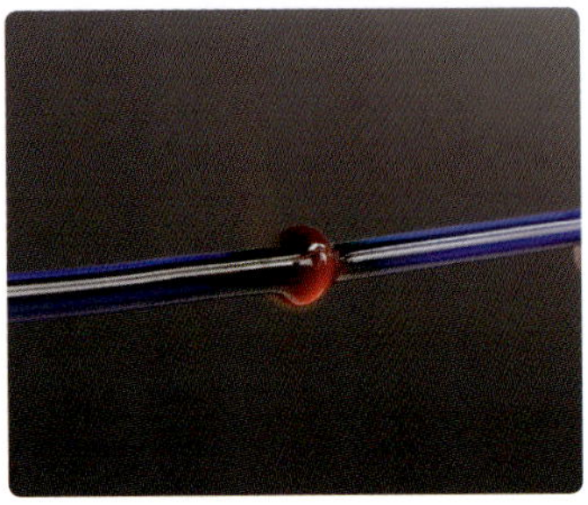

06 接続部を充分に熔融させ、接いだ箇所のガラスをよく馴染ませます

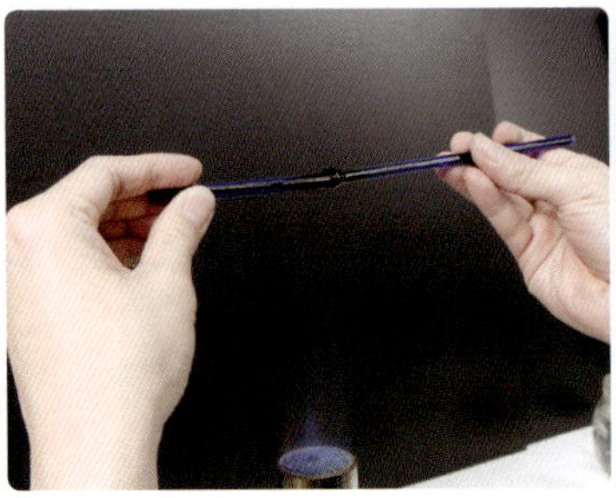

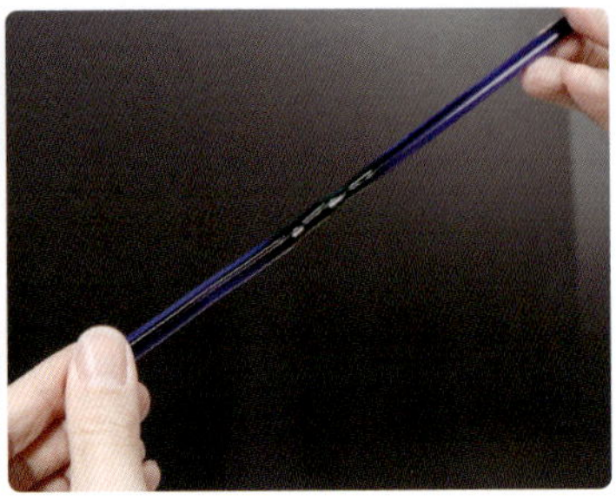

07 接続部のガラスを馴染ませたら、接続部を炎の手前に出し、両方のロッドをゆっくり引いて接続部を延ばします。この時は、引き過ぎて細くしないように注意します

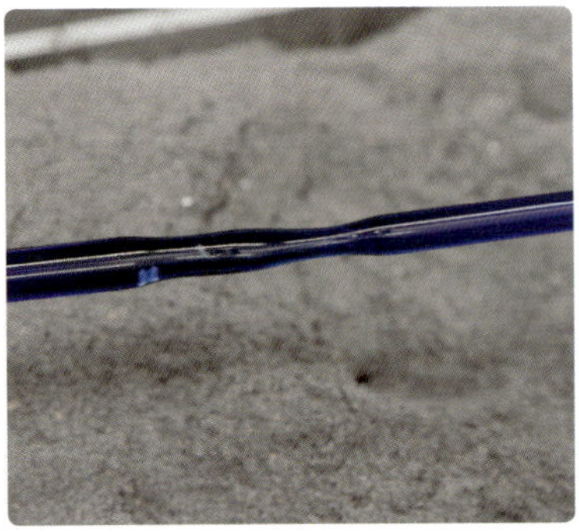

接続して延ばした箇所を徐冷します。徐冷材の中へ入れることはできないため、外炎で徐々に徐冷した後、接続した箇所が低温の所に触れないように定置して徐冷します

08

ガラスロッドの接続部。06の状態でも接続は済んでいますが、接続部にコブを残すと、次に熔かした際に弾けてしまうため、引き延ばしておく必要があります

09

● ガラスロッド再使用時の注意

一度使用したガラスロッドを再び使用する際は、熔かす先端の状態によりガラスが弾ける可能性があるため、以下の点に注意する必要があります。

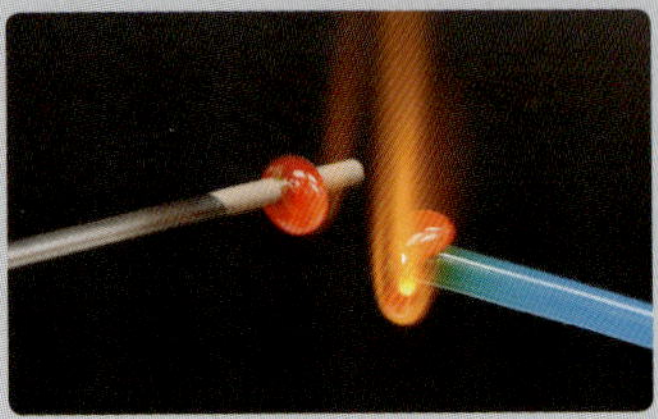

玉からガラスを切る際、ガラスロッドを必要以上に熔かしていると、ロッドの先端に余分なガラスが残ってしまいます

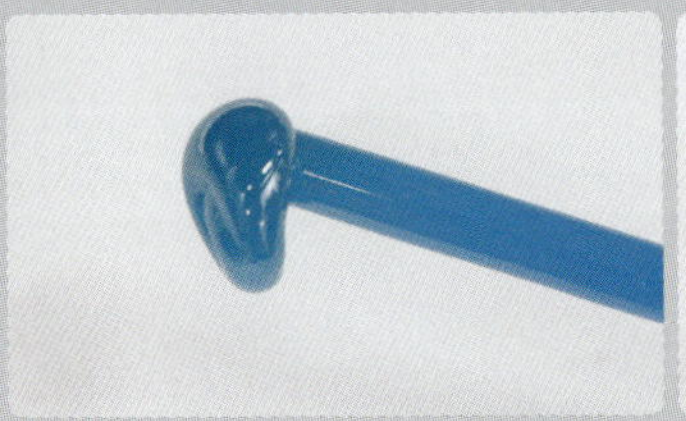

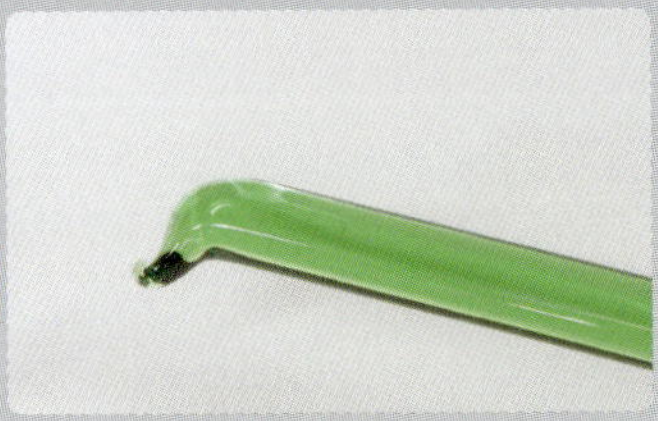

写真左は残った余分なガラスが固まったガラスロッドの先端で、これをそのまま熔かそうとすると、しっかり予熱しても弾ける可能性があります。玉からガラスを切る際は再使用を考慮し、右写真のようにロッドの先端へなるべくガラスを残さないようにします

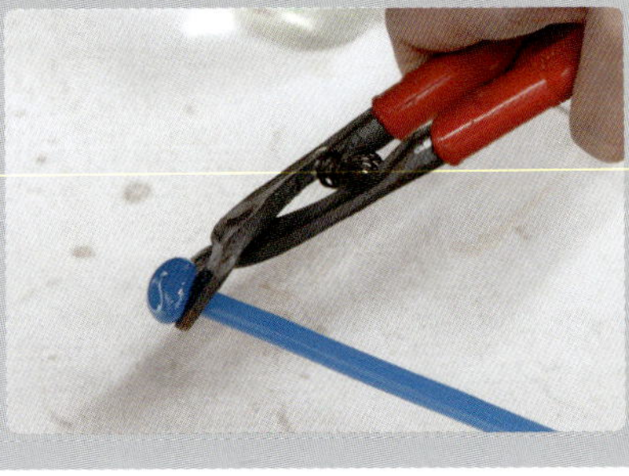

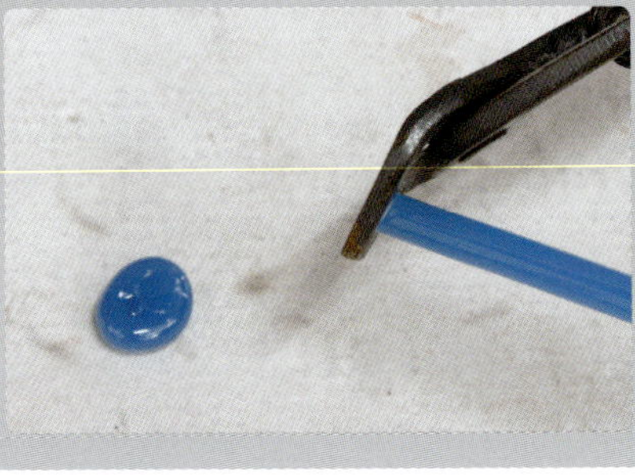

ガラスロッドの先端に余分なガラスを残してしまった場合は、無駄にはなってしまいますが、安全を考慮して余分をガラス切りでカットし、再使用することを推奨します

とんぼ玉を彩る技法

各種の作品の作り方を通し、単独のガラスロッドで作る基本の玉を基に、色違いのガラスや異素材を組み合わせて玉を作る技法や、ヘラやこてで玉を立体的に成型する技法を解説します。

クリアをかぶせた「すきがけ玉」

クリアガラスを厚くかぶせた玉（左）と、ごく薄くかぶせた玉（右）。クリアを厚くかぶせた玉には奥行きが現れ、クリアを薄くかぶせた玉は、ベース玉の色合いに透明感が付加されています

色付きのベース玉を巻き、その上に透明なクリアガラスをかぶせて作る「すきがけ玉」。ここではクリアの厚みが異なる、2種類の玉の作り方を解説します。

使用する工具・資材

- ステンレス芯（Φ4mm）
- 離型剤
- ガラス瓶と水
- ヘラ
- こて
- 押さえ用鉄板

使用する材料

- A-14
- G-1

クリアを厚くかぶせた玉

芯棒に筒型のベース玉を巻き、その上へクリアガラスを多めにかぶせて作る玉。後の章で作り方を解説する、ムリーニを使った玉のベースにもなります。

ベース玉を作る

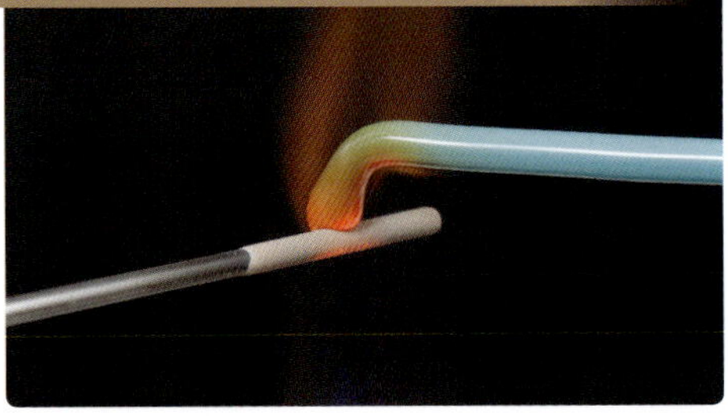

01 ベース玉のガラスロッド（A-14）をオリーブ大程度熔かし、芯棒に垂らして巻き取ります

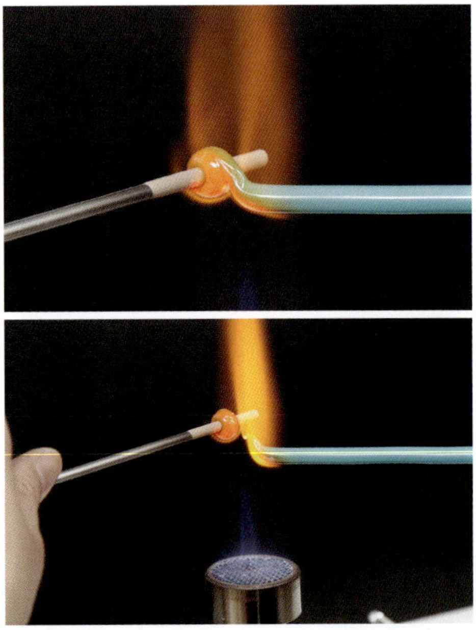

02 熔かしたガラスを巻き取り、ガラスを切ります

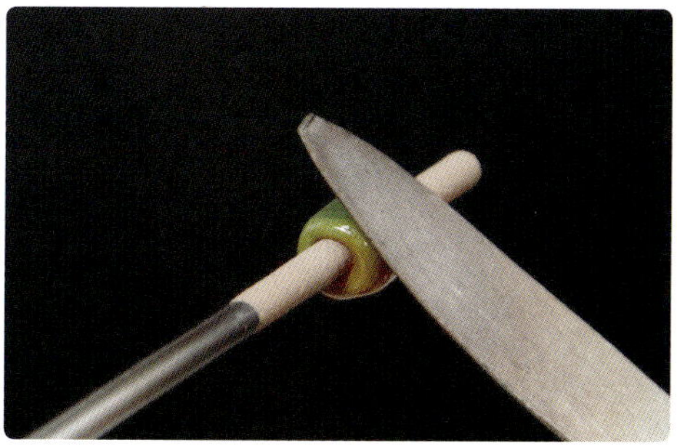

03 巻き取った玉にヘラをあて、表面に面を付けます

04 こての上で玉を転がして成型し、円柱に近い小さな筒型のベース玉を作ります

クリアをかぶせて成型する

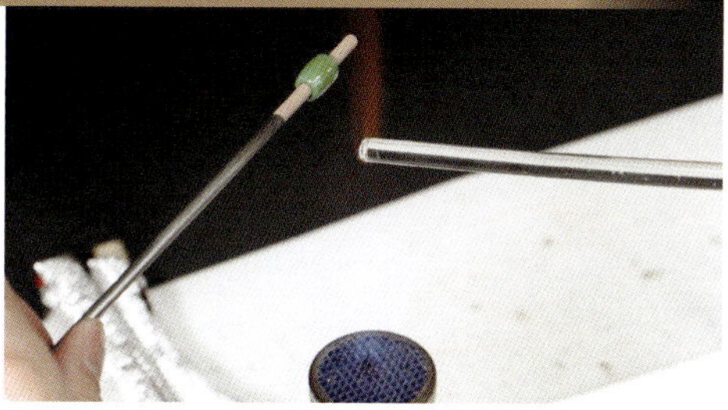

05 ベース玉を保温しつつ、クリアガラス(G-1)を予熱した後に熔かします

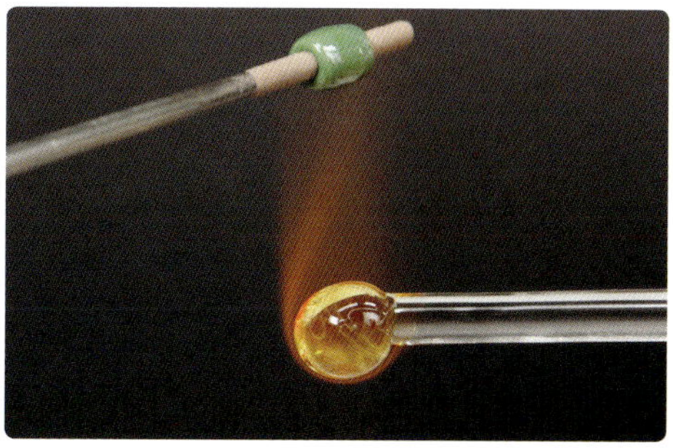

06 クリアをサクランボ大程度熔かします

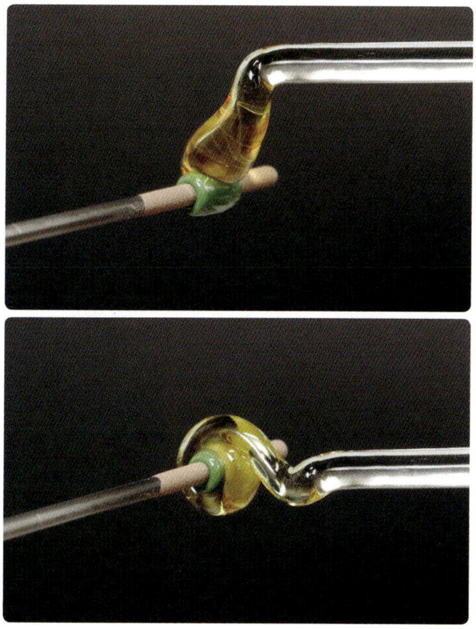

07 基本の玉を巻く際と同じ要領で、熔かしたクリアを炎の外でベース玉の上に垂らして巻き取ります

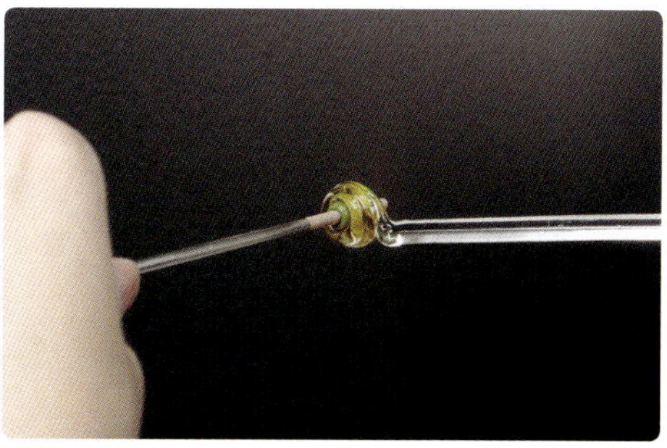

08 芯棒を水平に保って回転させ、熔かしたクリアを一気に巻き取ります

熔かしたクリアを全て巻き取ったら、炎の中でガラスを切ります

09

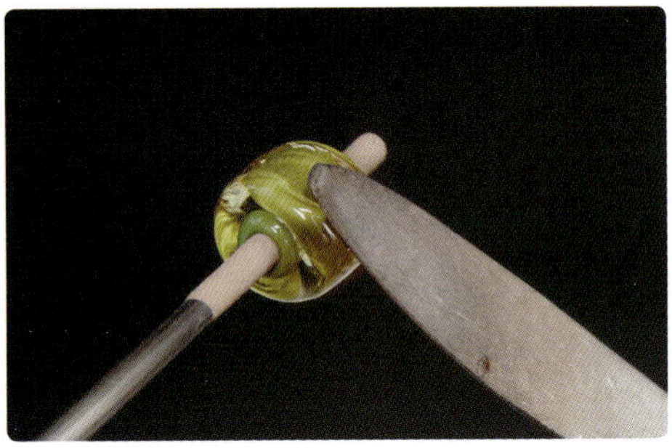

10 クリアが熔けている内に、その表面にヘラをあてて面を付けます

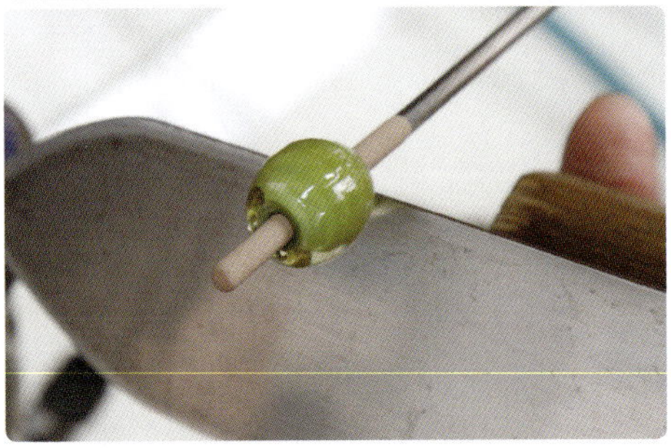

11 こての上で転がし、上にかぶせたクリアを成型します。側面の状態も確認し、必要に応じて整えます

12 成型の途中、適宜玉を熱しつつ、こての上で転がして表面を均し、全体を均一に整えて徐冷します

完成

13 上は完成した玉、下は使用したベース玉と同程度の玉と、すきがけ玉を並べた写真です。厚くかぶせたクリアがレンズの役割を果たし、角度によりベース玉を大きく見せ、奥行きが現れています

クリアを薄くかぶせた玉

同じすきがけ玉でも、かぶせるクリアの厚みの違いにより、印象は大きく異なります。ここでは、熔かしたクリアをこてで潰し、薄くかぶせる玉の作り方を解説します。

ベース玉を巻く

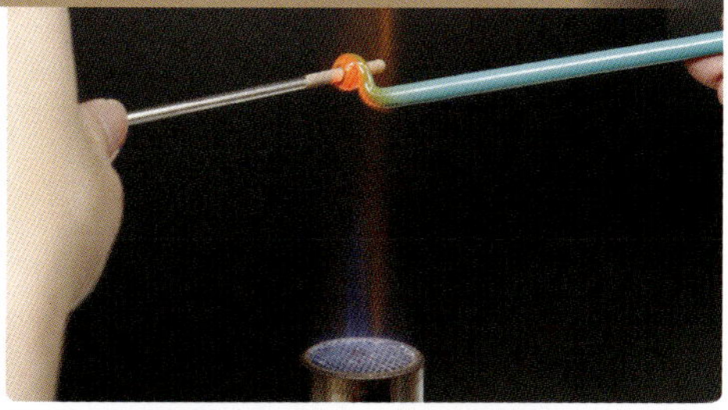

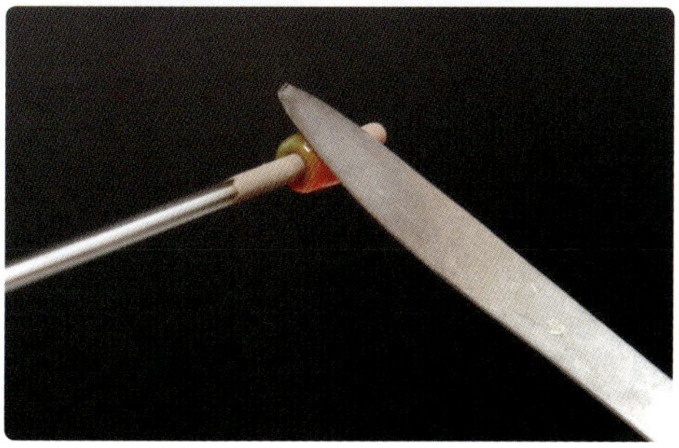

01 クリアを厚くかぶせた玉と同じ、円柱状に近い小さな筒型のベース玉を作ります

クリアをかぶせて成型する

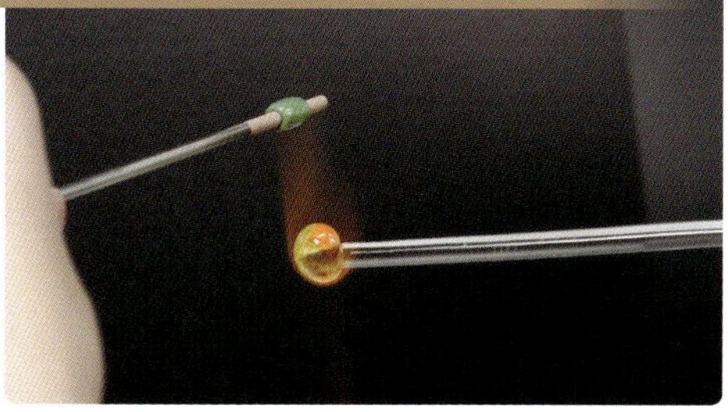

02 ベース玉を保温しつつ、クリアを厚くかぶせた玉の時よりも少なめ（オリーブ大程度）にクリアガラスを熔かします

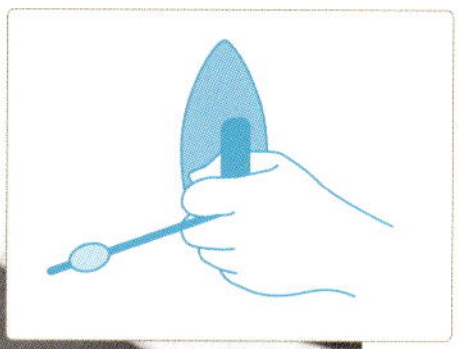

03 上のイラストのように芯棒とこてを同時に持ち、熔かしたクリアを押さえ用鉄板の上へ素早くのせ、こてで一気に潰してうちわ状にします

Point

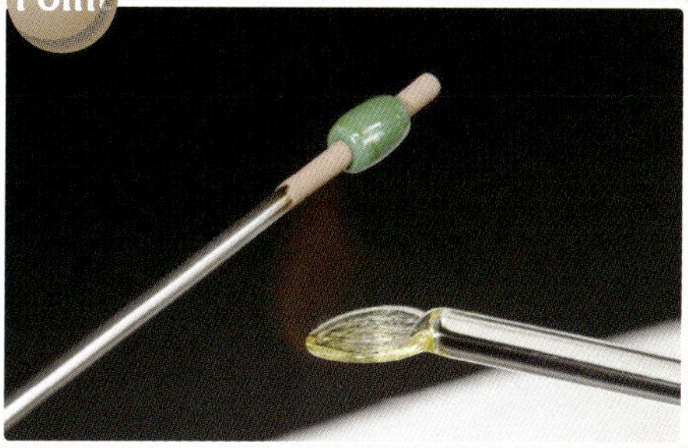

04 うちわ状にしたクリアを、素早く炎の中に戻して熱します。うちわ状のクリアは、熱することで柔らかくなり、下へ向けて倒れてきます。そこで、完全に倒れて形が崩れないよう、ガラスロッドの面を返しながら充分に熱し、形を維持したまま熔かします

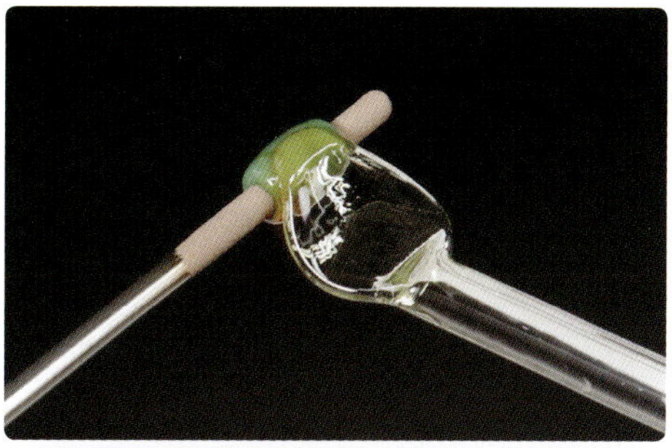

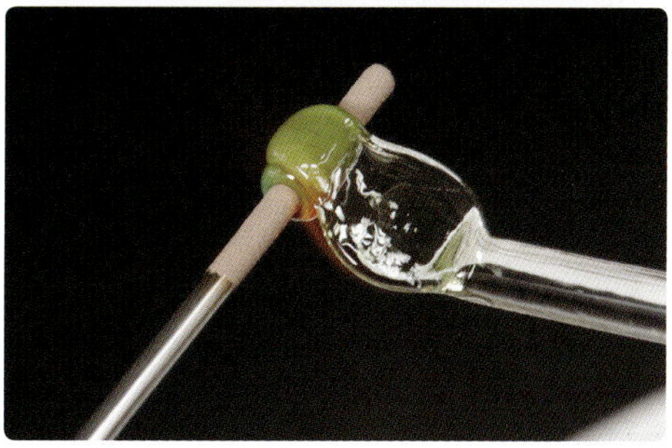

05 うちわ状のクリアを充分に熔かしたら、その端をベース玉にあてて巻き取ります

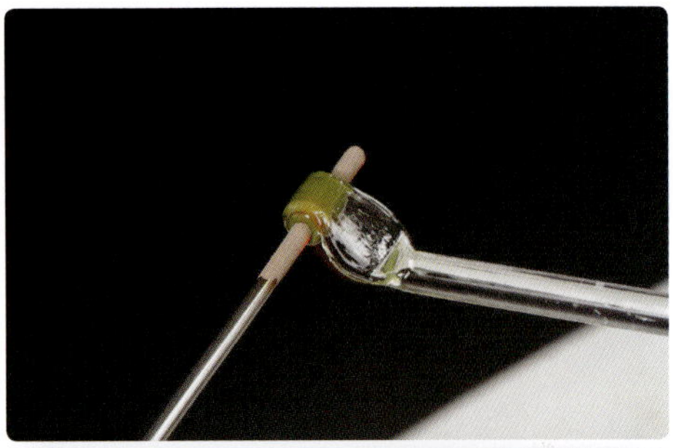

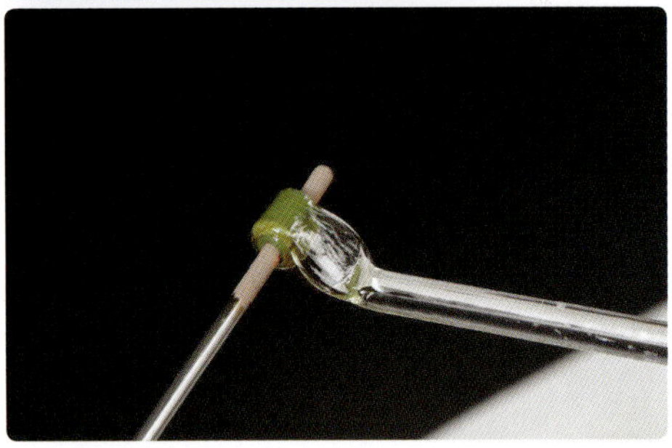

06 熔かしたクリアを延ばすように、ベース玉へ均等に巻き取ります

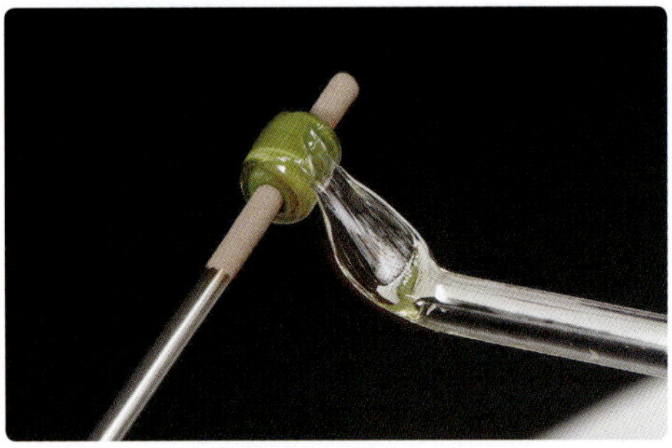

07 ベース玉の側面全体を覆う程度巻き取ったら、炎の中でガラスを切ります

08 巻き取ったクリアの表面にヘラをあて、成型するための面を付けます

Point

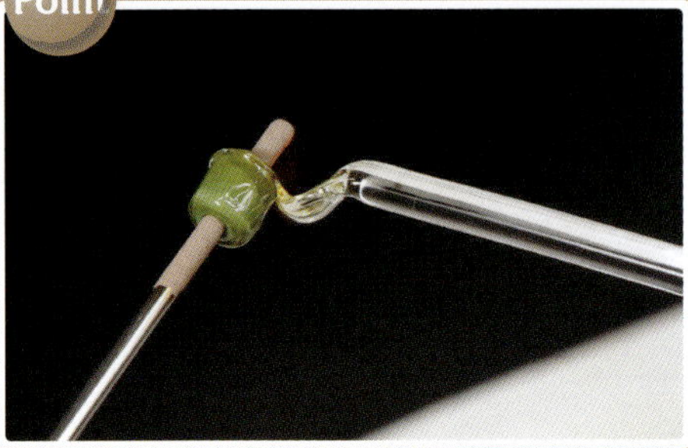

09 かぶせたクリアが足りない部分がある場合は、クリアを熔かしてその部分を充填します

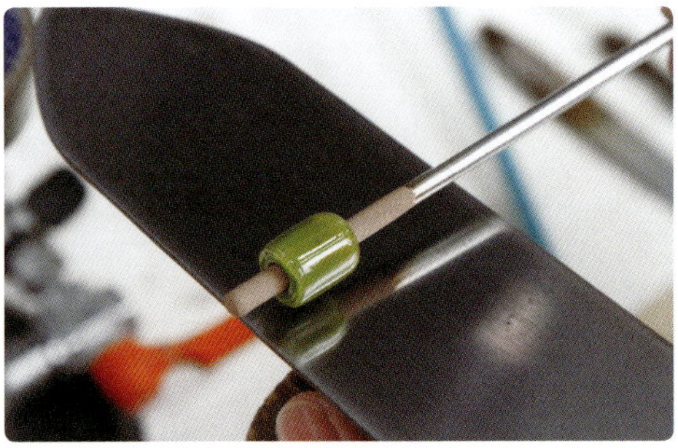

10 こての上で成型し、全体を均一に整えて徐冷します

完成

11 上は完成した玉、下は使用したベース玉と同程度の玉と、すきがけ玉を並べた写真です。ベース玉と形状や大きさはあまり変わらないながらも、単一のガラスを巻いたベース玉とは異なる透明感が付加されています

かぶせるクリアの厚みによる違い

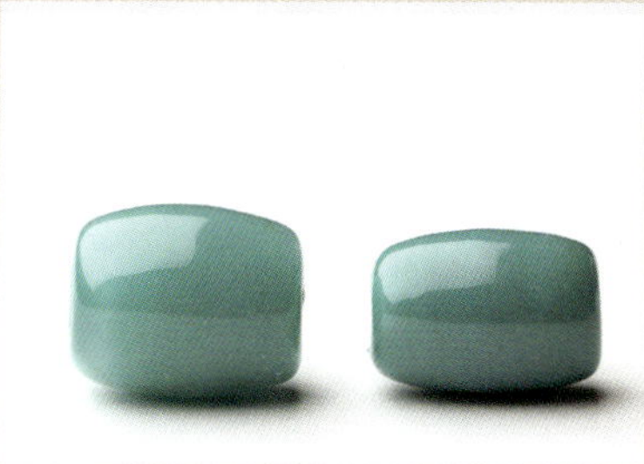

制作した2種類のすきがけ玉とベース玉を並べ、表面から見た写真です。同じベース玉を使用しても、かぶせるクリアの厚み（量）の違いにより、完成したすきがけ玉の印象は大きく変わります。以降で解説する泡玉や点打ち玉、ムリーニを使った玉のベースにする等、作りたい玉に合わせて2つのすきがけの方法を使い分けると良いでしょう

「すきがけ玉」アレンジサンプル

本書の監修者であるとんぼ玉作家、なかの雅章氏が手掛けた、すきがけを用いたとんぼ玉作品を紹介します。何れも高度な技法を複雑に組み合わせて制作されていますが、基本となる技法は全て、すきがけによるものです。

クリアをかぶせたベース玉の上に、精緻に表現した髑髏（どくろ）のムリーニを配置した作品。写真で見える一面の他、他の面にも異なる2つの髑髏が用いられています

金箔をあしらったベース玉に厚くクリアをかぶせ、うさぎや花のムリーニを散りばめた作品。透明感と奥行きが大きく現れています

点を打って引っかいたベース玉に厚くクリアをかぶせ、表情が異なる猫のムリーニを複数配置した作品。厚いクリアがレンズの役割を果たし、ベース玉の流れるような模様が際立って見えます

重曹を使った「泡玉」

すきがけ玉をベースとし、厚くかぶせたクリアの
中で無数の気泡がランダムに踊る「泡玉」

クリアガラスの中に無数の気泡が散らばる「泡玉」。難易度が高そうに思えるかもしれませんが、前項のすきがけ玉に一工程加えるだけで作ることができます。

使用する工具・資材

- ステンレス芯（Φ4mm）
- 離型剤
- ガラス瓶と水
- へラ
- こて
- 引っかき棒
- 重曹（炭酸水素ナトリウム）

使用する材料

- G-1
- G-7

泡玉作りのポイント

泡玉はすきがけ玉を制作する途中、ベース玉に重曹を振りかけるだけで作ることができます。ポイントはただ一つ、重曹を必要以上に振りかけないということです。

重曹を用意する

01 適当な小皿等に、重曹を少量用意します（※写真は分かりやすくするために多くしていますが、指先で少しつまむ程度の量で充分です）。重曹は、調理や家事等に使用する市販品で、スーパーやホームセンター、100円ショップ等で購入できます

ベース玉を巻く

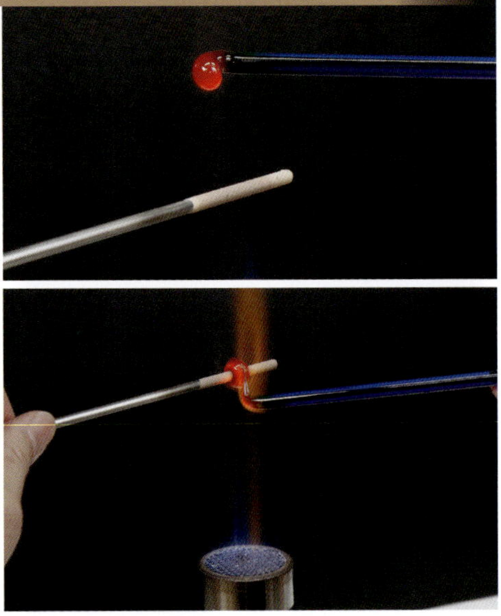

02 ガラスロッド（G-7）を少量熔かし、芯棒に巻き取って小さな筒型のベース玉を作ります

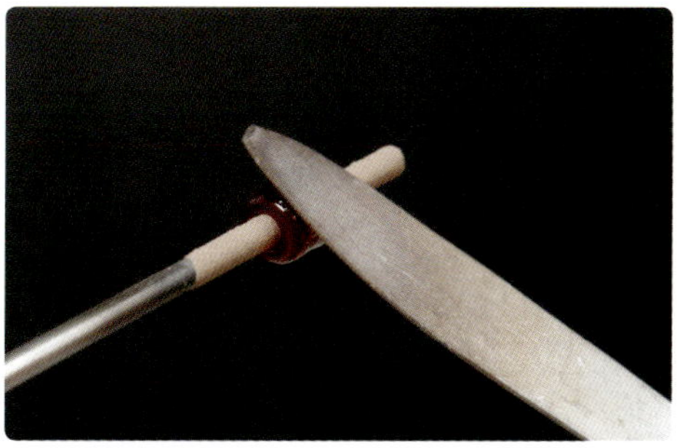

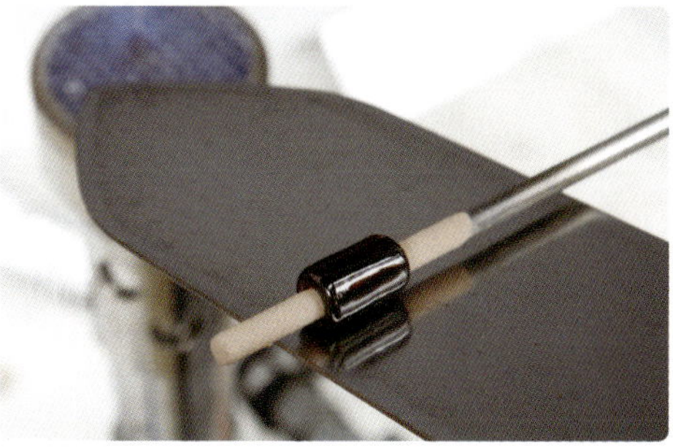

03 巻き取ったガラスを筒型に成型し、成型したベース玉をオレンジに変色するまで熱します

ベース玉に重曹を振りかける

04 充分に熱したベース玉に、重曹をごく少量振りかけます。芯棒を回し、ベース玉の表面全体へ重曹の粉粒がまんべんなく散らばるように振りかけます。この時、粉粒が重なるように多く付けてしまった場合は、ヘラを使って余分を取り除きます

クリアをかぶせて成型する

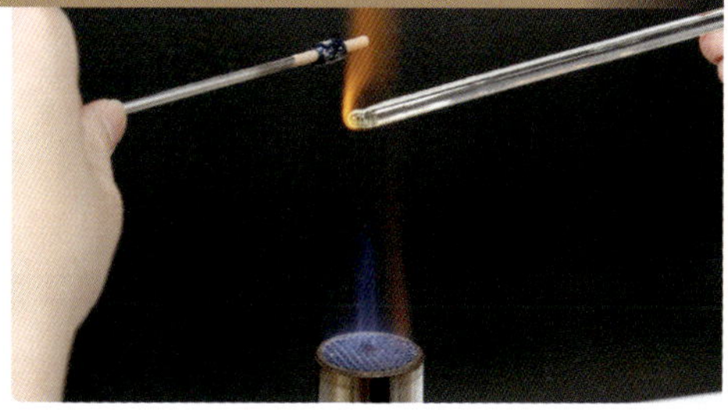

05 ベース玉を保温しつつ、クリアガラス（G-1）を予熱した後に熔かします

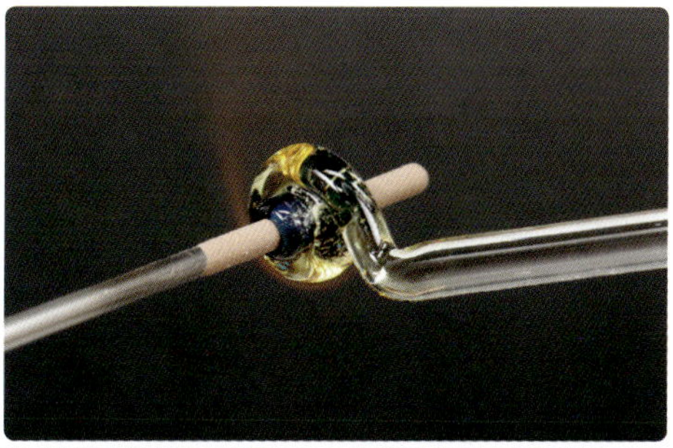

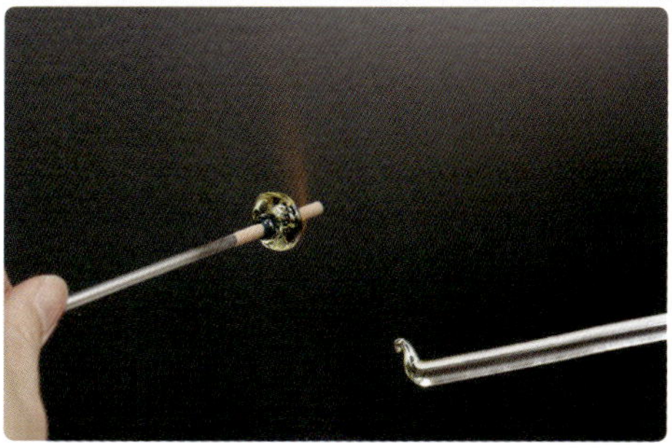

06 すきがけ玉（厚）と同じ要領で熔かしたクリアを巻き取ります

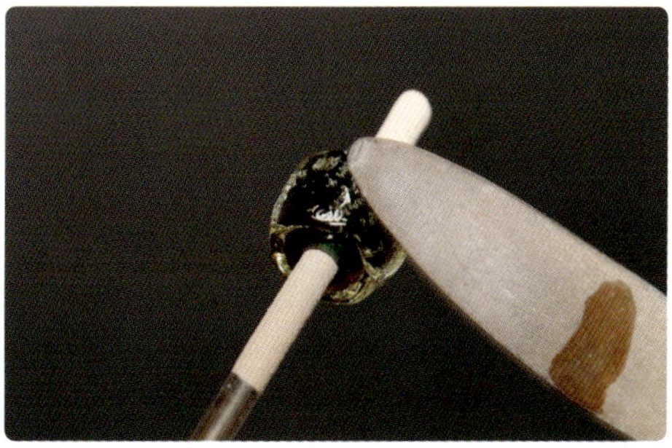

07 ベース玉に巻いたクリアを成型します。この写真で確認できるように、この時点でクリアの下にある重曹が熱で発泡し、細かい気泡が現れています

Check

08 成型の途中、クリアの表面へ表出するような大きい気泡がある場合は、引っかき棒等の先端が鋭利な工具で気泡を潰します

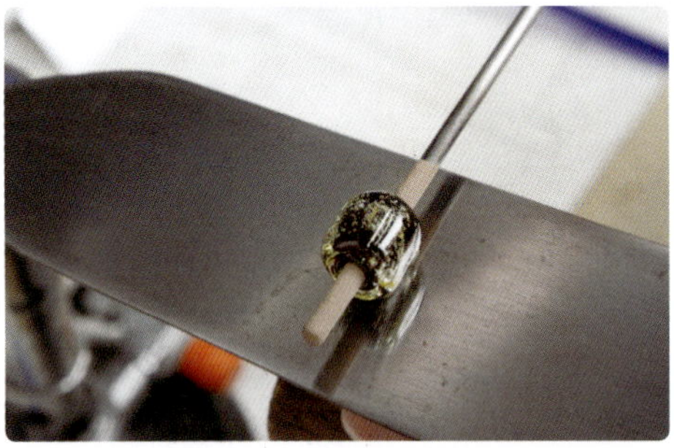

09 こての上で転がして表面を均し、全体を均一に整えて徐冷します

完成

10 大小の明確な気泡が散った泡玉の完成です

重曹を振りかけすぎた場合

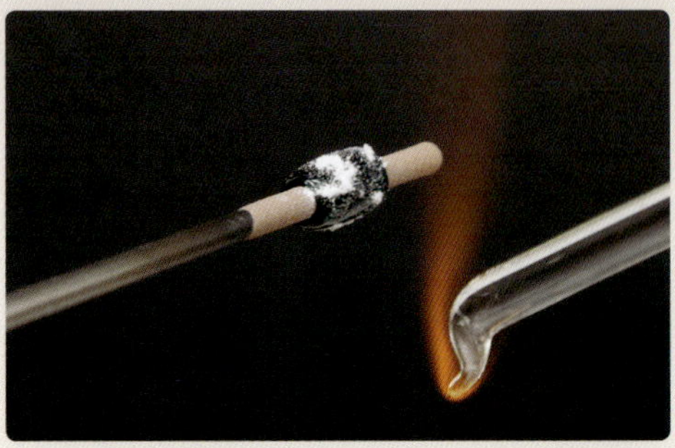

冒頭で解説したポイント、写真のように重曹を必要以上に振りかけた場合はどうなるのか解説します

重曹が多過ぎた場合、クリアをかぶせた後で大量の重曹が一気に発泡し、クリアの表面がボコボコに膨れ上がってしまいます

上のような状態になってしまった場合、08のように1つずつ潰すのでは追いつかないため、クリアを熱して溶かしつつ、その表面を耐熱ピンセットで引っかくように混ぜて気泡を潰します

クリアの表面を引っかいて泡を潰した場合も、成型して玉を完成させることはできます

「泡玉」アレンジサンプル

前項と同様、なかの雅章氏が手掛けた、泡玉の技法を用いた作品を紹介します。そのままでも充分魅力的な泡玉も、使用するガラスの色や形状を変えたり、金箔やムリーニといった素材を組み合わせることで大きく変貌を遂げます。

クリアガラスで作ったベース玉にクリアをかぶせた、奥行きと透明感のある作品です。気泡があたかも水中のような雰囲気を出し、その中でムリーニの金魚が躍動しています

乳白色のガラスをベースに、金魚のムリーニと金箔、そして気泡をクリアに閉じ込めた帯留めです。重曹を使った泡玉の技法は、すきがけ玉だけでなく様々な作品作りに応用することができます

銀箔を巻いて作る玉

独特の輝きを放つ表面が特徴の銀箔玉。螺旋状にスリットが入った右の作品は、アルミマーバーという成形用工具を使って制作しています

成型した玉の表面に銀箔を巻き付け、熱を加えて銀箔を熔かし、独特な輝きを持つ表面を得る銀箔玉。ガラスに異素材を組み合わせた妙が光る作品です。

使用する工具・資材

- ステンレス芯（Φ4mm）
- 離型剤
- ガラス瓶と水
- ヘラ
- こて
- 押さえ用鉄板
- アルミマーバー
- 薄い銀箔 × 2枚（3×4cm四方）

使用する材料

- G-13

銀箔玉作りのポイント

銀箔玉は、基本の玉を正確に作ることができれば、難なく作ることができます。銀箔の輝きを引き出すため、徐冷の前に還元炎で熱することがポイントです。

銀箔を用意する

01 エアーバーナーの手前等、作業をし易い場所に押さえ用鉄板を置き、その上に銀箔を並べておきます。銀箔は、制作する玉に巻き付けられる程度の大きさを用意します（※ここでは、3×4cm程）

玉を巻く

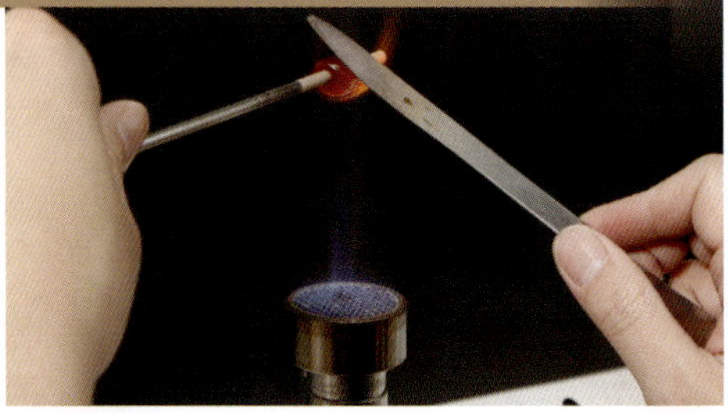

02 ガラスロッド（G-13）を熔かし、芯棒に巻き取って少し幅広の筒型の玉を作ります

銀箔を巻いて成型する

03 成型した玉をオレンジに変色するまで熱し、用意した銀箔の上で転がします

04 銀箔の端に玉をのせ、銀箔に対し水平に玉を転がし、その表面全面に銀箔を巻き付けます

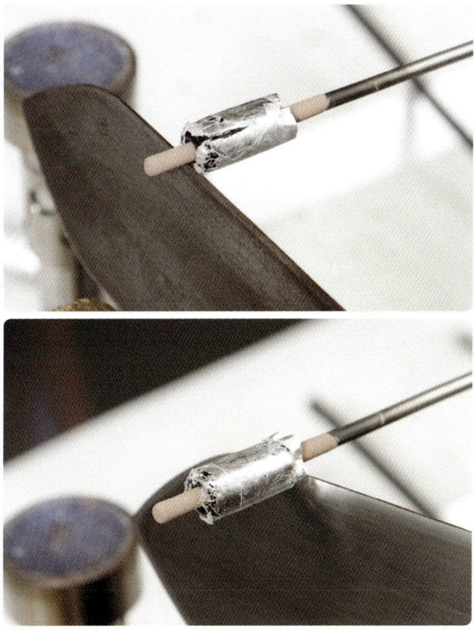

05 玉からはみ出した銀箔を、こてを使って側面に貼り付けます

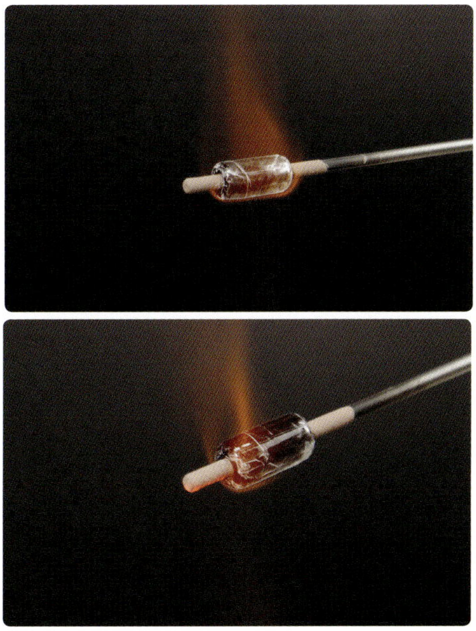

06 炎の中に玉を入れ、巻き付けた銀箔を充分に熱して熔かします

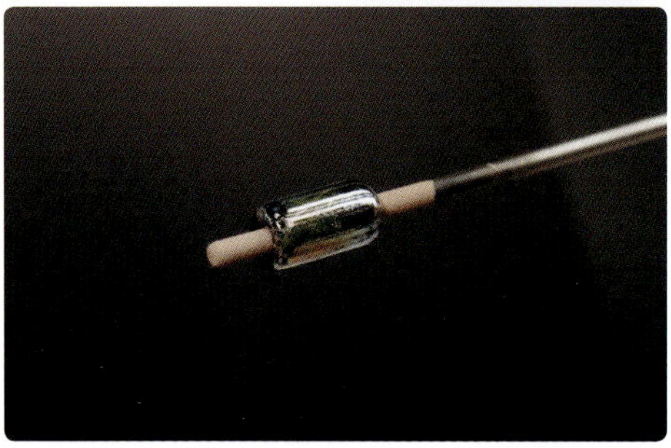

07 こての上で玉を転がし、仕上がりの形に成型します

還元炎で熱する

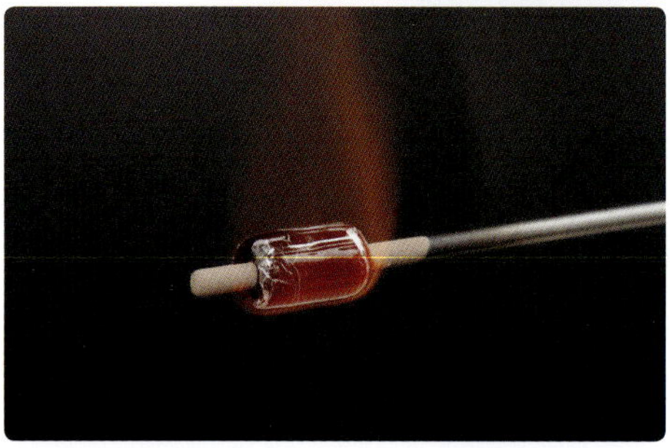

08 中性炎では熔かした銀箔が良い発色をしないため、エアーの栓を閉じて還元炎にし、銀箔に照りが出るまで玉を熱します

アルミマーバーを使った成型アレンジ

01 作業台にアルミマーバーを用意しておき、本編の07の成型後、さらに玉をオレンジに変色するまで熱し、上へ軽く押し付けるように転がします

02 螺旋状の斜めのスリットを入れるため、アルミマーバーのラインに対し、玉を斜めに転がします

完成

09 還元炎で熱した後、徐冷をすれば銀箔を巻き付けた玉は完成です

03 一定の力で玉を軽く押し付けながら転がすと、下写真のようなスリットを入れることができます

玉の表面にスリットを入れた後は、銀箔の色を引き出すために還元炎で熱します

04

05 還元炎で充分に熱した後、徐冷をすればアルミマーバーで成型した銀箔玉は完成です

「銀箔玉」アレンジサンプル

銀箔という素材は、ガラスの表面に巻いて熱する他、ガラスに混ぜ込んで使用することもできます。なかの氏が手掛けた、銀箔を使用した玉の作例をご覧ください。

銀箔を練り込んだガラスで造形したクワガタの作品。ベース玉は乳白色に薄くすきがけした玉です

乳白色のベース玉に銀箔を巻き、葉の緑と実の赤い差し色の点を打った作品。銀箔の発色は、合わせるガラスの色により変化します

「細引き」を使った「点打ち玉」

玉の表面に大小の点で模様を付ける点打ち玉。点の上に点を重ねたり、点の配置に趣向を凝らす等、そのバリエーションは豊富です

表面に大小様々なドット柄を表す「点打ち玉」。とんぼ玉の代表的な技法を使ったこの玉は、「細引き」という細く延ばしたガラス棒を使用して制作します。

使用する工具・資材

- ステンレス芯（Φ4mm）
- 離型剤
- ガラス瓶と水
- ヘラ
- こて
- ピンセット
- ガラス切り

使用する材料

- G-24
- A-29
- G-7
- S-2
- G-9

「細引き」を作る

とんぼ玉の表面に点を打つ、「細引き」の作り方を解説します。細引きは、ガラスロッドの端を熔かし、熔かしたガラスをピンセットで引き延ばして作ります。

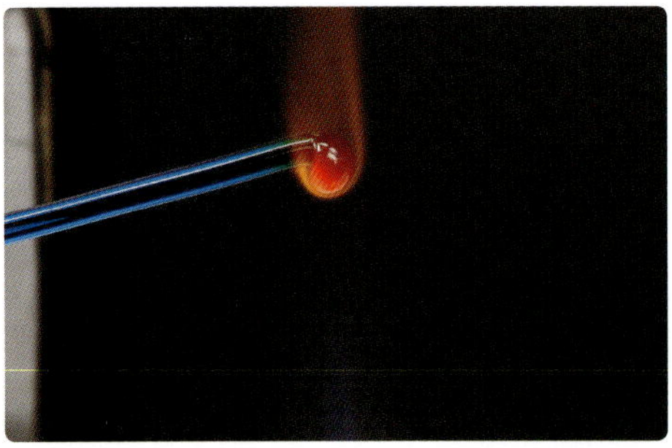

01 ガラスロッドの端を予熱した後、サクランボ大のガラスを垂れ落ちれくる程度まで熱して熔かします

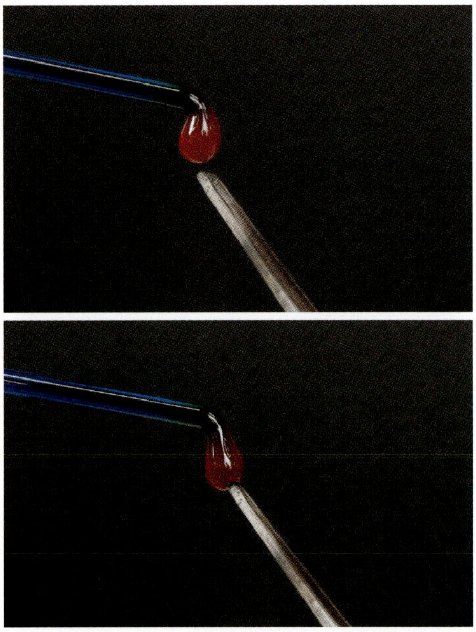

02 熔かしたガラスを炎の外に出し、垂れ落ちてくるガラスの先をピンセットでつかみます

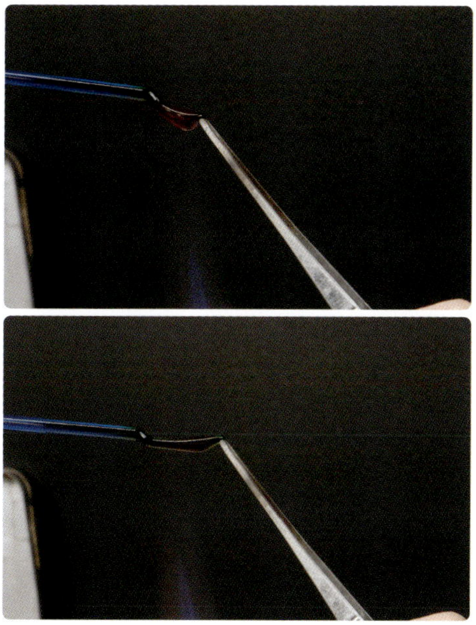

03 ガラスがさらに垂れてくるまで少し待ち、冷えて粘度が下がったガラスをゆっくりと横方向に引きます

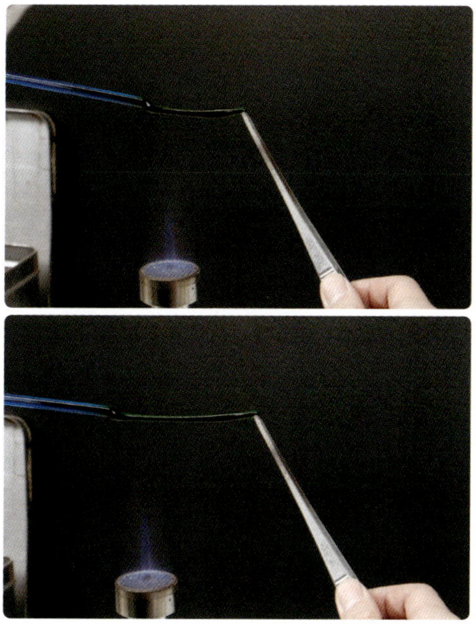

04 ゆっくりと、一定のスピードでさらにガラスを引き延ばします（※写真では炎が見えていますが、全ての作業はバーナーの手前、炎の外で行ないます）

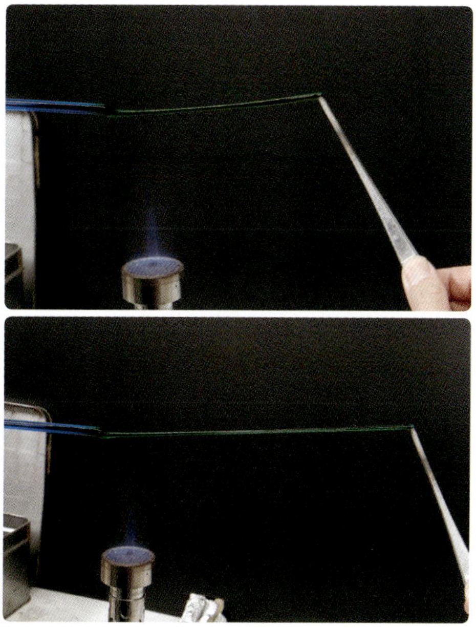

05 ガラスが冷えて延びなくなる前に、熔かしたガラスを完全に引き切ります

Check

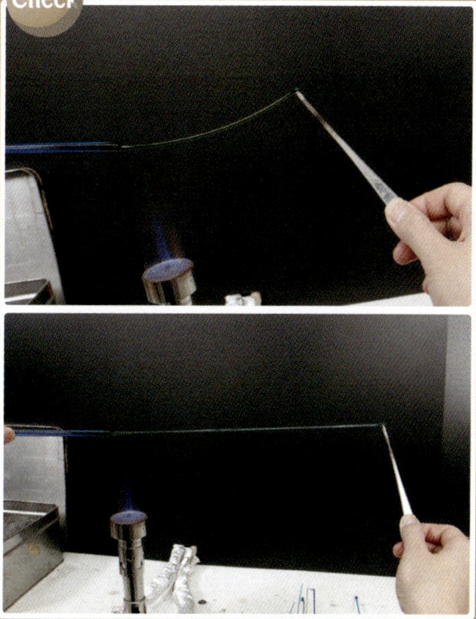

03で引き始めるタイミングが早過ぎると、ガラスの粘度が下がっていないために、引いたガラスが下にたわみます。そして、これをまっすぐ戻そうと早く引くと、細引きは細くなり過ぎてしまいます。このため、細引きを引く際はガラスの熔け具合をよく見極め、程よいタイミングで引く必要があります

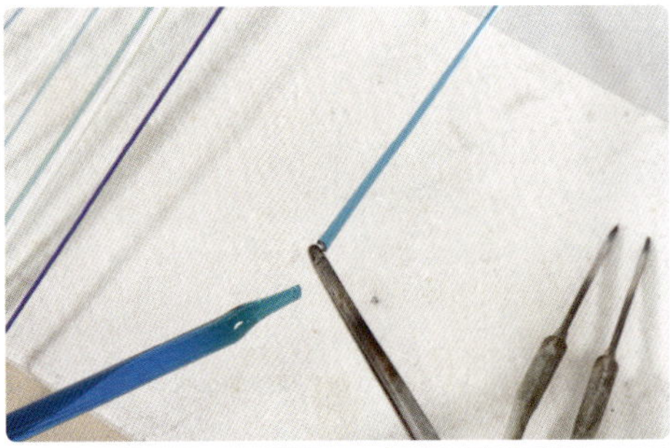

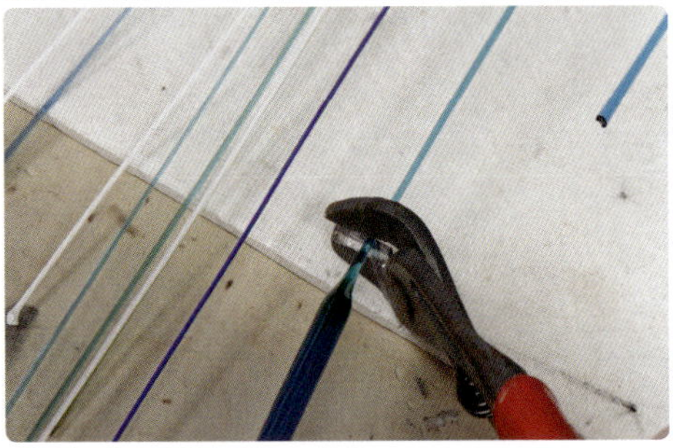

06 引き延ばした細引きは、ガラスが熱い内に水に付けて冷ましたピンセットで根元をつまむと、ヒビが入って簡単に切ることができます（上写真）。ガラスが完全に冷めている場合は、下写真のように根元をガラス切りでカットします

「点打ち玉」の制作

点打ち玉は、好みの形に成型した玉を作り、その表面に熔かした細引きの先で点を打って制作します。狙った箇所へいかに正確な点を打てるかがポイントです。

細引きを用意する

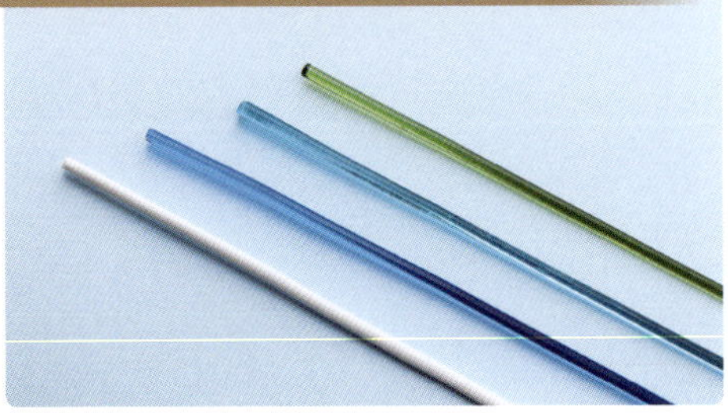

01 点打ち玉に使用する細引きを、全て手元に用意します。ここで作り方を解説する点打ち玉には、A-29、G-7、S-2、G-9の細引きを使用します

玉を巻く

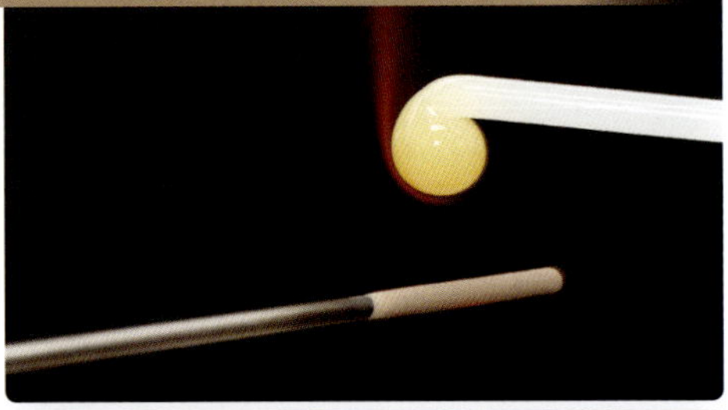

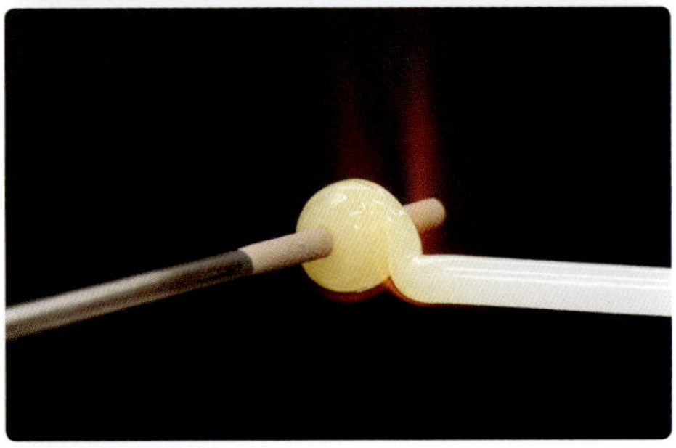

02 ガラスロッド（G-24）を熔かし、芯棒に熔かしたガラスを巻きます

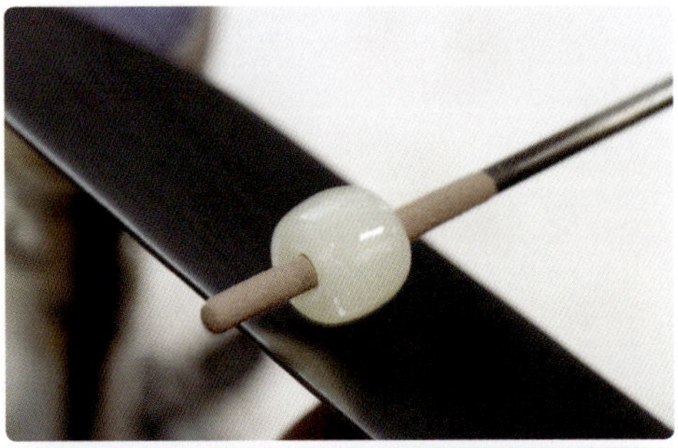

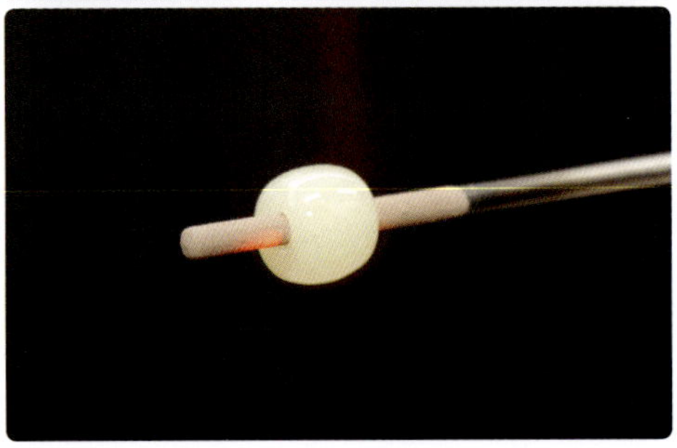

03 巻いた玉を好みの形に成型し、再び炎で熱します。ここでは、小さな俵型に成型しています

大きい点を打つ

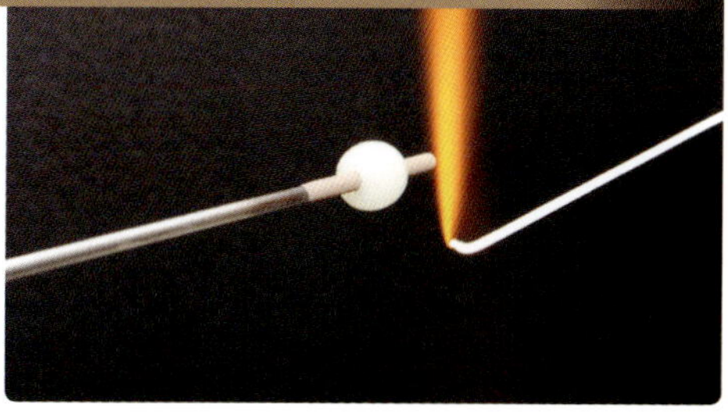

04 成型して熱した玉を保温しつつ、細引き（A-29）の先端を「炎の中」で熔かします

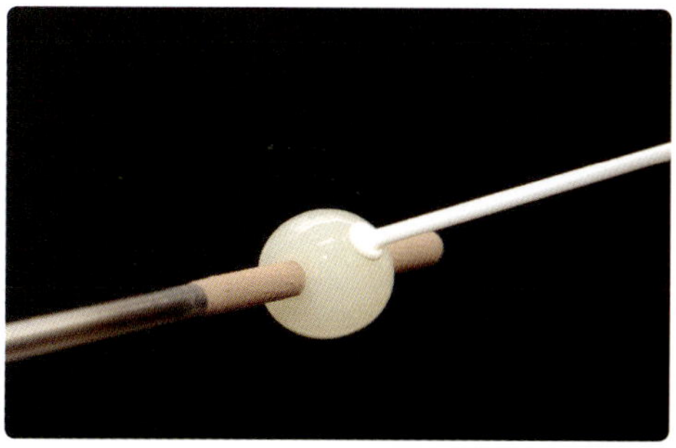

05 玉を炎の手前に出し、その表面の中心に熔かしたガラスを打ちます。この時、点を打つ位置を自分（制作者）の目で見た真正面にします

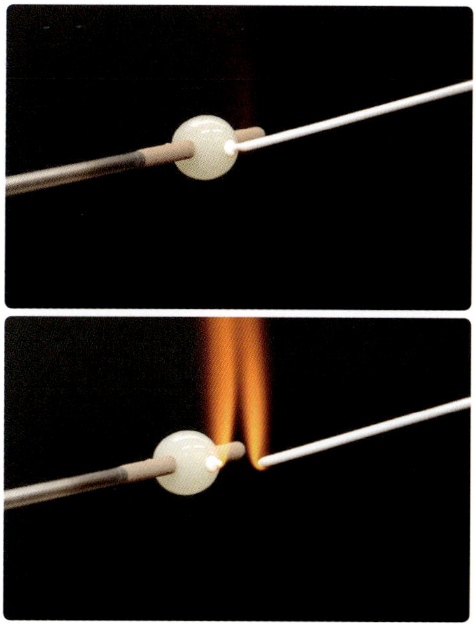

06 05の状態を保ったまま、芯棒を奥へずらして玉と細引きの接点を炎の中に入れます。そして、点を打った細引きをゆっくりとまっすぐ手前に引いて、ガラスを切ります

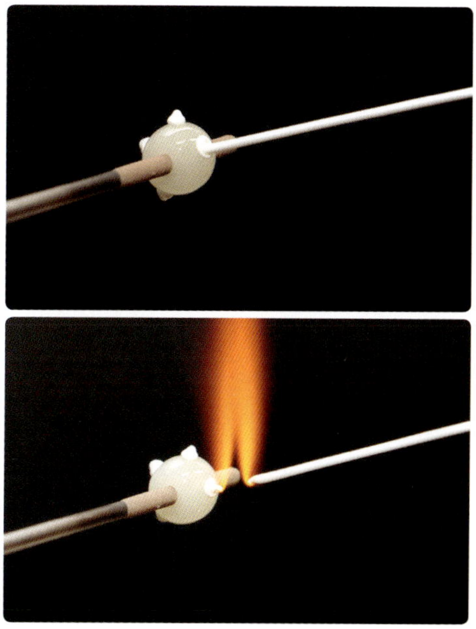

07 05〜06の手順を繰り返し、玉の表面の中心へ等間隔に点を打っていきます

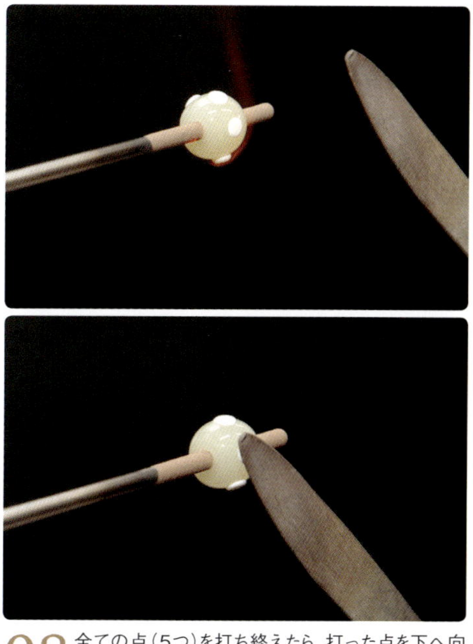

08 全ての点（5つ）を打ち終えたら、打った点を下へ向けて炎で熔かし（上写真）、熔かした点を正面に向け、ヘラを押しあてて軽く平らに均します

小さい点を打つ

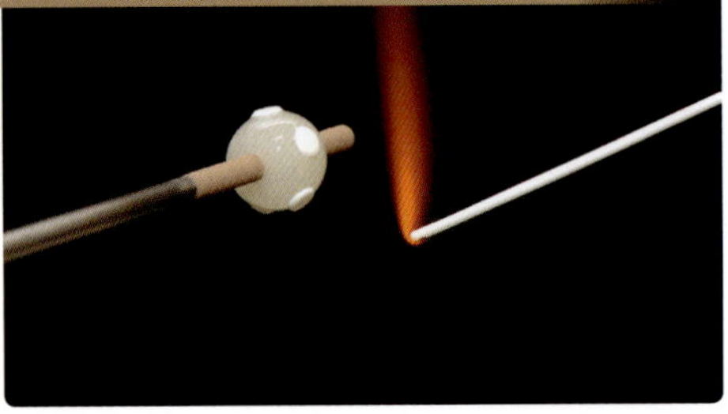

09 大きい点の間の側面に小さい点を打ちます。玉を保温しつつ、小さい点を打つために、「外炎（炎の外側）」で細引きのほぼ先端のみを熔かします

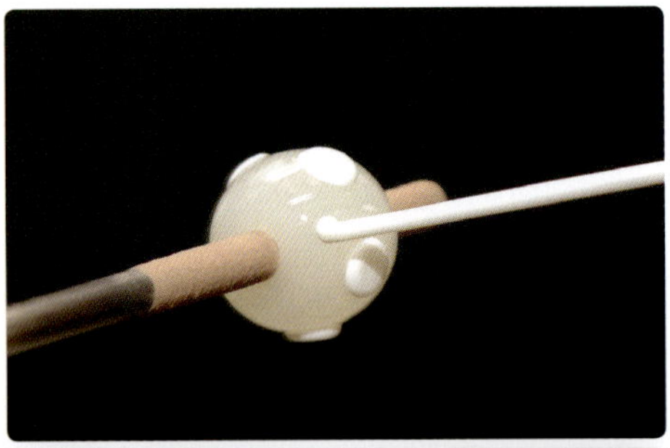

10 点の打ち方は大きい点と同様、玉を炎の手前に出し、正面から熔かしたガラスを打った後、玉を炎の奥へずらし、接点を炎の中に入れてガラスを切ります

11 大きい点と点の間、その片側面に一定の間隔をあけて小さい点を打っていきます

12 片側面に小さい点（5つ）を打ち終えたら、反対側面にも対になる小さい点を打ちます

13 全ての点を打ち終えたら、打った点を下に向けて炎で熱し、その熱した点を正面に向け、ヘラを押しあてて軽く平らに均します

点を重ねる

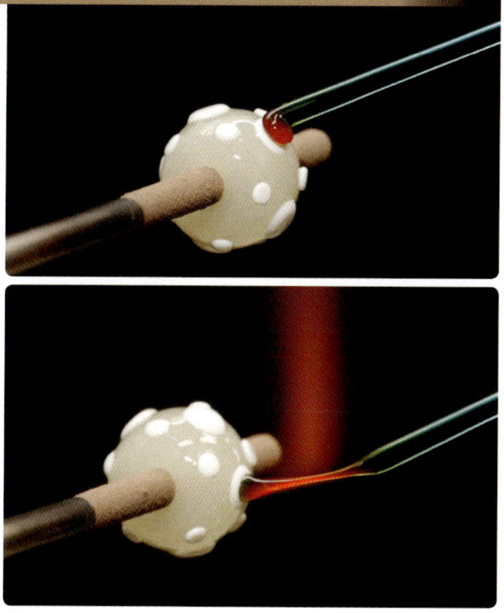

14 先に打った大きい点の上に、色の異なる別の細引き(G-7)を重ねて打ちます。点の打ち方は大きい点と同じですが、重ねる点が下の点の内側に収まるよう、熔かす量と打つ加減に注意して打ちます

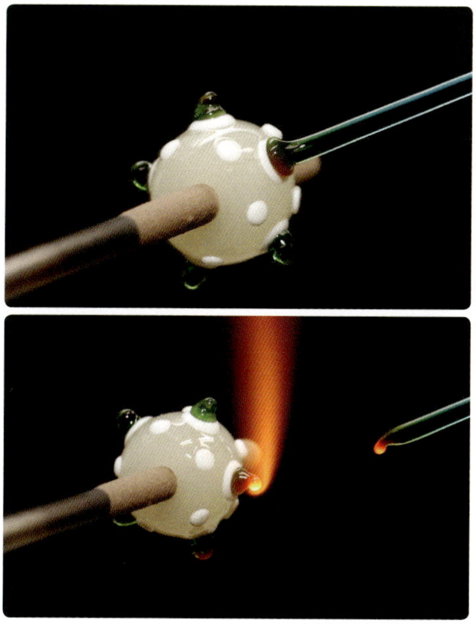

15 炎の手前で点を打ち、炎の中でガラスを切るという工程を繰り返して、5つの大きい点全ての上へ正確に点を重ねます

16 先に打った大きい点と同様、重ねた点もヘラを押しあてて軽く平らに均します

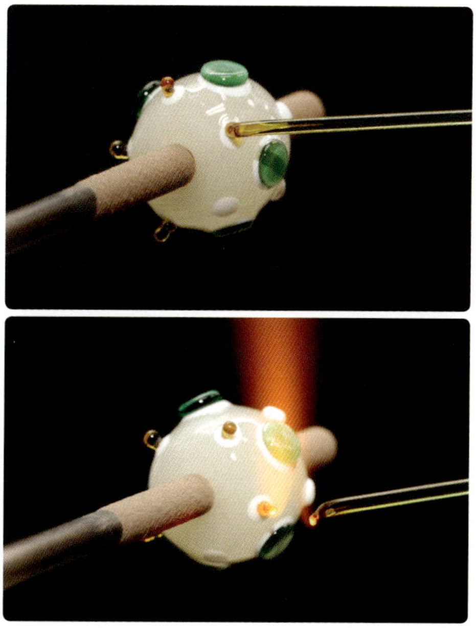

17 続けて、側面に打った小さい点の上にも、色の異なる別の細引き(S-2)を重ねて打ちます

18 反対側面の小さな点の上にも、17と同様に点を重ねていきます

19 小さい点を全て重ね終えたら、下の点の縁を塞いでしまわないよう、勢いや力加減に注意して、重ねた点にヘラを押しあてて軽く平らに均します

20 14〜16で重ねた点の上へ、さらに細引き(A-29)で点を重ねます

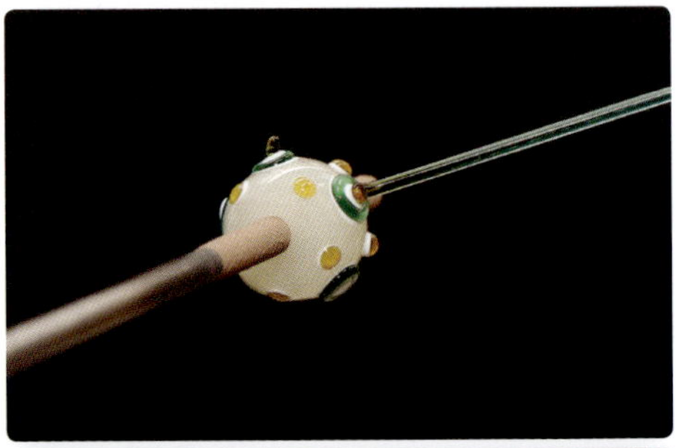

21 20で重ねた点の上にも別の細引き(G-9)で点を重ね、ヘラを押しあてて軽く平らに均します

成型する

22 21までの点打ちを全て終えたら、玉全体を炎で熱して点を馴染ませた上、ヘラとこてで成型します

完成

成型した玉を炎で熱し、徐冷をすれば点打ち玉は完成です。点打ち玉はシンプルながらも、「正確に均等な丸い点を打つ」、「点を均等に並べる」、そして「点の上に点を重ねる」という3つの技術が複合した、難易度の高いとんぼ玉だといえるでしょう

正確に点を打つポイント

正確に点を打つポイントは、本編で解説した「打つ点の大きさに応じ、細引きを熔かす炎の位置を変える（05と09）」、「打ったガラスの切り方（06）」、「点の馴染ませ方（ヘラのあて方）」という3点の他、小さな玉に小さい点を打つという細かい作業の繰り返しとなるため、「玉が付いた芯棒と点を打つ細引きがぶれないよう、作業台の上に両肘をついて固定し、手元を安定させる」という点が挙げられます（※腕の長さによって届かない場合は、箱などで台を作ります）。また、均等に間隔をあけて点を打つため、「一連の工程をテンポ良く、リズミカルに進める」ことも重要です。

点打ちの失敗例

細引きの熔かし過ぎ

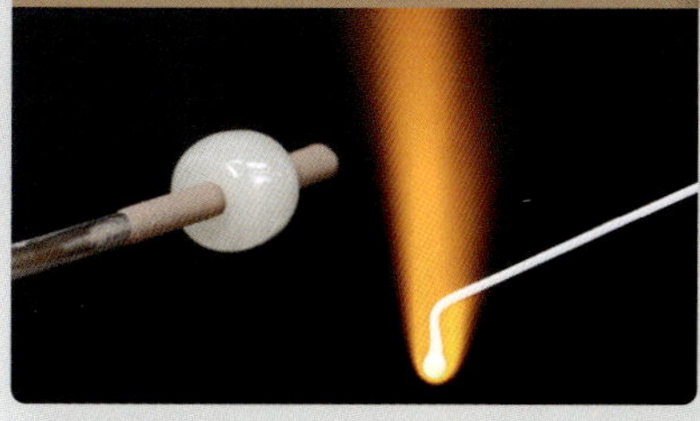

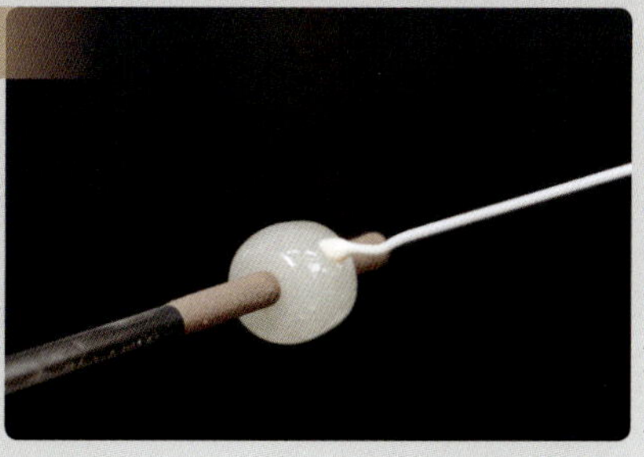

細引きを熔かし過ぎてしまうと、細引きの先が左写真のように垂れ、点を打つというよりも“のせる”ことしかできなくなってしまいます。細引きの先を熔かし過ぎた場合は、一旦これを取り除き、あらためて打ちたい点の大きさに応じた量を熔かすようにしましょう

炎の外でガラスを切る

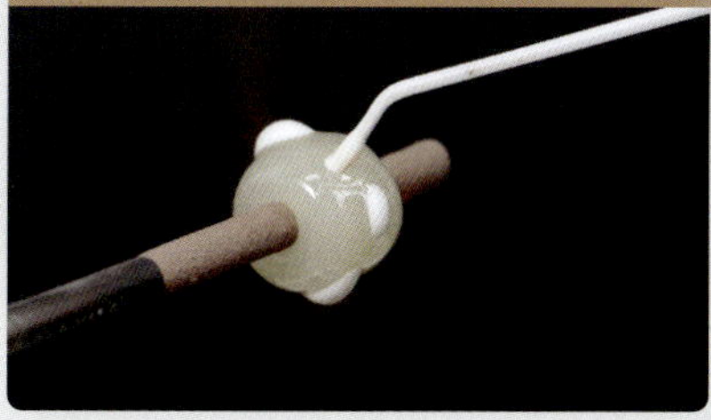

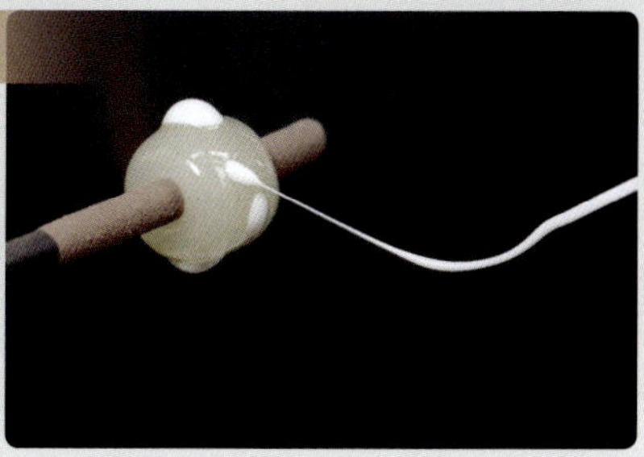

打った点を切る際、玉と細引きの接点を炎の中へ入れずに切ろうとすると、粘度を持った細引きが延びてしまいます。こうなると、延びたガラスが玉に被さってしまう可能性がある他、細引きの先端も変に曲がってしまうため、次の点をスムーズに打つことができなくなってしまいます

「点打ち玉」のアレンジ2種

本項で作り方を解説する、「点を引っかいて作る花弁玉」(右)と、「点打ちの層を重ねた玉」(左)です。どちらの作品も、前項で解説した点打ちの技術を応用して作ることができます

整然と点を並べる点打ち玉の他、点打ちの技術を応用して全く別の作品を作ることもできます。ここでは、そんなアレンジ作品2種類の作り方を解説します。

使用する工具・資材

- ステンレス芯(Φ4mm)
- 離型剤
- ガラス瓶と水
- ヘラ
- こて
- ピンセット
- ガラス切り
- 引っかき棒

使用する材料

花弁玉

- G-24
- A-29
- G-26
- S-20

点打ちの層を重ねた玉

- G-7
- A-29

点を引っかいて作る花弁玉

玉の表面に大きな点を打ち、その上へ異なる色の点を重ねた上、引っかき棒で点の形を変化させることで、重ねた点をサクラの花弁のように表現する作品です。

玉に大きな点を打つ

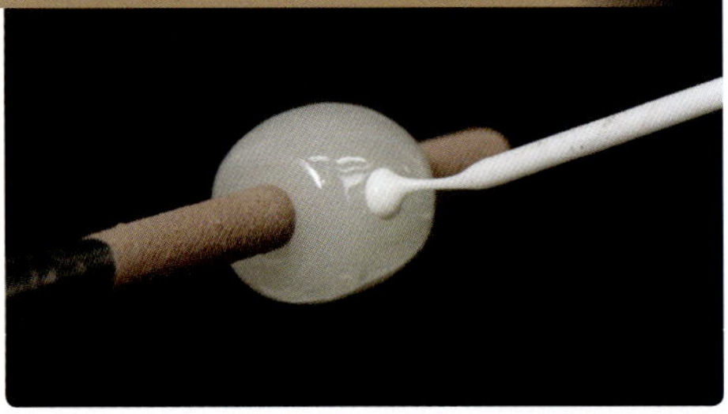

01 ガラスロッド(G-24)を熔かして玉を巻き、俵型に成型します。成型した玉に細引き(A-29)で、花弁のベース(下地)となる大きな点を打ちます

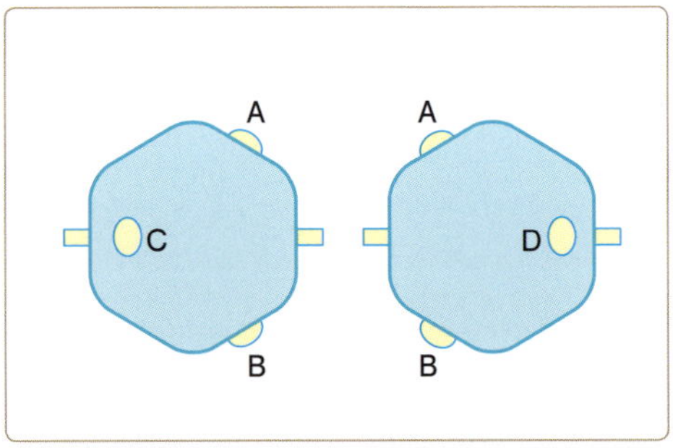

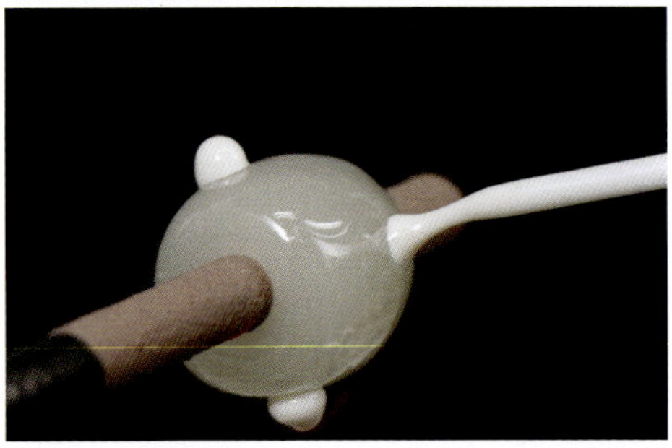

02 上のイラストは、芯棒を横から水平に見た状態における玉の表面で、A・B・C・Dは点を打つ位置を表します。右の図は左の図を反転させた状態で、左右の図のAとBは同じ点です。イメージとしては玉の表面を4分割し、それぞれの点が互い違いに並ぶように大きな点を打っていきます

03 玉の表面に大きな点を4つ打ち、これにヘラを軽く押しあてて平らに均します

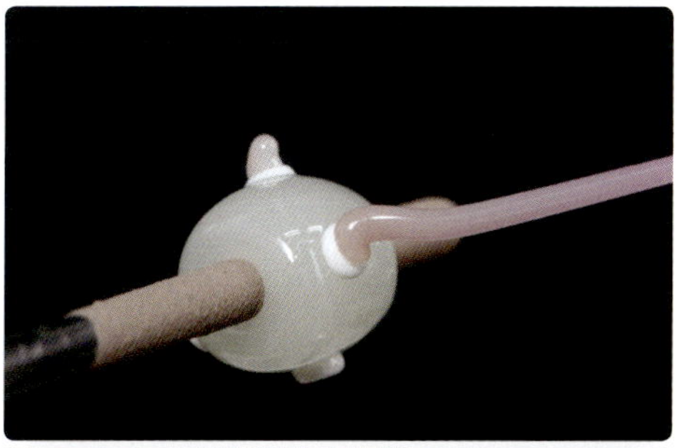

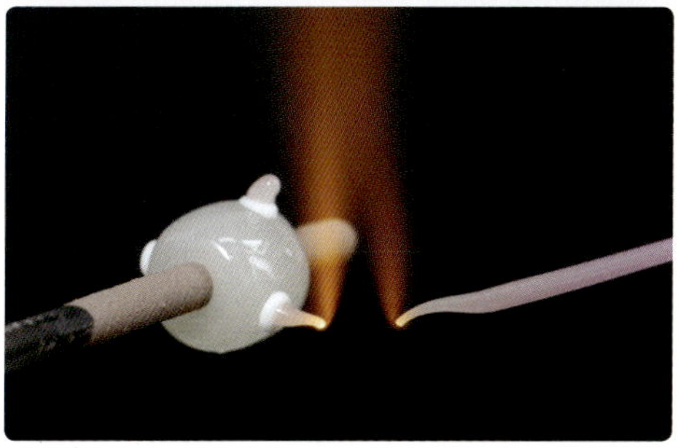

04 平らに均した大きな点の上に、色が異なる細引き（G-26）で点を重ねます

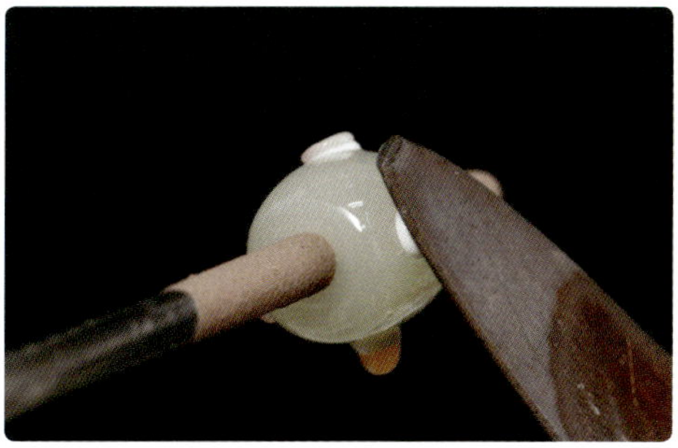

05 重ねた点を平らに均します

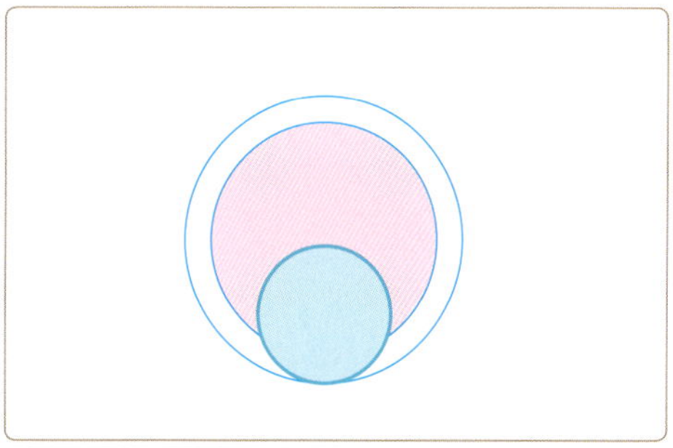

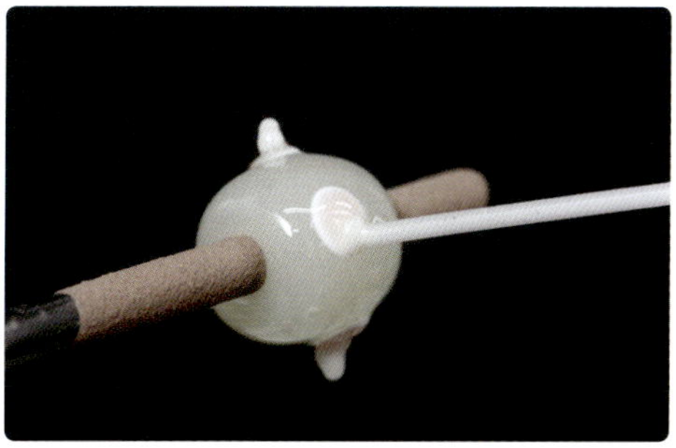

06 02〜05の工程で重ねた点の上、上のイラストの青で表した丸の位置へ、細引き（S-20）で正確に点を重ねます

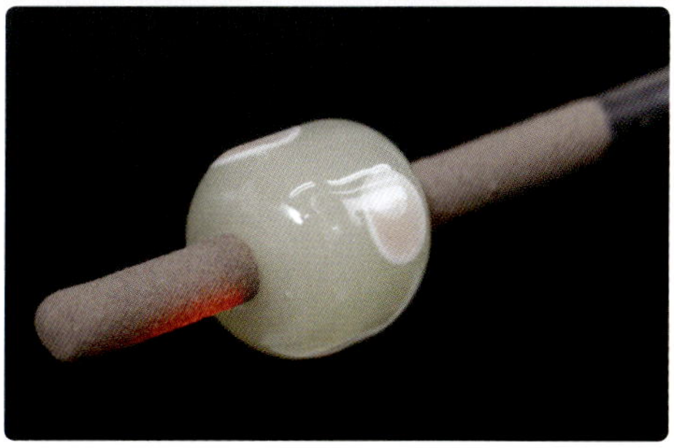

07 06で重ねた点を平らに均し、玉全体を炎で熱して点を馴染ませます

08 玉をさらに熱し、ヘラとこてで成型します

Check

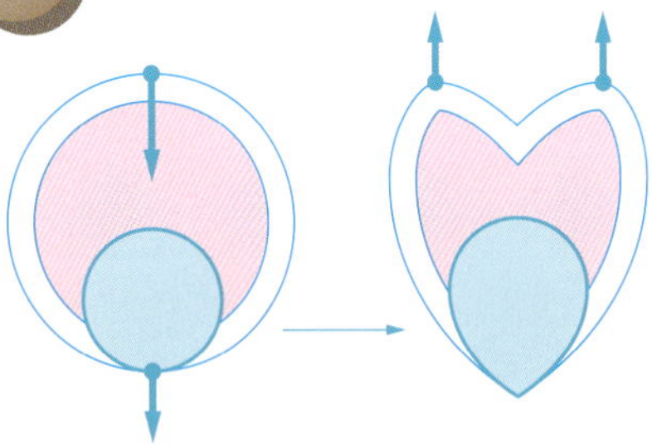

玉に打った点を引っかき棒で引っかき、花弁の模様にします。イラストは、次の09と10の工程で点を引っかく箇所と方向を表したもので、各図の青い矢印の付け根、点の位置に引っかき棒の先端をあて、矢印の方向に引いて右図のような形にします

09 玉全体を炎の中で熱して表面を充分に熔かし、上のイラストで表した箇所を引っかき棒で引っかきます。上写真は点の上側、下写真は点の下側を引っかいている状態で、全ての点を同様に引っかきます

10 花弁の上を引っかくことにより、花弁の形に変化した点です。それぞれの点を引っかく際、引っかき棒の先を互い違いに左右に振ると、花弁に流れるような躍動感を与えることができます

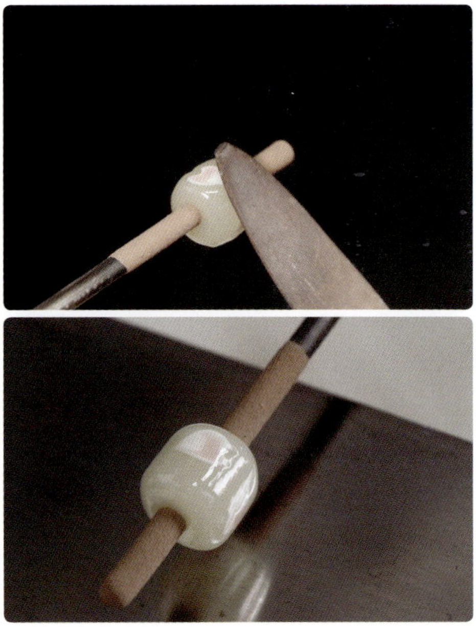

11 全ての点を引っかいたら、玉全体を炎の中で熱し、引っかくことにより窪んだ表面を均すと共に、玉全体の形をあらためて成型します

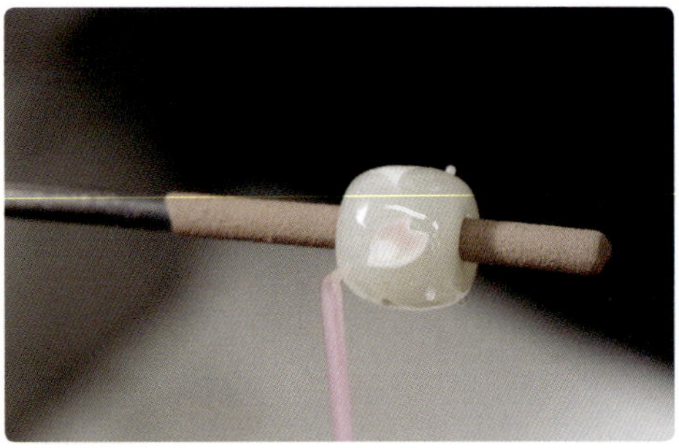

12 花弁に彩りを添えるため、その周囲へ細引き(G-26)でランダムに小さな点を打ちます

13 小さな点をヘラで均し、玉全体を熱してこれを馴染ませ、最終的な成型をした後に徐冷します

完成

14 以上で、点を引っかいて作る花弁玉は完成です。点打ちに使用する細引きの色を変えると、雰囲気の異なる玉を作ることができます

点打ちの層を重ねた玉

色付きのクリアガラスでベース玉を巻き、その上へランダムに点を打っては同じクリアガラスを重ね、これを幾度も繰り返すことで、点の層を重ねた玉を作ります。

ベース玉を巻く

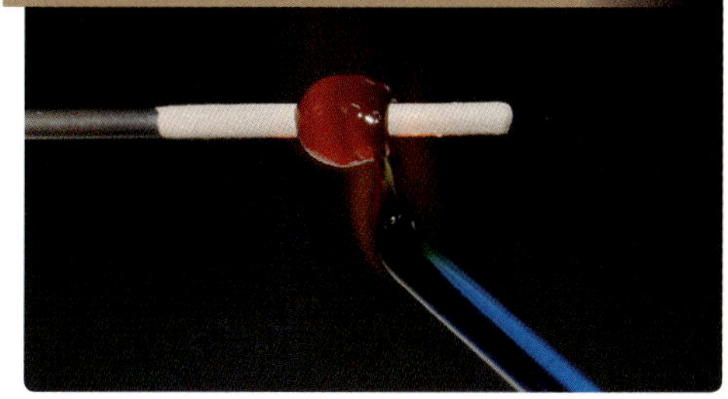

01 ガラスロッド(G-7)の端を予熱し、サクランボ大を熔かして芯棒に巻き取ります

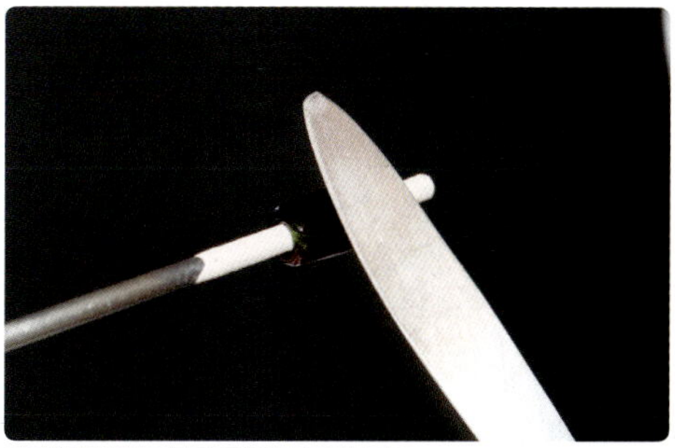

02 巻き取ったガラスを成型し、円柱に近いやや幅広な筒型のベース玉を作ります

第1層の点を打つ

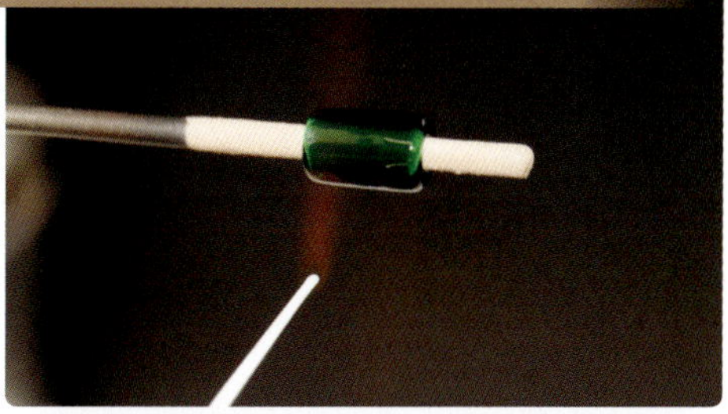

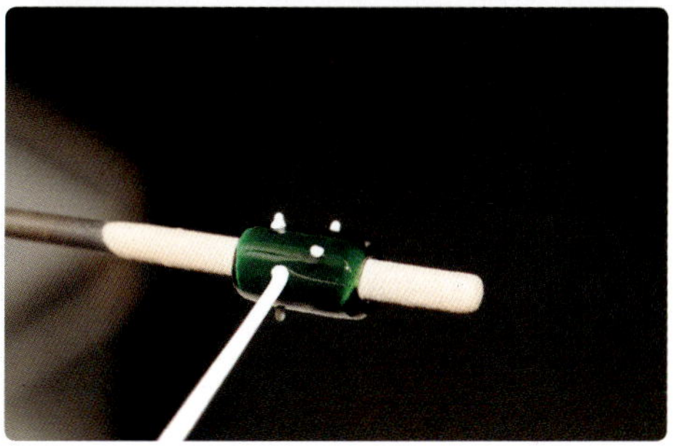

03 ベース玉を保温しつつ、細引き(A-29)を外炎で熔かし、間隔をあけてランダムに点を打ちます

04 打った点をヘラで平らに均し、さらに炎で熱した上、こての上で転がして表面を平滑に整えます

点の上にガラスをかぶせる

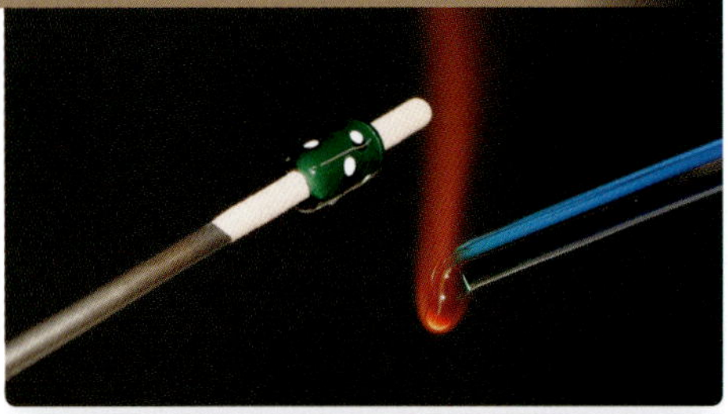

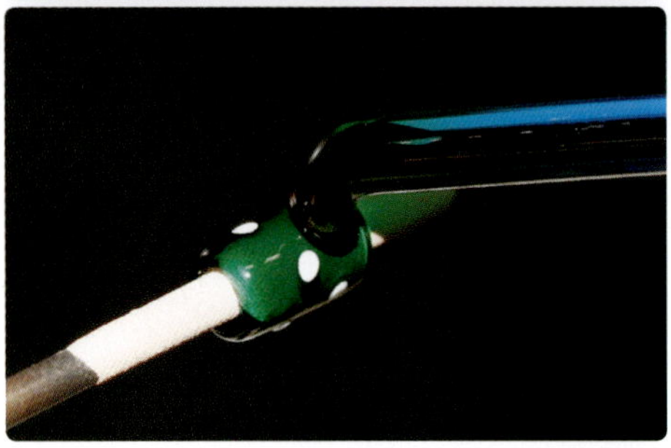

05 点を打ったベース玉を保温しつつ、ベース玉に使用したガラスロッドの先を熔かします。先が僅かに垂れる程度まで熔かしたら、ベース玉を炎の手前に出し、ここでは先に打った点とその周囲を覆い隠すように、熔かしたガラスを点の上へかぶせます

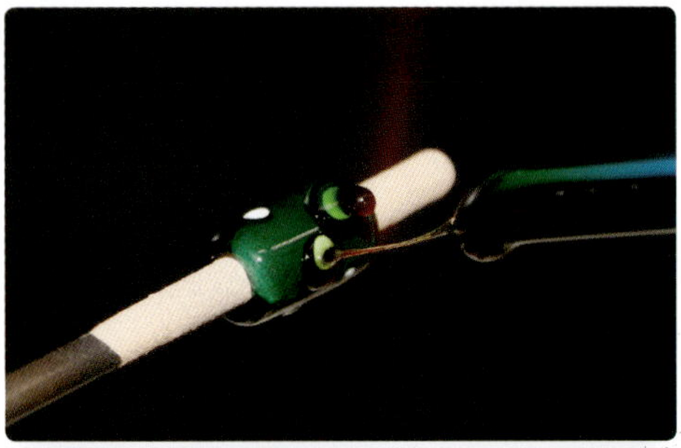

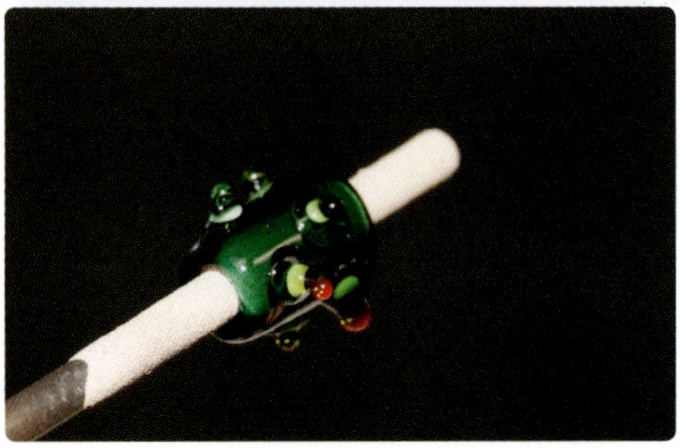

06 点にガラスをかぶせたら、ガラスロッドの先を炎の中に入れてガラスを切ります。同じ手順を繰り返し、打った点全ての上にガラスをかぶせます

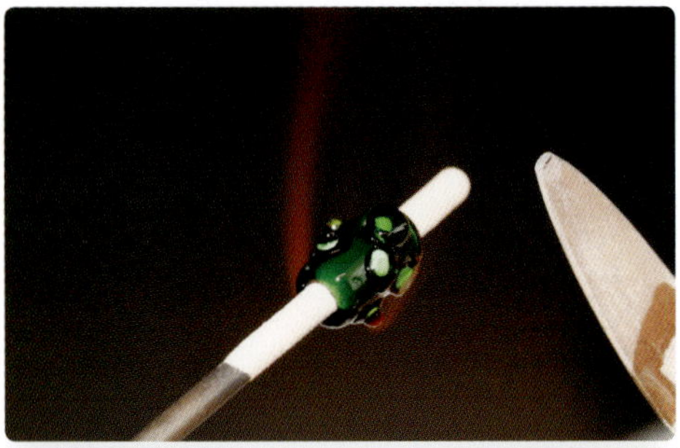

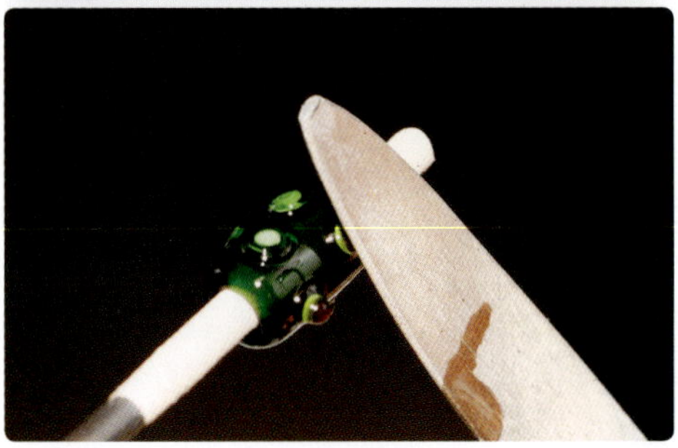

07 通常の点打ちの時と同様、かぶせたガラスを下に向けて炎で熱し、熔けた所で正面に向け、ヘラをまっすぐ押しあてて平らに均します

第2層の点を打つ

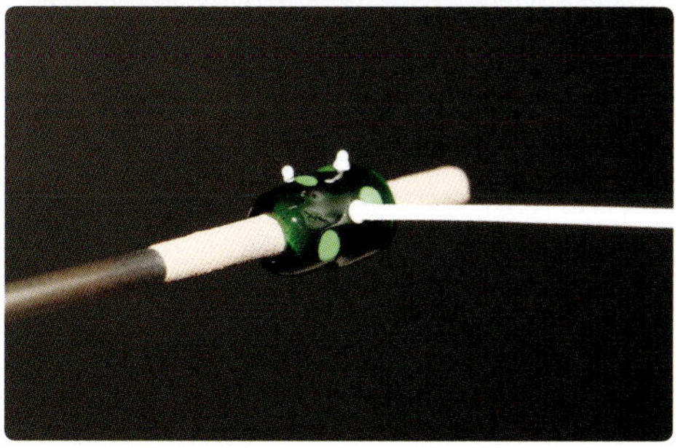

08 上写真は、07でかぶせたガラスを均した後の状態です。表面に大きな凹凸が残っていますが、この先でまだガラスの層を重ねるため、このまま工程を進めていきます。上写真の状態の玉を保温しつつ、第1層の点と同じ細引きを外炎で熔かし、第1層の点と完全に重ならない位置へ、03同様に間隔をあけてランダムに点を打っていきます

09 04と同様、打った点をヘラで平らに均し、こての上で転がして表面を平滑に整えます

第2層の点の上にガラスをかぶせる

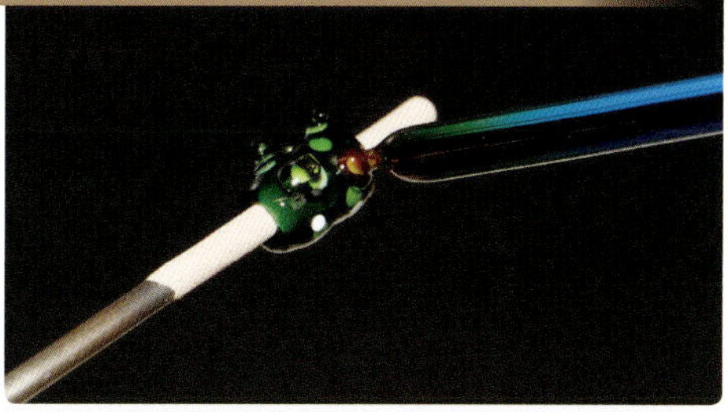

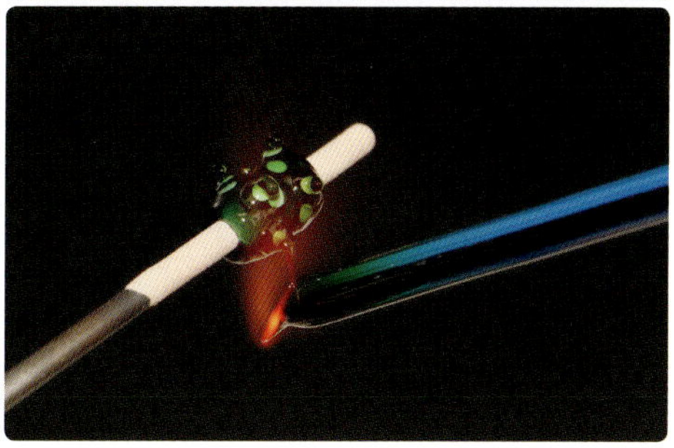

10 05と同様にして、08で打った第2層の点の上へ熔かしたガラスをかぶせます

11 かぶせたガラスを均し、玉全体を炎で熱した上、こての上で表面を大まかに整えます

第3層の点を打つ

12 先に打った第1層と第2層の点と完全に重ならない位置へ、同じ細引きでランダムに点を打ちます

13 打った点の上へガラスをかぶせ、ヘラとこてを使って形を整えます。点が重なったことに加え、上へかぶせたガラスにより、この時点で玉の厚みが増していることを確認してください

さらに層を重ねる

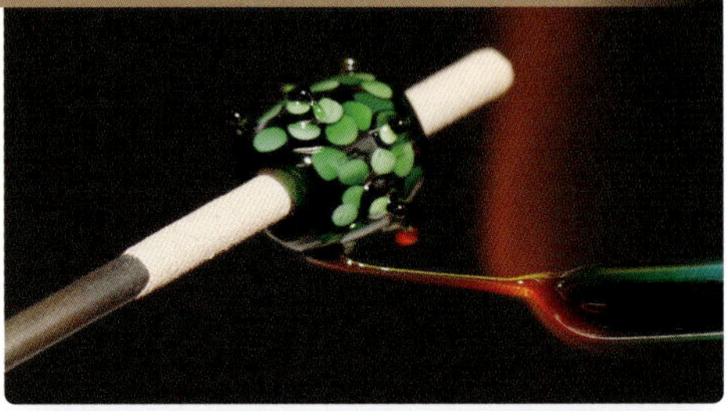

14 全体の点のバランスを見て、さらに点とガラスの層を重ねていきます。手順はこれまでの各層と同じで、ここでは第6層まで点を重ねています。最後の層の点を打つ際は、直前の層の点にかぶせたガラスの隙間に点を打ち、その点の上へガラスをかぶせることで、玉全体の表面を整えるようにします

成型する

15 最後の層に点を打ってガラスをかぶせたら、玉全体を炎で熱し、仕上げの成型をした後に徐冷します

完成

16 以上で、点打ちの層を重ねた玉は完成です。玉の中で点が幾重にも重なった透明感と奥行きのある玉は、作る楽しみや使う楽しみ、鑑賞する楽しみを包括しています

「点打ち玉」アレンジサンプル

点打ちは、とんぼ玉作りにおけるシンプルな装飾技法の一つですが、シンプルだからこそ奥が深く、これを突き詰めようとするならば、点を打つ確たる技術や、これを配置・配色するセンス等、様々なものが要求されます。本項でその一歩を踏み出し、その深みに足を踏み入れたいと感じた方は、素晴らしい作品を数多く目にし、自らの技術とセンスを磨き上げてください。

中国の戦国時代に作られたと言われる、「戦国玉」をモチーフにした点打ちによる作品。大きな点の中に収まる、“七星文様”という7つの点が大きな特徴です

点打ちの層を重ねた玉のアレンジともいえる、帯留め用の芯棒を用いて制作した帯留め。ベースとなるクリアガラスの色が変わることで、作品から受ける印象が違ってきます

立体成型で作る「うさぎの帯留め」

ふっくらと丸みを帯びたシルエットが愛らしい「うさぎの帯留め」。白いガラスのみで立体感を表す成型には、かなり高度な技術が要求されます

巻き取ったガラスをヘラとこて、バチケガキのみを使用して成型する「うさぎの帯留め」。球体から離れた、変わり種のとんぼ玉作りも非常に楽しいものです。

使用する工具・資材

- 帯留め用芯棒（1cm）
- 離型剤
- ガラス瓶と水
- ヘラ
- こて
- バチケガキ
- 耐熱ピンセット

使用する材料

- G-23
- G-40

立体成型のポイント

立体成型で作品を作る際のポイントは、成型する箇所を的確に熱して熔かし、必要以上に手を加えることなく、最低限の成型で作品を仕上げることです。

芯棒に離型剤を付ける

01 帯留めとして仕上げるため、楕円形をした帯留め用の芯棒を使用します。ここでは、最大幅1cm程の帯留め用芯棒を使用します

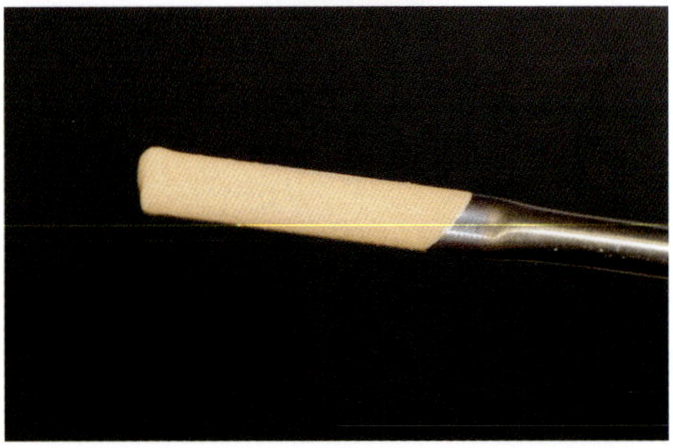

02 通常の芯棒と同様、離型剤の容器に帯留め用の芯棒を挿し入れ、先端から4～5cm程に離型剤を付けます

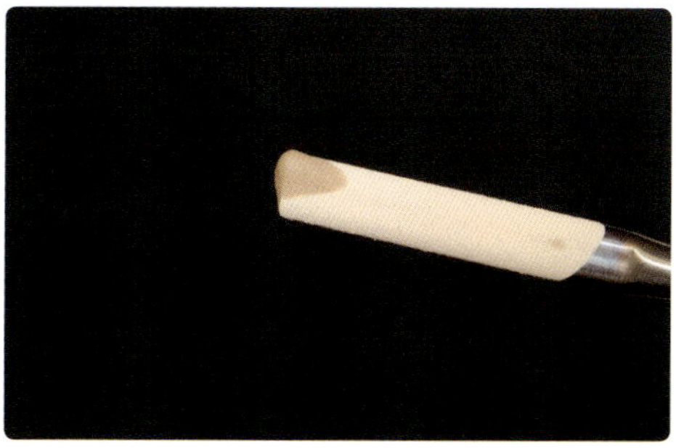

03 エアーの栓を閉じて還元炎にし、水分が退くまで熱して半乾燥させます

体のベースを巻く

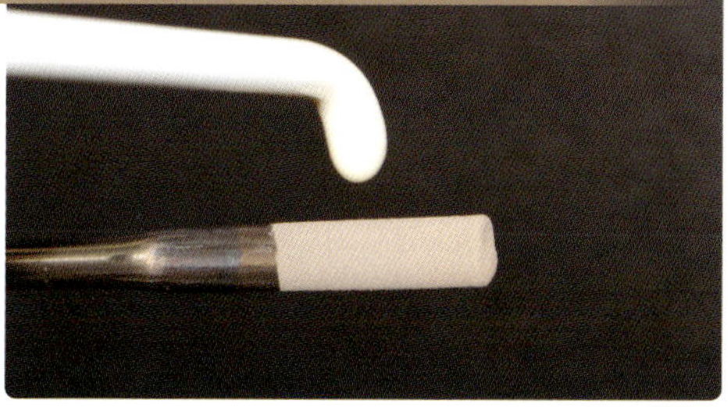

04 芯棒の離型剤を焼き切り、太いガラスロッド（G-23）の端を予熱した上でたっぷりと熔かします

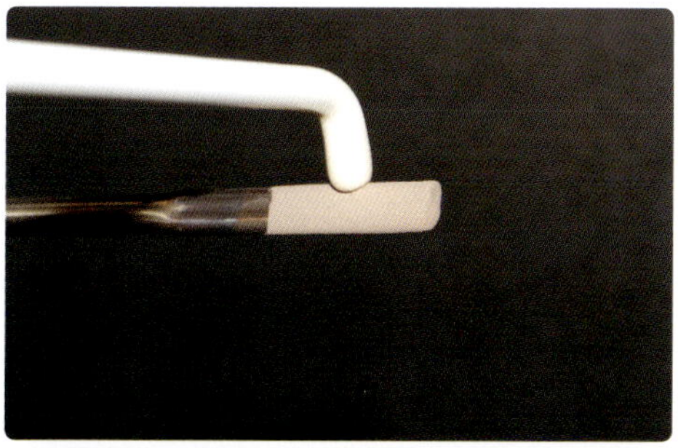

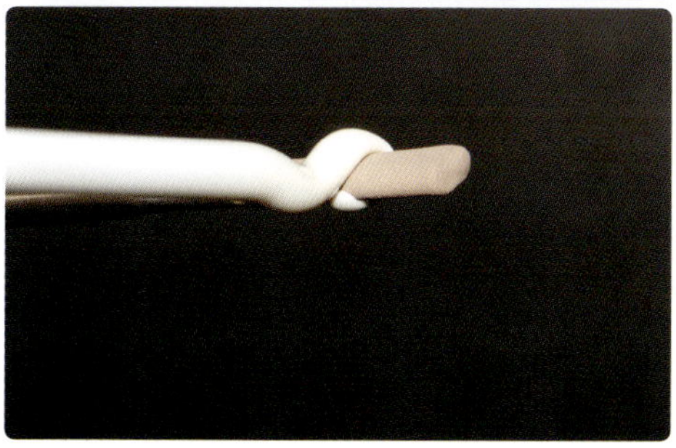

05 芯棒を炎の中に入れ、熔かしたガラスを芯棒の中心に垂らし、均等な厚みになるように巻き取ります

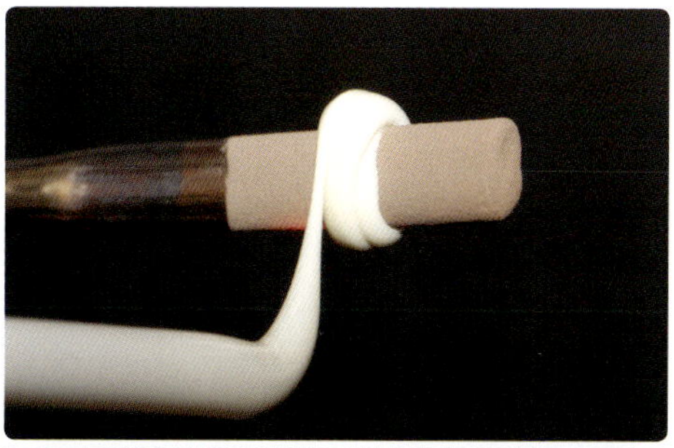

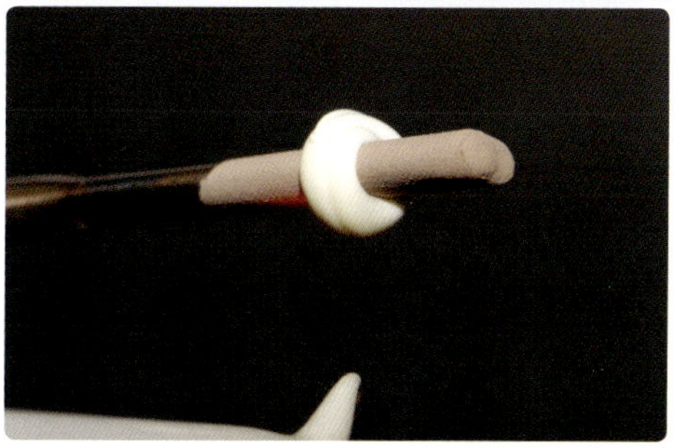

06 全体を均等な厚みに巻き取ったら、ガラスロッドの先を炎の中に入れてガラスを切ります

07 巻き取ったベースの表面にヘラをあて、表面を平滑に均して整えます

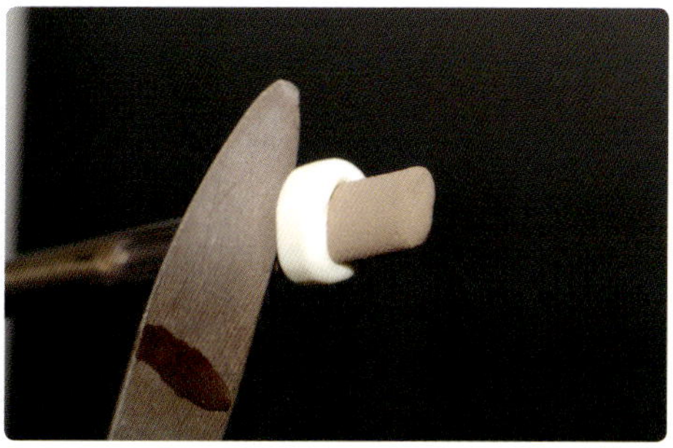

08 ベースを適宜熱しつつ、ベースの側面にヘラをあててまっすぐに整えます

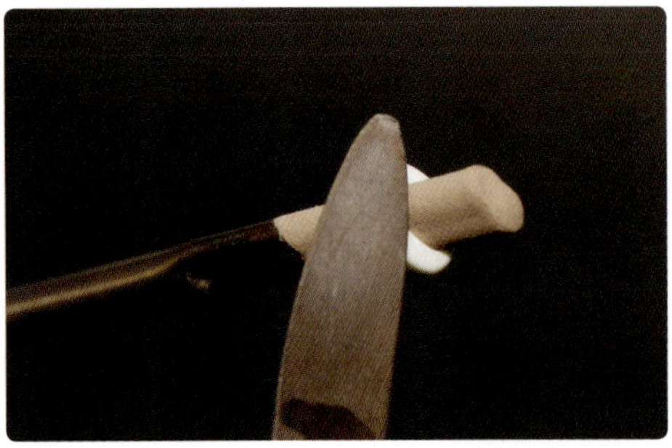

09 片側面を整えたら、反対側面も同様にして整えます

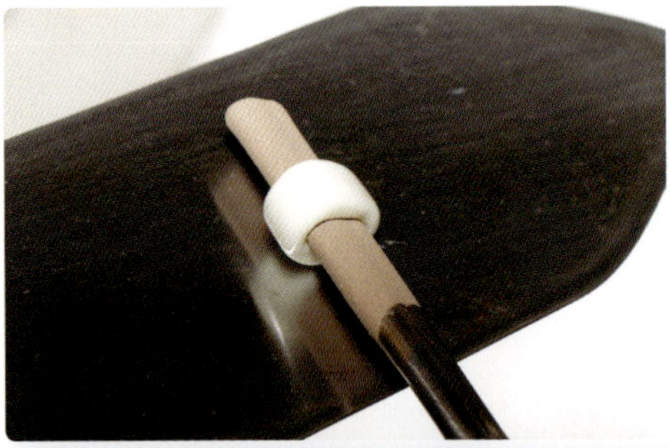

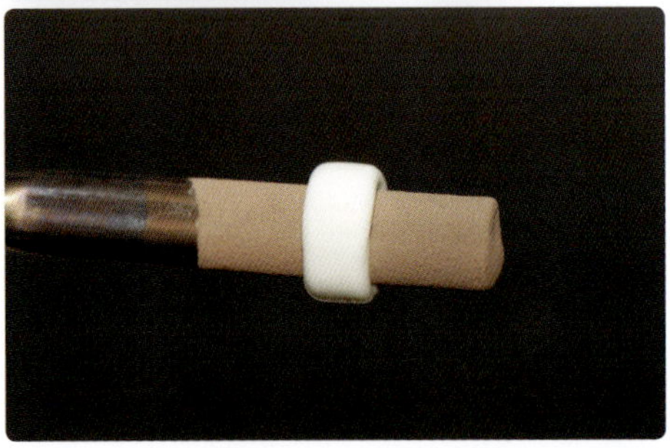

10 ベース全体を炎で熱し、こての上で転がして表面を均すと共に、08〜09の工程を繰り返して、ベースの幅を均一に整えます

体をのせる

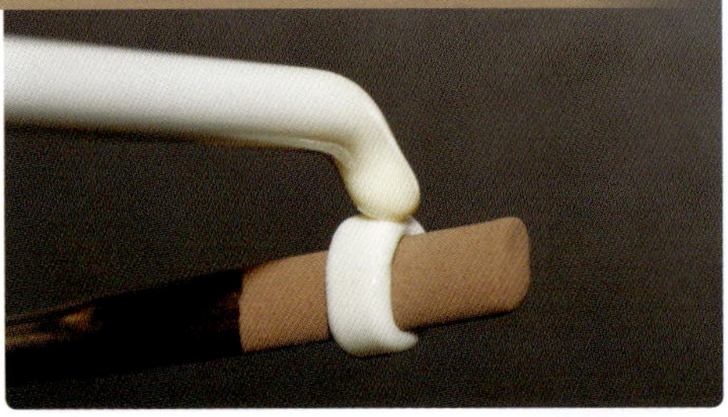

11 ベースを保温しつつ太いガラスロッドを熔かし、ベースの片面の上へ熔かしたガラスを垂らします

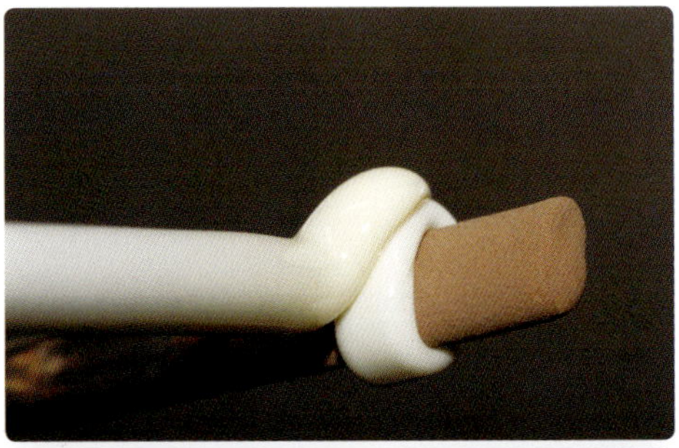

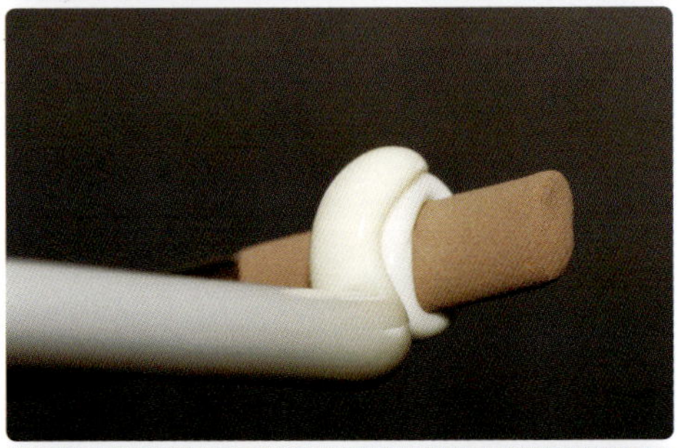

12 垂らしたガラスをベース片面の上へ流してのせ、端までのせた所でガラスを切ります

13 ベースの裏側が冷えないよう、全体を均等に熱しつつ、のせたガラスをヘラで軽く潰して整えます

14 ベースの上にのせたガラスを整えた状態です。ここでのせたガラスが体の厚みとなります

お尻をのせる

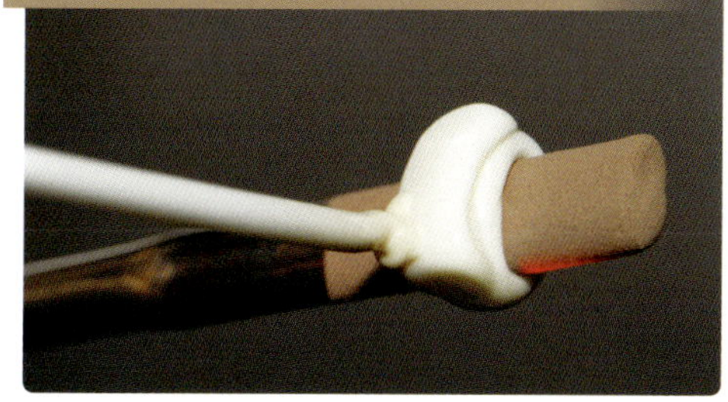

15 同色の細いガラスロッドを少量熔かし、先にのせた体の下側左寄りにのせます

16 のせたガラスをヘラで軽く潰し、さらに熱して体と熔融させつつ、ふっくらとした形に成型します

頭をのせる

17 細いガラスロッドを小豆粒大程度熔かし、お尻の真逆にあたる体の上側右寄りにのせます

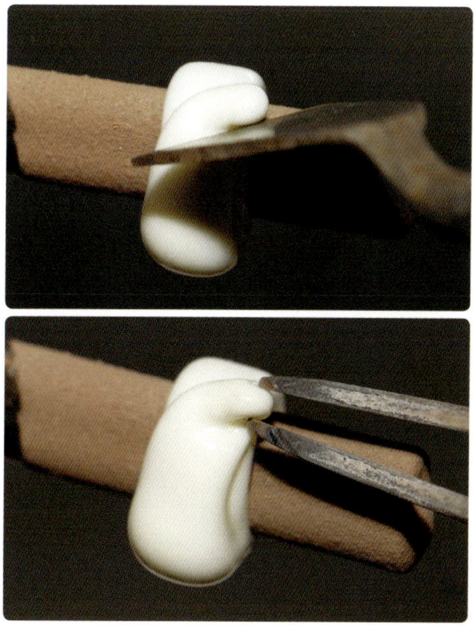

18 のせたガラスにバチケガキでエッジを付け、耐熱ピンセットで軽くつまみ、口元の形を整えます（※形状は各写真を参照してください）

尻尾を付ける

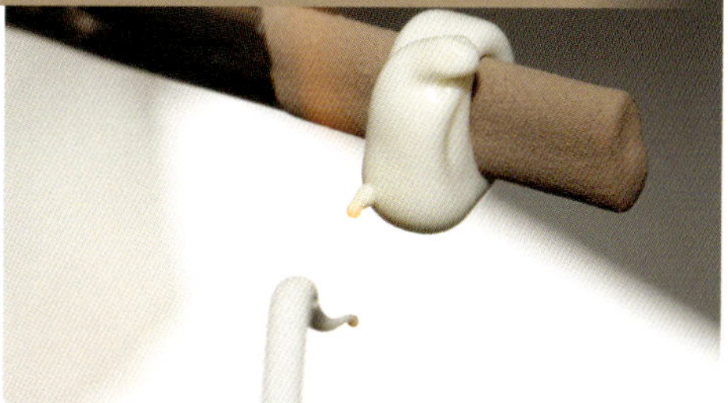

19 細いガラスロッドの先端を僅かに熔かし、16で成型したお尻の中心へ点を打つようにのせます

20 19で付けた尻尾を熱し、球状に熔けた所でごく軽くヘラをあて、形を整えます

耳をのせて延ばす

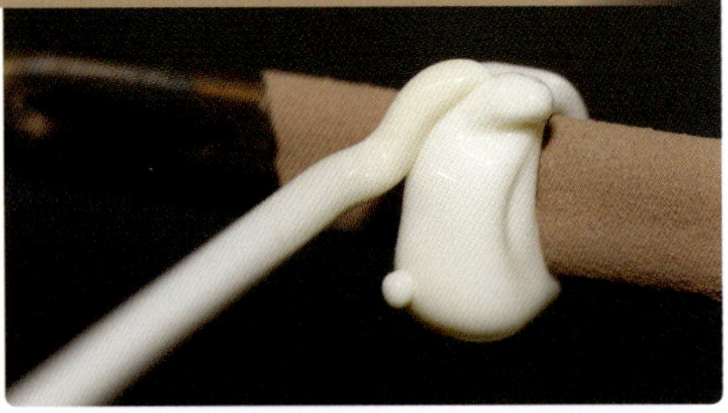

21 細いガラスロッドをたっぷりと熔かし、頭の左側面から左斜め下に向けて流すようにのせます

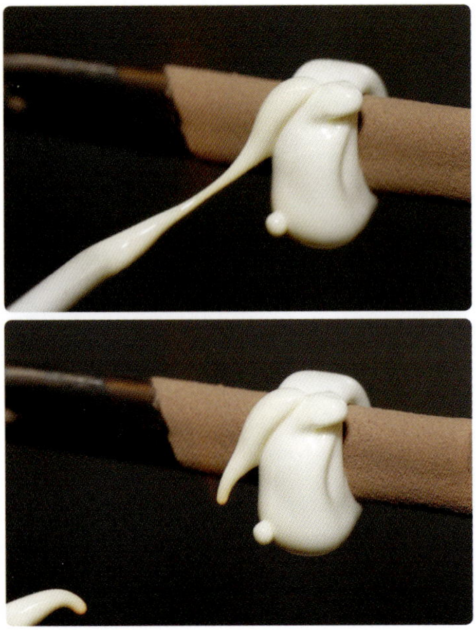

22 体の上3分の1程の所で、のせたガラスを斜めに引いて切ります

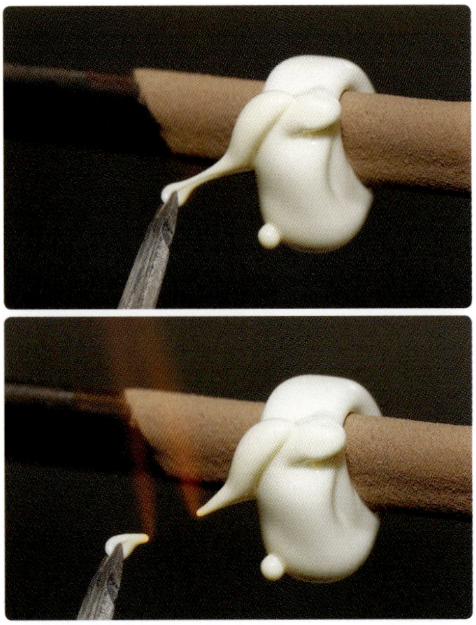

23 頭とのバランスを見て、引き切った端の余分を耐熱ピンセットでつかみ取ります

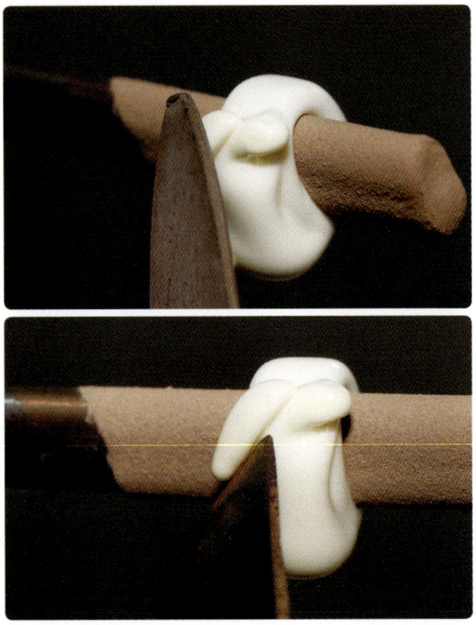

24 体との際（きわ）を消さないように注意して、ヘラやバチケガキで耳を成型します

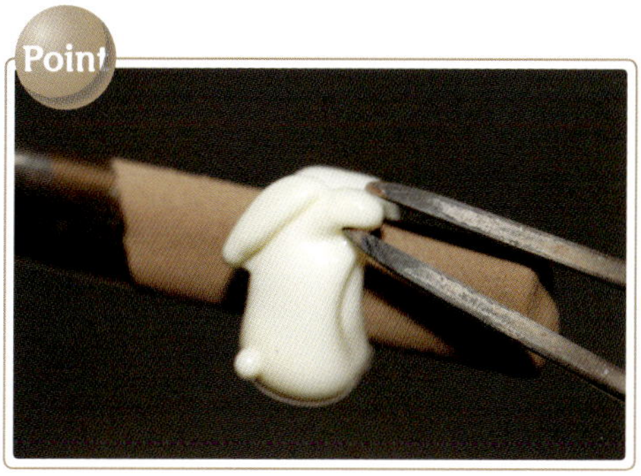

25 耳を成型する際、その横の頭にも熱が加わって形が崩れるため、次の目を付ける工程の前にあらためて形を整えます

目を付ける

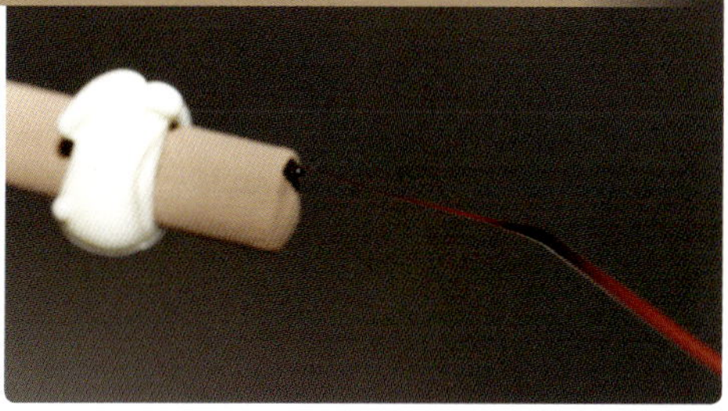

26 細引き（G-40）の先端のみを熔かし、熔かした先を芯棒の端に付けて引き、さらに細く延ばします

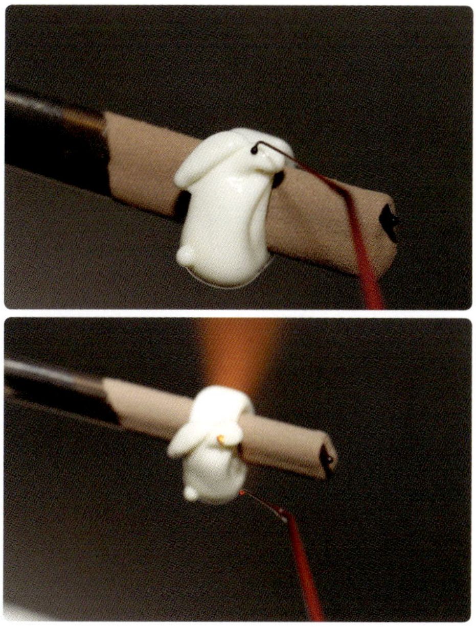

27 細く延ばした先端を熔かし、頭にごく小さく点を打ちます。点が大きくなり過ぎないよう、可能な限り細引きの先端のみを熔かし、点を打った後はすぐに炎の中で焼き切ります

28 頭に目となる点を打った状態です。点を打つ位置は、この写真の位置を参考にしてください

全体を熱して馴染ませる

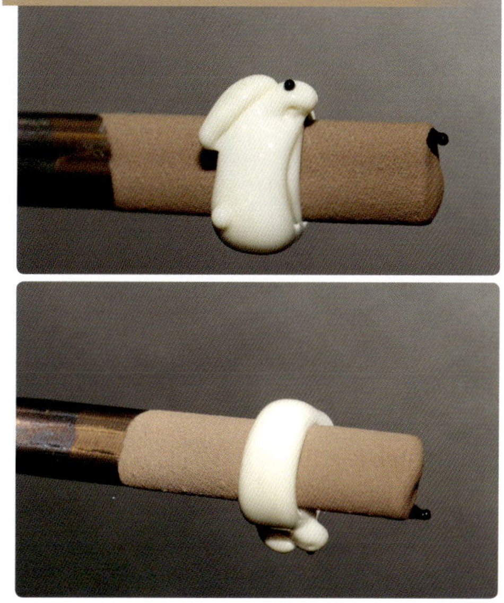

29 目を付け終えたら、体の裏側にあるベースを含めた全体を満遍なく熱します

完成

30 外炎付近で徐冷し、さらに徐冷材の中へ入れて徐冷すれば、うさぎの帯留めは完成です

「立体成型」アレンジサンプル

立体成型の技術を磨けば、アイデア次第で多様な作品を作ることができます。ここでは、なかの氏の創作テーマの一つである動物を中心とした作品をご覧ください。

目尻の下がった顔と、ボリュームのある体が可愛らしい「シロクマ」。2本に分かれた脚は、ハサミでカットすることにより成型されています

体をずんぐりと丸め、顔のみが正面を向いた、掲載作品とは別の「うさぎの帯留め」。この作品は、ガラスの表面が磨りガラス加工されています

背中一面にトゲトゲを点打ちで表現した「ハリネズミ」。この作品は、立体成型と点打ちのアレンジを組み合わせた作品です

スカイブルーのガラスで制作された「富士山の帯留め」。頂きに雪をかぶった富士山を、松の木と金箔の雲が飾っています

ムリーニの作り方と使い方

複数のガラスを熔かしながら重ね、金太郎飴のように棒状に引くことで、切り口に鮮やかな模様を表現する「ムリーニ」。この章では、様々なムリーニの作り方と、その使い方を解説します。

星型のムリーニを埋めた泡玉

比較的シンプルな構造をした星型のムリーニと、これを埋め込んだ泡玉の作り方を通し、ムリーニの作り方と、ムリーニの使い方の基本を解説します。

使用する工具・資材

- ステンレス芯（Φ4mm）
- ガラス瓶と水
- ヘラ
- こて
- 耐熱ピンセット
- 押さえ用鉄板
- ガラス切り
- 予熱台
- 離型剤
- 重曹

使用する材料

- A-29
- G-1
- S-4

左写真の星型のムリーニを先に制作し、これを完成させた後、前章の解説と同じ手順で泡玉を作り、その泡玉の中にムリーニを埋め込んで上写真の玉を完成させます

星型のムリーニを作る

星型のムリーニは比較的シンプルな構造をしており、ムリーニの作り方の基本を覚えるのに最適です。ここで、ムリーニ作りの基本をマスターしてください。

ベースを作る

01 ステンレス芯（芯棒）を余熱しつつ、白いガラスロッド（A-29）をサクランボ大程度熔かします

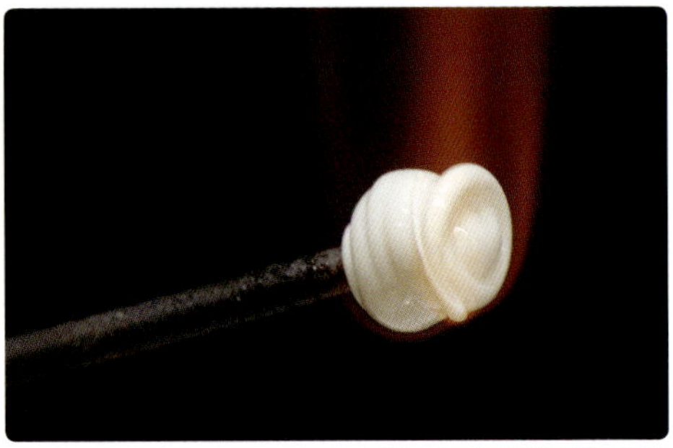

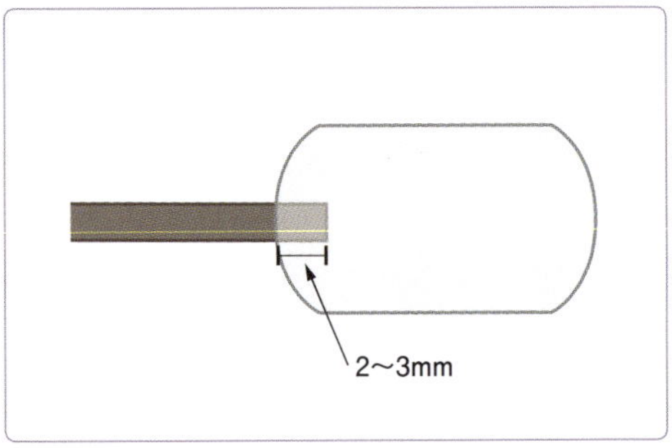

02 熔かしたガラスを芯棒の端に付けて巻き取ります。ガラスは下のイラストのように、芯棒の先端2〜3mmに付けた状態で巻き取ります

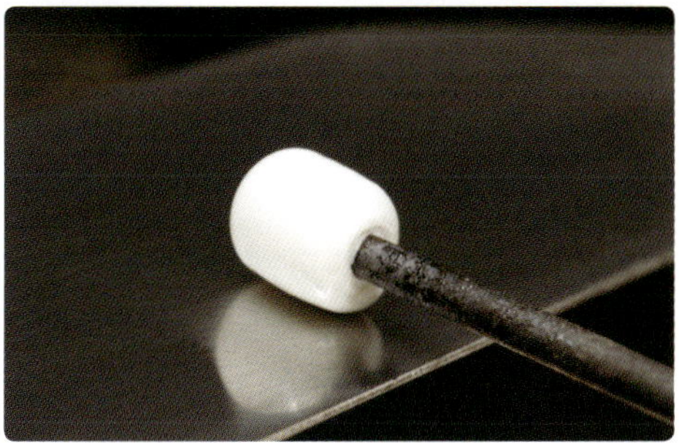

03 巻き取ったガラスをヘラとこてで成型し、太めの円柱状に整えます

ベースの側面にガラスをのせる

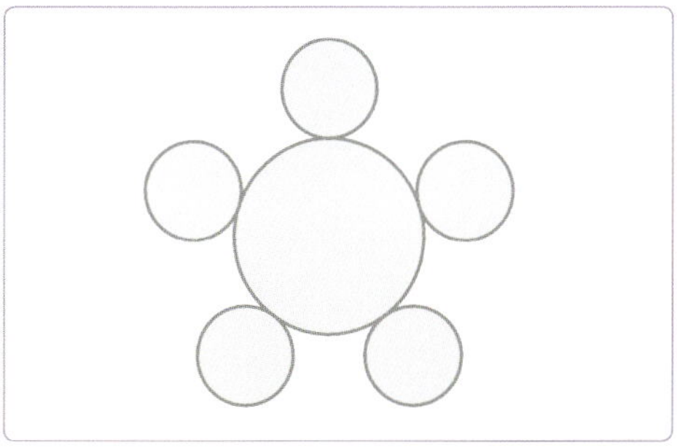

04 上のイラストは、ベースのガラスをのせる箇所を表した概念図です。中央にある大きな円はベースを正面から見た状態（芯棒を立て、その先端を真上から見た状態）で、この円を5等分する位置の側面へ、順にガラスをのせていきます。ベースを保温しつつ、ベースと同じ白いガラスロッドを熔かします

05 ベースの側面、芯棒側に熔かしたガラスをのせ、ベースの先へ向けて熔けたガラスを延ばすようにのせます

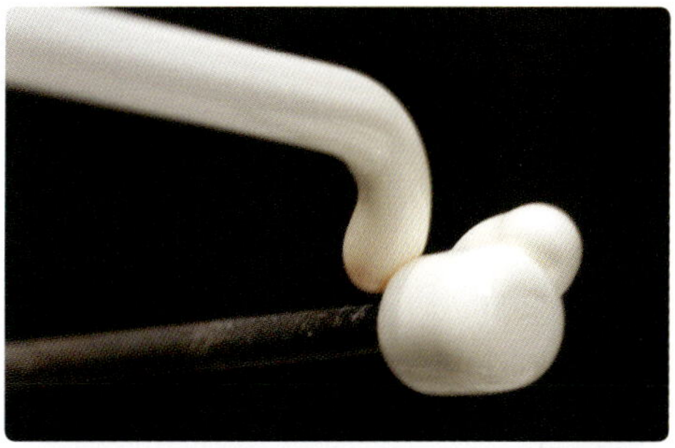

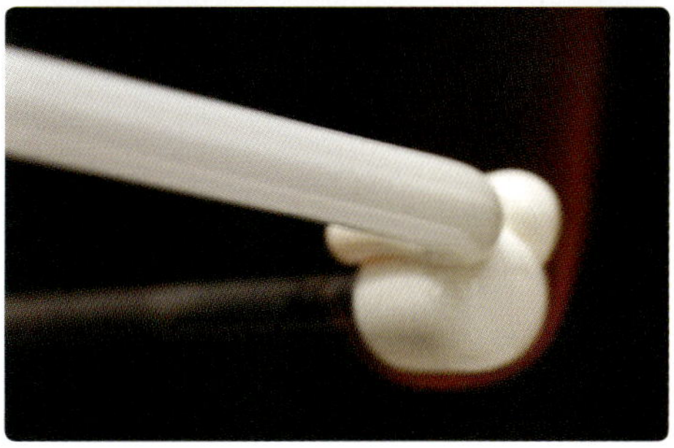

06 最初のガラスをのせたら、円を5等分する程度の間隔をあけ、次のガラスをのせます

07 ガラスをベースの先端まで延ばした所で、ガラスロッドとの接点を炎の中に入れてガラスを切ります

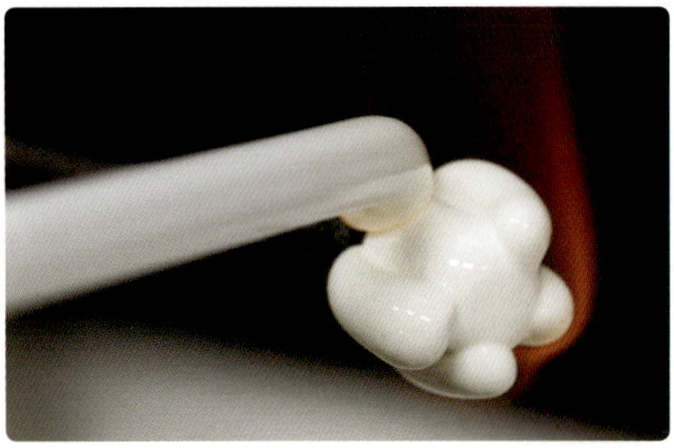

08 同じ手順を繰り返し、04のイラストで表した5ヵ所全てにガラスをのせます

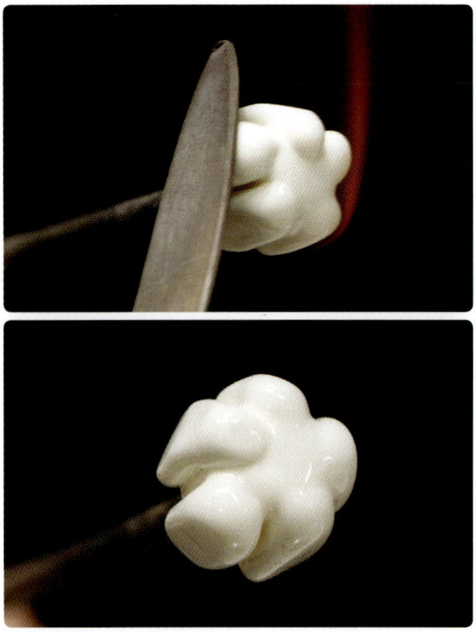

09 ベースの側面にのせた各ガラスを熱し、正面からヘラをあてて側面を平らに潰します

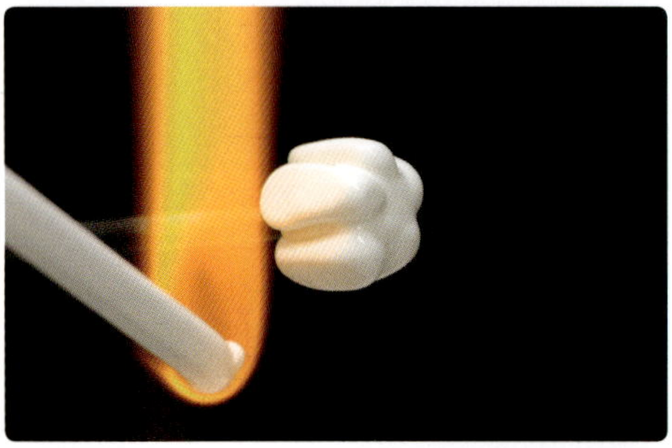

10 ベースを保温しつつ、これまでと同じ白いガラスを熔かします

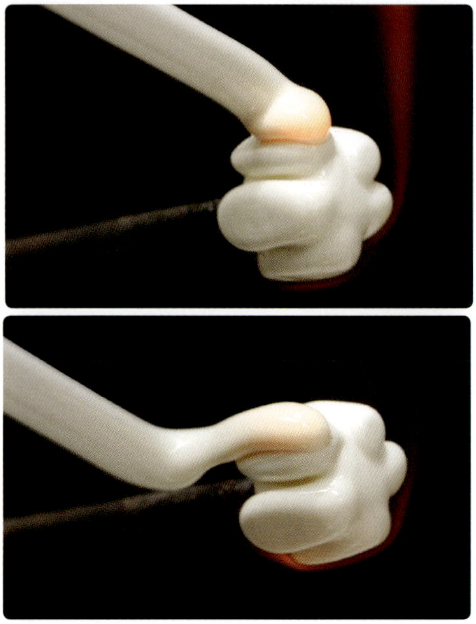

11 09で潰した各面へ、先にのせたガラスより少なめにガラスをのせていきます

12 潰した面へのせるガラスは、ベースの先端側から芯棒側へ延ばし、炎の中でガラスを切ります。この時、熔けたガラスが延びて切りにくい場合は、ガラスロッドの熔けていない付け根で余分をすくうようにすると切りやすくなります

Check

正面から見たここまでの状態です。ベースの側面5ヵ所へガラスをのせることで、星の形を作ります

13 ベースにのせた各ガラスの側面にヘラをあて、のせたガラスとベースの境界を明確にする溝を入れます

Check

のせたガラスの側面に溝を入れることにより、より星らしい形を表現することができます

側面にクリアをのせる

14 クリアガラスロッド（G-1）を熔かし、前工程でのせた白いガラスの間にのせていきます

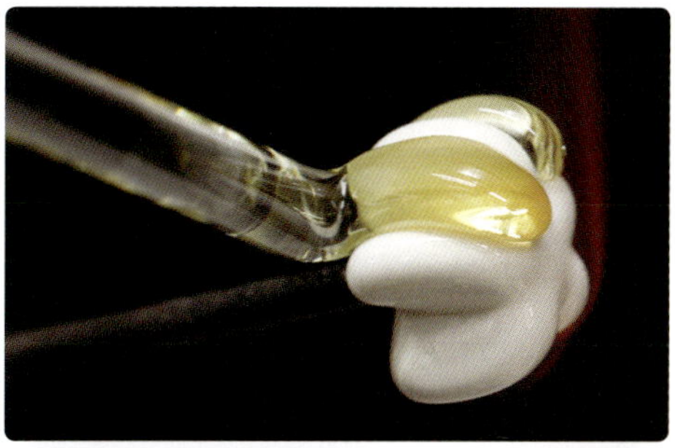

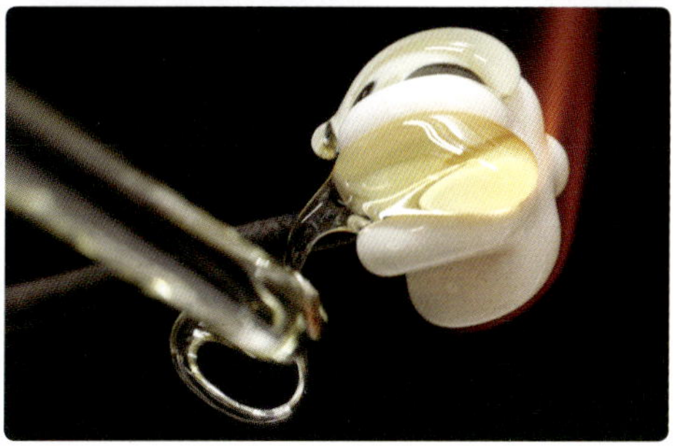

15 ガラスをたっぷりと熔かし、ベースの先端側から芯棒側へ向けて空間を埋めるようにのせ、芯棒側の端でガラスを切ります

16 全体を保温しつつ、前工程でのせたガラスの間全てにクリアガラスをのせます

Check

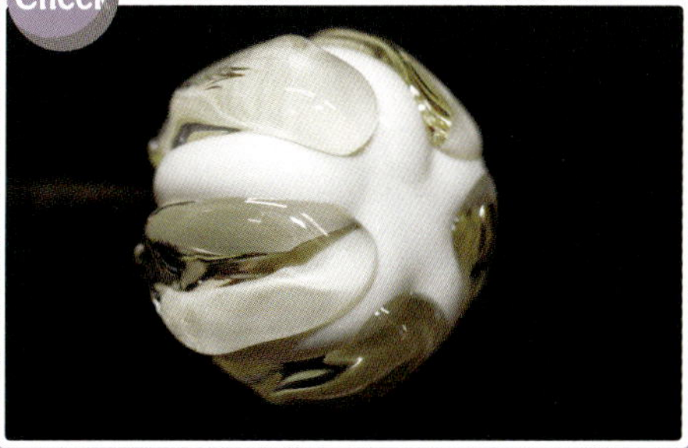

ここまでの状態。写真のように、白いガラスの間のみにクリアをのせます

17 側面の、白いガラスとクリアガラスの境界へさらにクリアガラスをのせ、側面に表出する白いガラスの幅を1～2mm程に調整します

18 側面の白いガラスを完全に覆ってしまわないように注意しつつ、これまでと同様にクリアガラスをたっぷりと熔かし、白いガラスとクリアガラスの境界にのせていきます

19 側面の全ての境界にクリアガラスをのせたら、全体を軽く熱しつつ、ヘラをあててクリアの隙間を埋め、側面を丸く成型します。この時も、側面に1～2mm残した白いガラスを埋めないように注意します（※クリアがかぶっていない白いガラスを、線のように細く残します）

Point

20 側面を成型したら、芯棒側のクリアガラスを耐熱ピンセットでつまみ、芯棒に寄せ付けます。クリアガラスの寄せ付ける箇所を熱しつつ、芯棒を回しながら均等に寄せ付けます（下写真参照）。この工程はムリーニを作る際の基本工程の1つで、外側にかぶせたガラスも芯棒に固定することで、最後に引く際に全体が崩れにくくなり、ムリーニをきれいに成型できます

21 寄せ付けた箇所をさらに熱し、ヘラを軽く押しあててより強固に定着させ、再び全体を熱します

Check

側面にのせたガラスを芯棒に寄せ付け、全体を炎で熱して整えた状態です。クリアの内側に、白いガラスで成型した星が明確に確認できます

Point

22 芯棒を回しながらガラス全体を炎で熱し、先端のガラスを耐熱ピンセットで中心に寄せ、これをつまんで引き取ります。この工程は、次にガラスを引く際にポンテ（後述）を付ける足がかりを作る工程で、20と同じくムリーニを作る際の基本工程の1つです

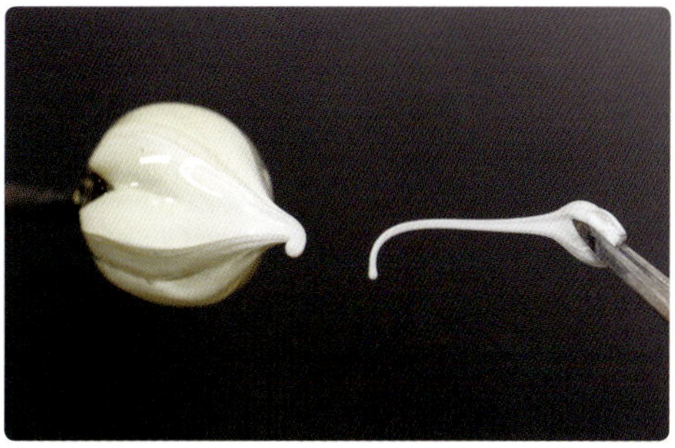

23 寄せた先端をつまみ取ると、側面のガラスが先端の中心へ流れるように集まり、ポンテを付ける足がかりとなる突起状になります

ポンテを作る

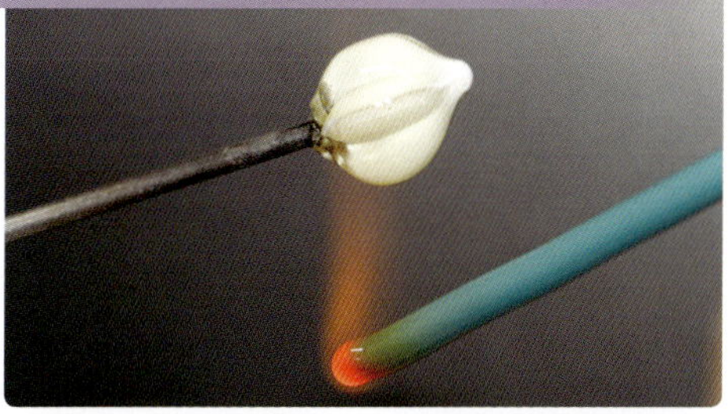

24 ムリーニを引くためのガラスを「ポンテ」と呼び、これは適宜ガラスロッドを使用して作ります。ムリーニを引く直前にあたる先端をつまみ取ったタイミングで、ガラスを保温しつつ、適当なガラスロッドの先端を僅かに熔かします。そして、熔かした先端を押さえ用鉄板の上へ垂直に押しあてて平らにします

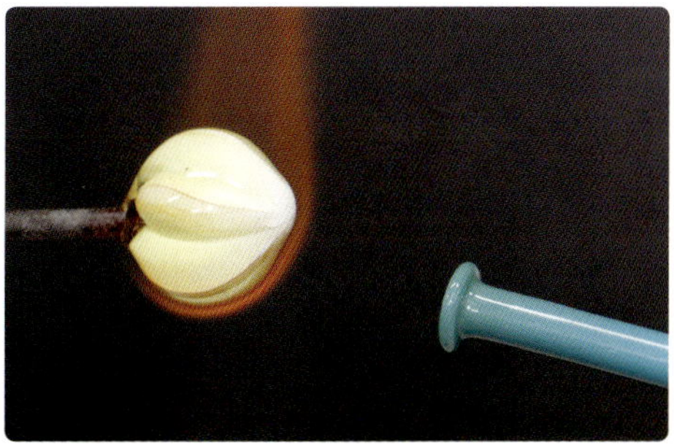

25 作ったポンテを保温しつつ、ガラスを炎の中に入れて芯棒を回し、全体へ充分に熱を通します

ガラスを引く

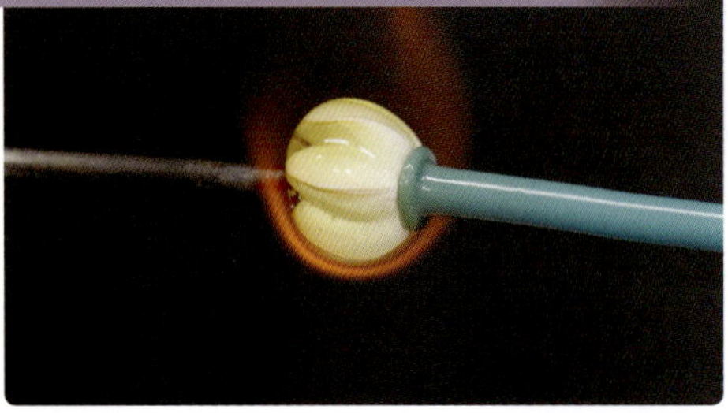

26 ガラス全体へ熱を通したら、炎の中でガラスの先端中心にポンテを合わせます

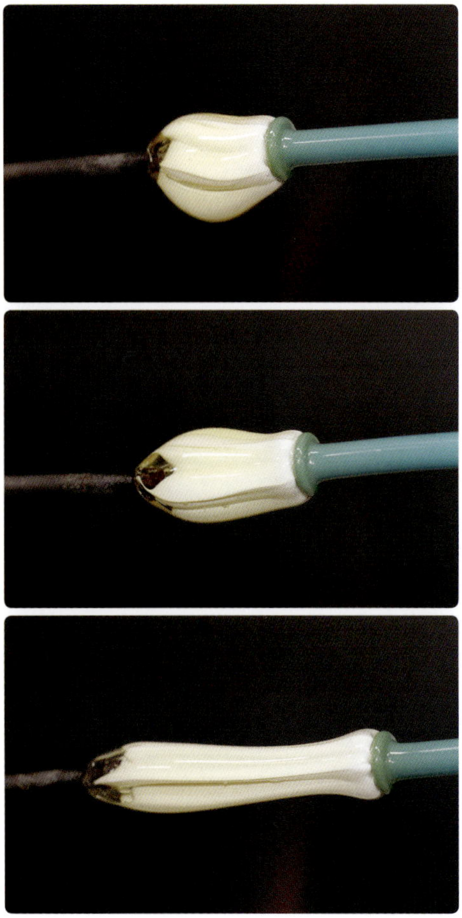

27 ガラスを炎の手前に出し、ポンテをゆっくりと引きます。この時、熔けたガラスが垂れ落ちてくるので、その場合は芯棒とポンテを同時に、手前と奥へ交互に回してガラスが垂れ落ちるのを防ぎます

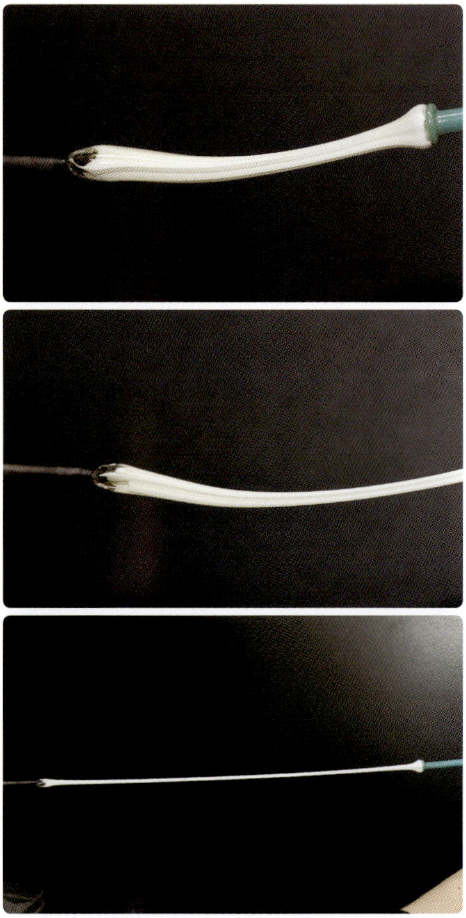

28 ガラスを垂らさないように芯棒とポンテを回しつつ、ゆっくりとポンテを引いてガラスを延ばします。ガラスを引く時は、必ず炎の手前で芯棒近くのかたまりを保温しながら引くようにします。26のまま、炎の中で熱した状態で引くと、熔けたガラスが垂れ落ちる勢いも強く、ガラスが切れる可能性もあります

引いたガラスを切る

29 引いたガラスを空気中で冷まし、芯棒の付け根部分をガラス切りでカットします

30 ムリーニを使用する際は、用途に合わせ2〜4mm程の厚みにガラス切りでカットします

完成

31 以上で、星のムリーニは完成です。ここまでで解説した一連の工程がムリーニ制作の基本となり、以降で解説するより複雑なムリーニも、この基本をベースに作り方を解説します

ムリーニを埋めた泡玉を作る

ムリーニは、様々な使い道のあるとんぼ玉の基本素材ですが、ここでは最もベーシックな使い方の1つである、玉の表面へ埋め込む方法を解説します。

Point

01 とんぼ玉の制作に使用するムリーニは、予め余熱台の上に並べて予熱しておきます

ベース玉を巻く

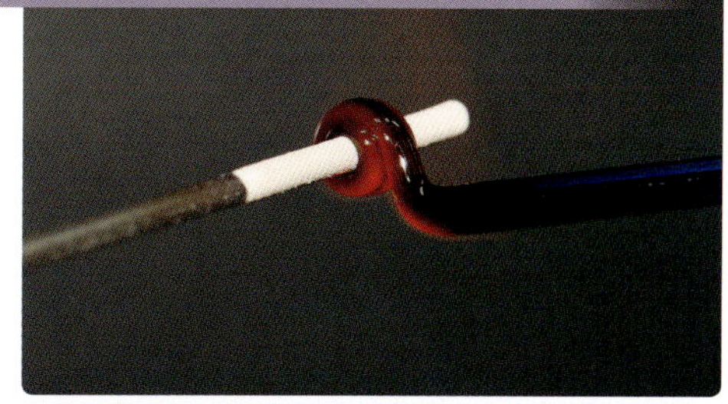

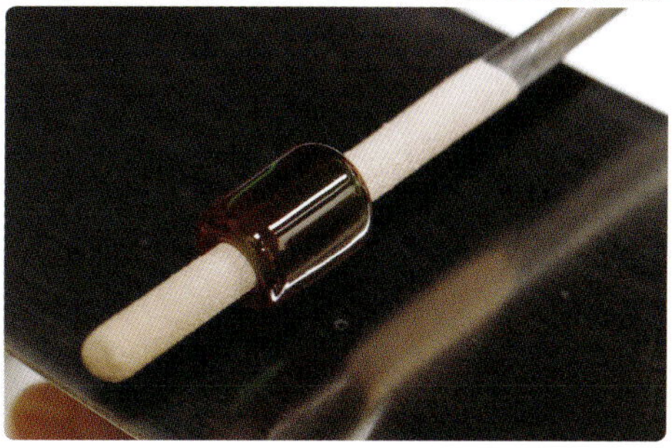

02 ガラス(S-4)を熔かして芯棒に巻き取り、ヘラとこてで成型し、筒型のベース玉を作ります

03 芯棒を回しながら、ベース玉の表面全面にごく少量の重曹を振りかけます

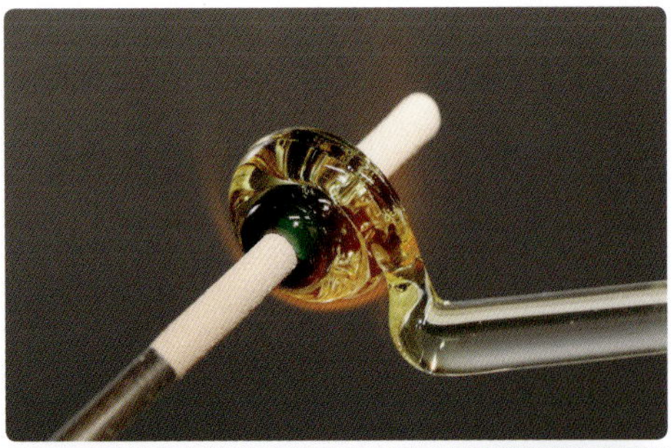

04 クリアガラス（G-1）を熔かしてベース玉に巻き取り、ヘラとこてで成型して泡玉を作ります

ムリーニを玉に埋める

05 成型した泡玉を充分に熱しつつ、予熱したムリーニを図柄を表にして耐熱ピンセットでつまみます。そしてその裏側、玉に付ける面を少しあたため、熱した面を泡玉に付けます

06 ピンセットの先で、付けたムリーニを泡玉の表面に押し込んで埋め込みます

Check

ムリーニ全体が泡玉の表面よりも奥に沈むまで、ピンセットの先でしっかりと押し込みます

07 1つめのムリーニを埋め込んだら、同様にして残りのムリーニを埋め込んでいきます

ムリーニの上にクリアをかぶせる

08 各ムリーニを埋め込んだ位置に、ヘラを軽く押しあてて均します

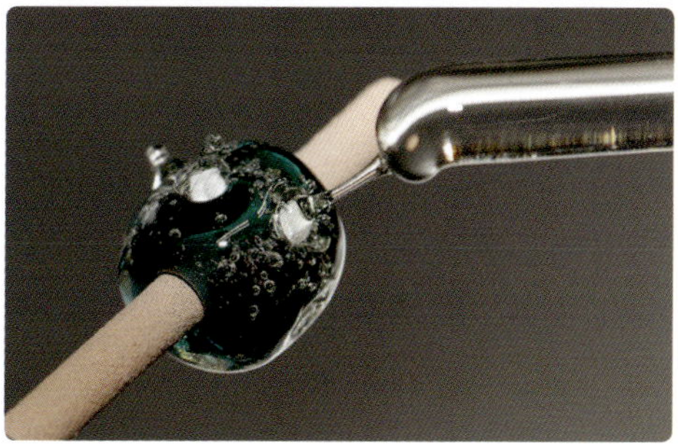

09 すきがけしたクリアガラスを熔かし、炎の外で埋め込んだムリーニの上へのせていきます

Point

10 ムリーニを埋めることで窪んだ表面を塞ぐようにガラスをのせ、ガラスは炎の中で切ります

11 10でのせたガラスを下に向けて炎で熱し、正面へ向けてヘラをあて、表面の凹凸を均して整えます。この時、強くヘラをあてるとムリーニの図柄が変形してしまうため、力加減に注意してください。のせたガラスを全て均したら、玉全体を炎で熱し、ヘラとこてで仕上げの成型をします

完成

12 徐冷を済ませれば、星のムリーニを埋めた泡玉は完成です。ムリーニは、泡玉以外の玉にも同様にして埋め込むことができます

クローバーのムリーニを埋めた玉

4枚の葉が分かれたクローバーのムリーニを作り、これを俵型の玉に埋め込んだ後、ムリーニの表面を引っかいて模様にアレンジを加えます

ハサミでカットする技法を用いた四つ葉のクローバーのムリーニと、これを玉に埋め込み、その表面を引っかいてアレンジする玉の作り方を解説します。

使用する工具・資材

- ステンレス芯（Φ4mm）
- ガラス瓶と水
- ヘラ
- こて
- 耐熱ピンセット
- クラフト用ハサミ
- 押さえ用鉄板
- ガラス切り
- 予熱台
- 離型剤
- 引っかき棒

使用する材料

- G-34
- A-29
- G-31
- G-11
- G-1

クローバーのムリーニを作る

クローバーのムリーニは、色の異なるガラスを4層重ねて円柱状のベースを巻き、正面に4重の円を作った後、これを縦横にハサミでカットして制作します。

ベースを作る

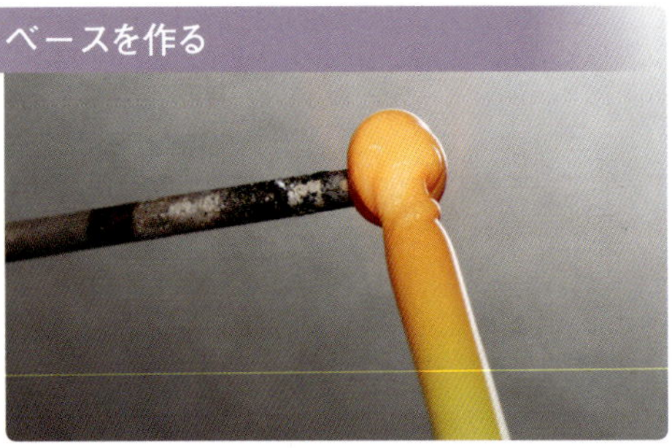

01 ガラス(G-34)をアーモンド粒大程度熔かし、熔かしたガラスをステンレス芯の端2～3mm位にかぶせ、全体では1cm程に巻き取ります

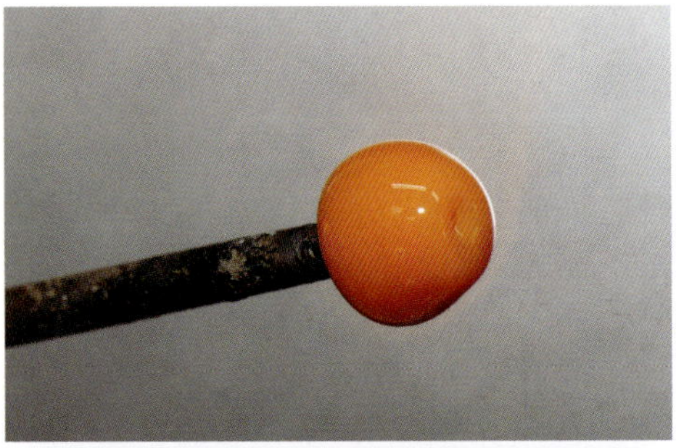

02 芯棒に巻き取ったガラスを熱し、長さ3～4cm程の円柱状に成型します

2層目のガラスを巻く

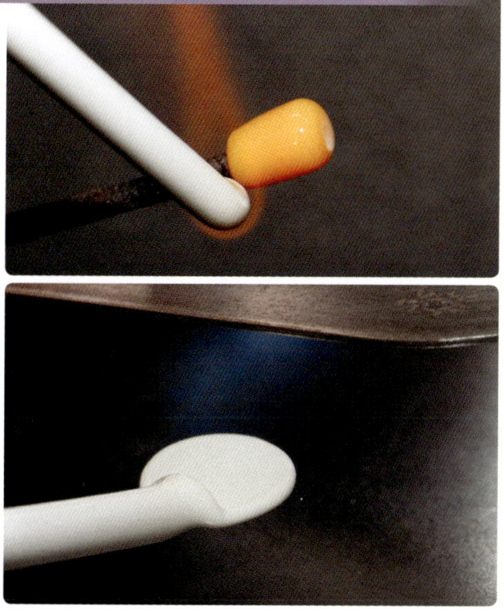

03 ベースを保温しつつ、2層目のガラス（A-29）を熔かして押さえ用鉄板の上でうちわ状に潰します

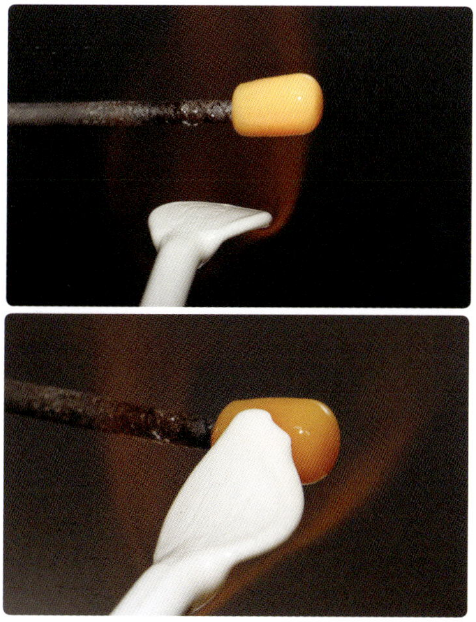

04 潰したガラスを素早く炎の中に戻して熱し、表裏を返しながら充分に熔かした所で、うちわ状の端をベースの側面に付けます。この工程は、p.39の「クリアを薄くかぶせた玉」と同じ要領です

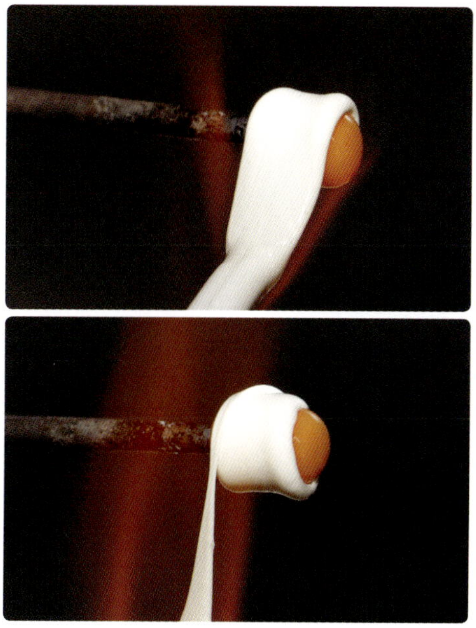

05 ベースの側面に熔かしたガラスを薄く巻き付け、全側面へ1周巻き付けた所でガラスを切ります

06 ベースの側面を確認し、ガラスがのっていない箇所があった場合は、同じガラスを熔かして埋めます

07 芯棒に付けたガラス全体を熱し、ヘラとこてで円柱状に成型します

3層目のガラスを巻く

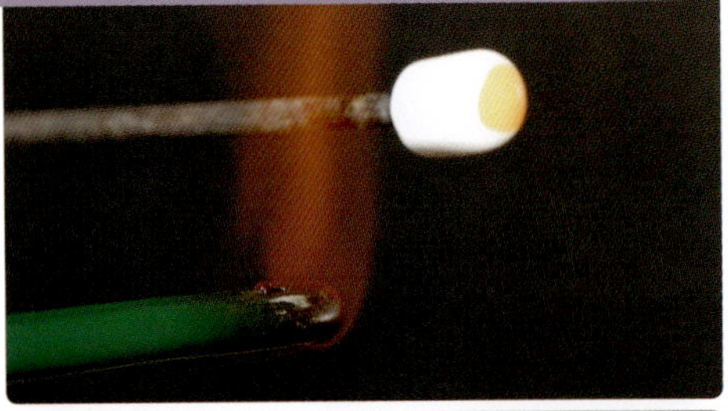

08 2層目のガラスを巻いた時と同様、芯棒のガラスを保温しつつ、3層目のガラス(G-31)を熔かして押さえ用鉄板の上でうちわ状に潰します

09 2層目のガラスと同様、潰したガラスを芯棒のガラスの全側面に巻き付けてガラスを切ります

10 巻き付けた3層目のガラスを、再び円柱状に整えて成型します

4層目のガラスを巻く

11 2/3層目のガラスと同じ要領で、4層目のガラス(G-11)を芯棒のガラスに巻き付けます

12 巻き付けたガラスを、円柱状に成型します

13 ガラス全体を充分に熱し、側面に巻き付けたガラスを芯棒に寄せ付けます

ガラスをカットして成型する

14 ガラス全体を充分に熱し、ガラスの中心まで熱を入れてしっかりと熔かします。ガラスを正面から見て、円の中心にハサミを入れてガラスを切ります。ガラスが芯棒から“クタッ”と倒れる寸前程度まで熱せば、中まで熔けていると判断できます。この状態まで熱する際は、ガラスを完全に倒してしまわないよう、芯棒を回しながら熱します

15 ガラスを炎の手前に出し、素早くハサミの刃を入れてカットします

16 カットしたガラスを素早く炎の中に戻し、ヘラで分断した中心を合わせます

17 分断した中心を合わせたら、側面の溝が完全に無くなるまで、「熱してはこての上で転がす」という工程を繰り返して円柱状に成型します

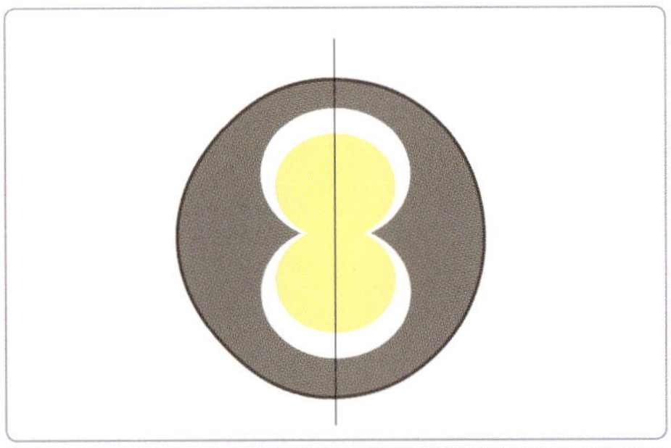

18 次は、14～15でカットした線に対し、垂直にハサミを入れてガラスをカットします。上のイラストは17で成型した後の正面を見た概念図で、中心を貫く直線上にハサミを入れます

19 14で解説した状態までガラスを熱し、18のライン通りにガラスの中心をカットします

20 16と同様、ヘラで分断した中心を合わせます

21 17と同様にして、側面の溝が完全に無くなるまで成型します

ガラスを引く

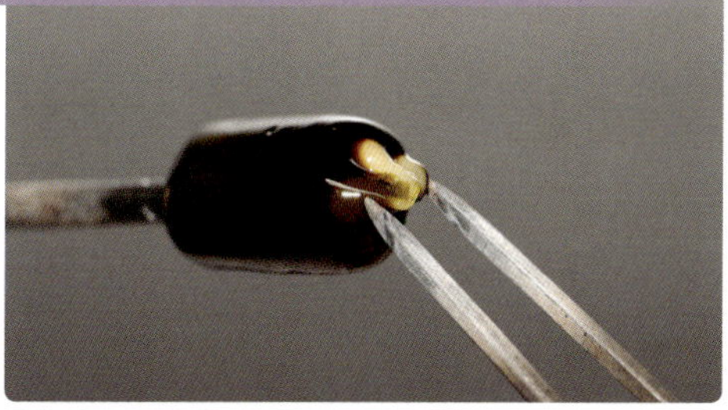

22 成型したガラスを充分に熱し、先端のガラスを耐熱ピンセットで中心に寄せてつまみ取ります

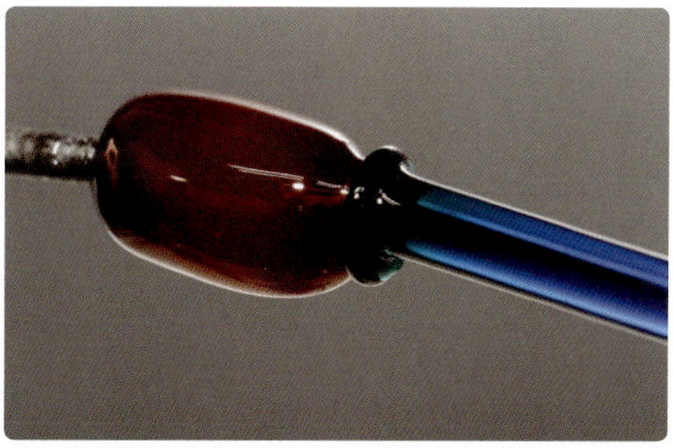

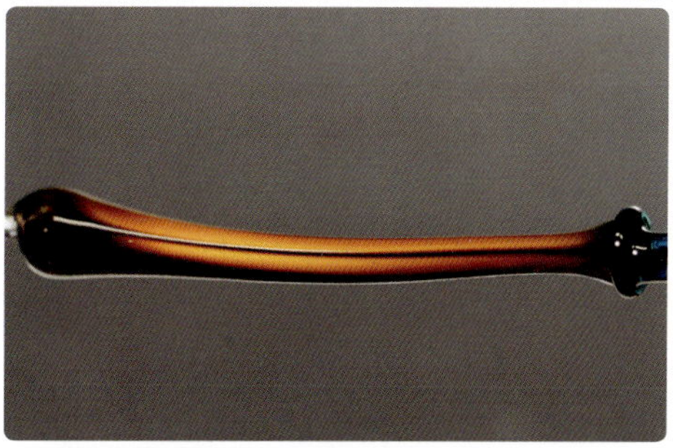

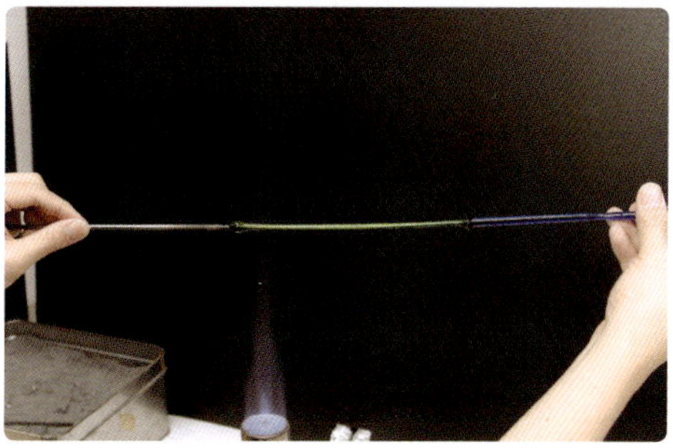

23 ポンテを作ってガラス先端の中心に合わせ、ガラスをゆっくりと引きます

完成

24 徐冷を済ませてカットすれば、クローバーのムリーニは完成です

ムリーニを埋めた玉を作る

ベース玉にクローバーのムリーニを埋めて玉を作ります。この玉では、埋めたムリーニを引っかき棒で引っかき、ムリーニの模様にアレンジを加えます。

ベース玉を巻く

01 クリアガラス(G-1)を多めに熔かし、芯棒に巻き取ります

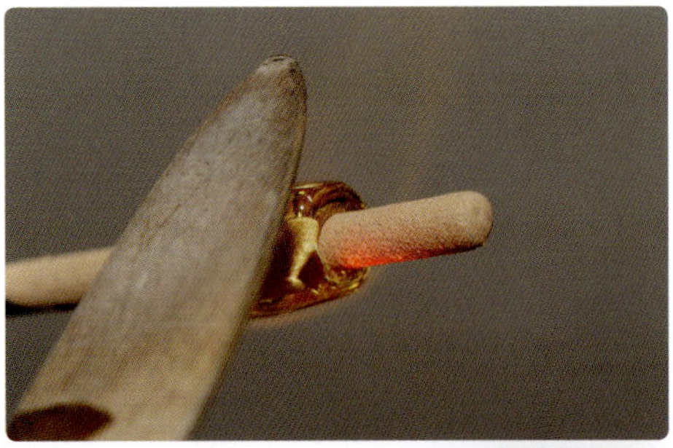

02 ヘラとこてを使い、巻き取ったガラスを横長の筒型に成型します

ムリーニを玉に埋める

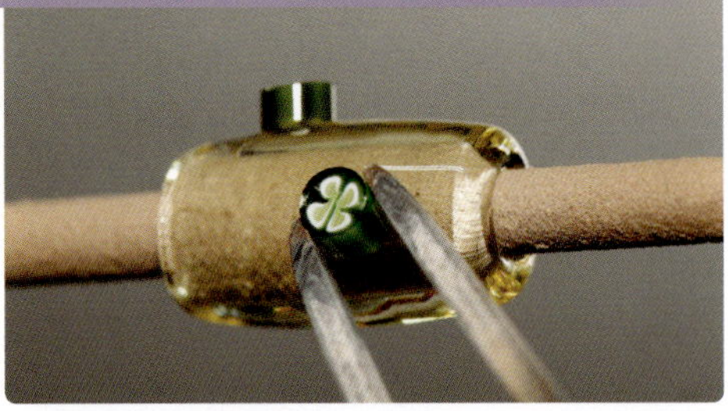

03 予熱したムリーニを耐熱ピンセットでつまみ、接面を軽くあたためてベース玉に付けます。付ける位置は好みで決めて構いませんが、後でムリーニの表面を引っかいて模様を延ばすため、各ムリーニの周囲にその余地を残して配置します

04 前項の泡玉とは異なり、この玉ではムリーニをベース玉に埋め込まず、繰り返し熱しながら徐々にベース玉へ埋めます。ベース玉に付けたムリーニを下に向け、炎で熱して軽く熔かした後、正面からヘラを押しあてて軽く潰します。各ムリーニを一度で潰すのではなく、テンポ良く芯棒を回しながら「熱してはヘラで押す」という工程を繰り返し、全てのムリーニをベース玉の表面に埋めます。この時、ベース玉まで熱するとムリーニの柄が歪んでしまうため、ムリーニのみを熱し、まっすぐヘラをあててムリーニのみを潰すように留意してください

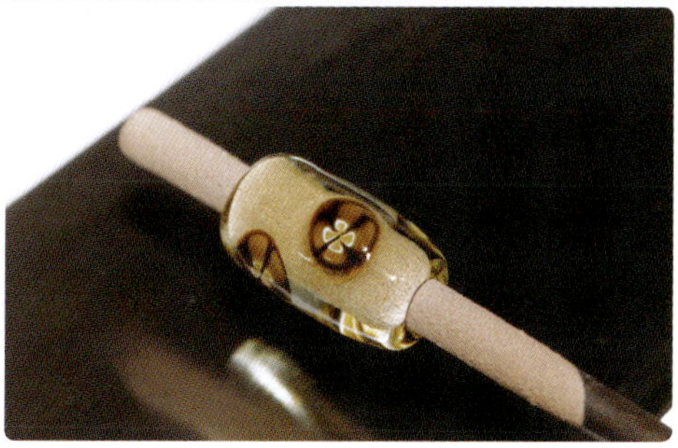

05 各ムリーニを上写真の程度まで埋めたら、こての上で転がして成型します

ムリーニの側面を引っかく

06 ベース玉に埋めたムリーニを、上のイラストが表すように引っかき棒で引っかき、その模様を延ばします

07 引っかくムリーニを下に向けて炎で熱し、充分に熔かした所で正面に向け、引っかき棒の先端を各ポイントにあてて引っかきます

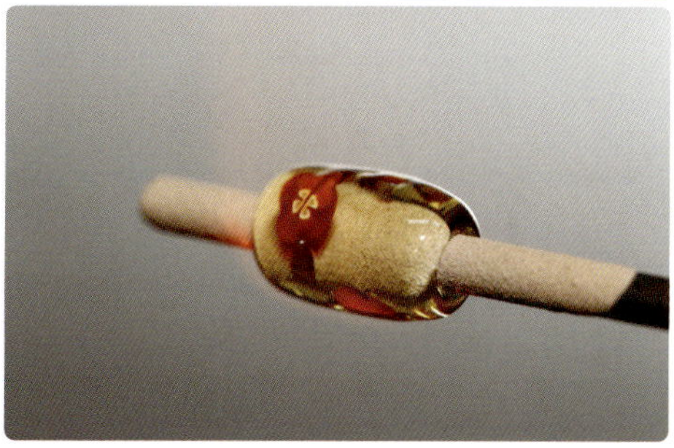

08 全てのムリーニを引っかいたら、引っかいた箇所を熱してヘラで均し、凹みを無くします。全体を熱し、仕上げの成型をした後に徐冷します

完 成

09 以上で、クローバーのムリーニを埋めた玉は完成です

金箔と菊のムリーニを埋めた玉

金箔のレイアウトに効果的な金箔練り棒と、細長い花弁が開く菊のムリーニの作り方、そして、これらを原色のベース玉に用いる玉の作り方を解説します。

使用する工具・資材

- ステンレス芯（Φ4mm）
- ガラス瓶と水
- ヘラ
- こて
- 耐熱ピンセット
- 押さえ用鉄板
- ガラス切り
- 予熱台
- 離型剤
- 引っかき棒
- 金箔（金澄）

使用する材料

- G-1
- A-29
- A-26

中写真の金箔練り棒と下写真の菊のムリーニを順に作り、これらを使用して上写真の玉を作ります

金箔練り棒を引く

粒状に散った金箔を玉の狙った箇所へ配置したい場合は、玉へ金箔を直接付けるのではなく、予め金箔を練り込んだガラスロッドを使うのが効果的です。

01 押さえ用鉄板の上に、3～4cm四方の金箔（または厚みのある金澄）を4枚程度用意します

ベースを作る

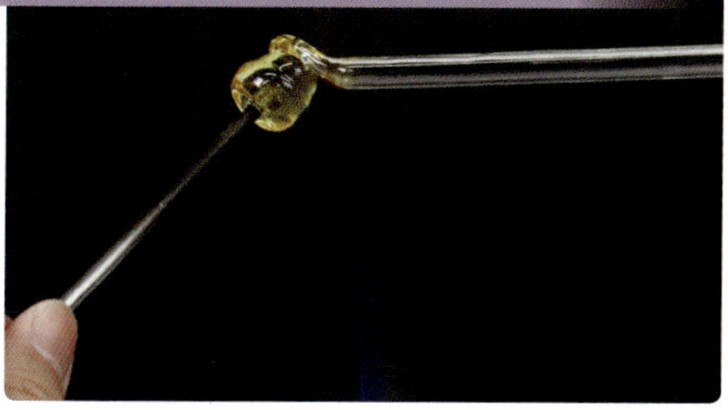

02 クリアガラス(G-1)をたっぷりと熔かし、ステンレス芯の先2〜3mm位にかぶせ、全体では1cm程に巻き取ります

03 巻き取ったガラスをヘラで芯棒の先端側に寄せ、ヘラとこてで円柱状に整えて成型します

金箔を練り込む

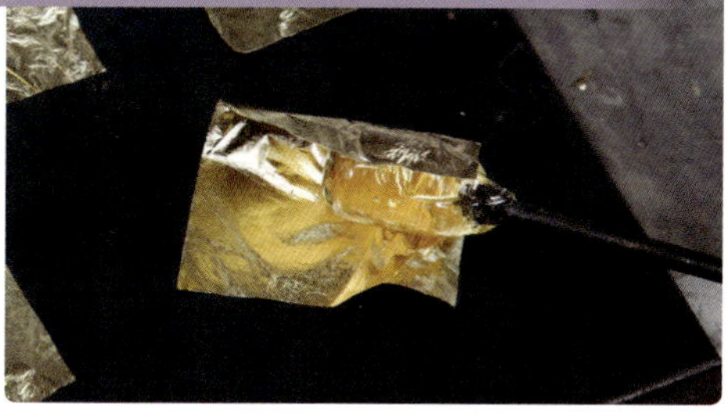

04 成型したガラスを充分に熱し、押さえ用鉄板の上に並べた金箔(1枚)の上で転がして、ガラスの全側面に貼り付けます

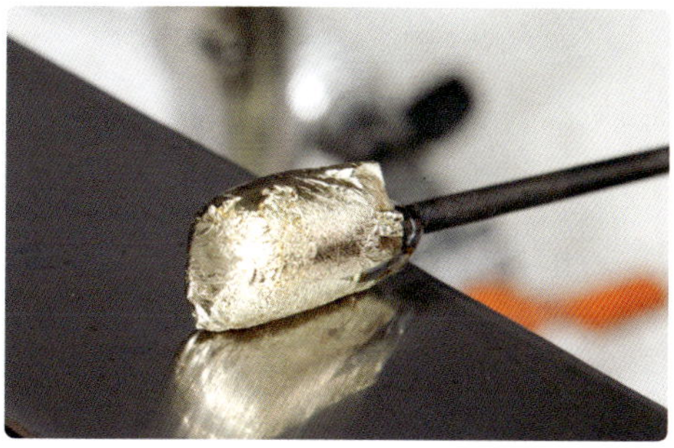

05 こての上でガラスを転がし、ガラスと金箔の間にある空気を抜いて金箔をガラスに密着させます

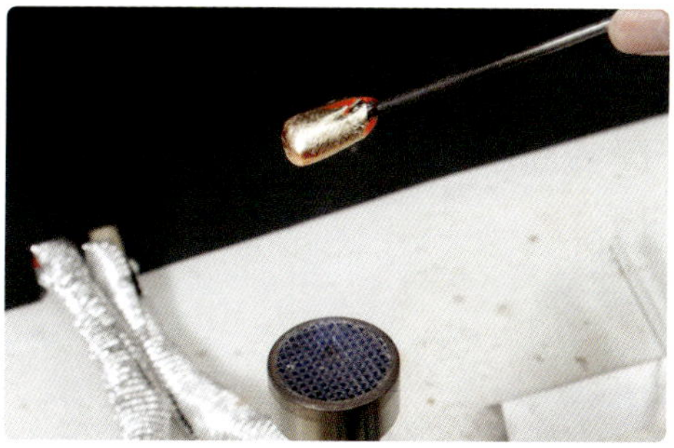

06 ガラスを満遍なく熱し、金箔とガラスを熔かします

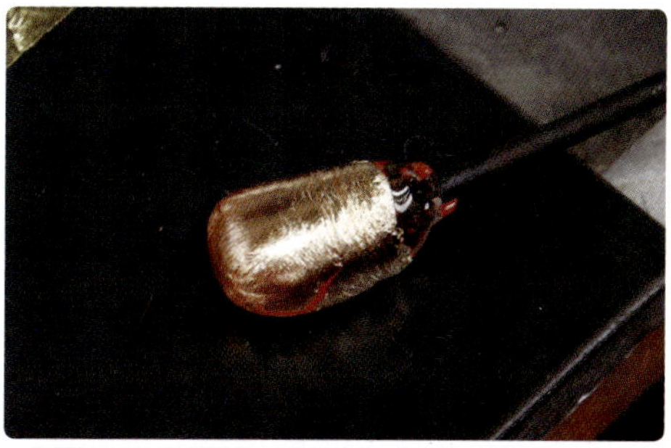

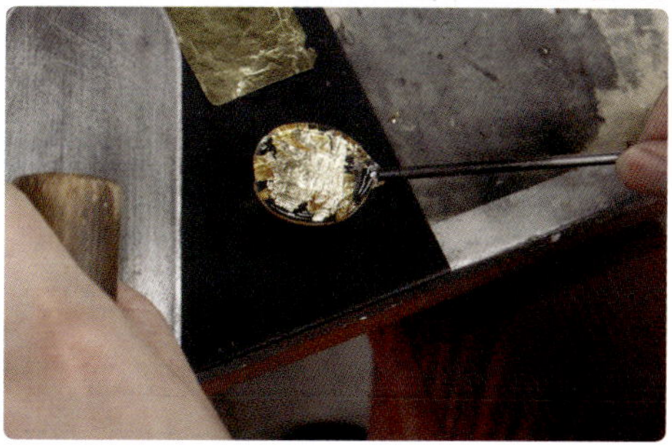

07 熔かしたガラスを押さえ用鉄板の上にのせ、こてでうちわ状に潰します

08 潰したガラスを素早く炎の中に戻し、柔らかくなるまで熱した後、端を耐熱ピンセットでつかみます

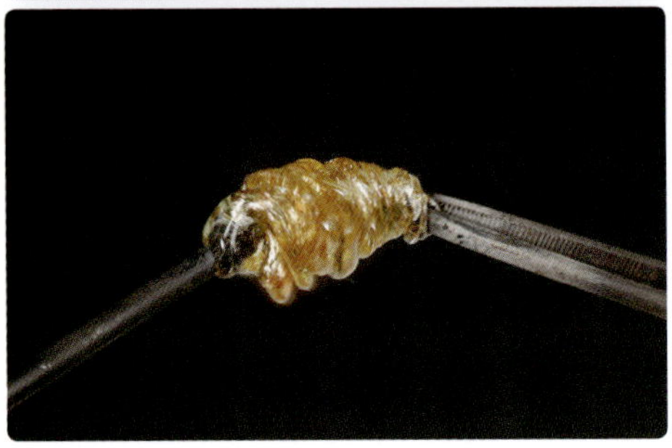

09 耐熱ピンセットでつかんだ先を芯棒の付け根側へ折り畳み、さらに折り畳んだ片端をピンセットでつかみます（写真上）。そして、芯棒を回してガラスをねじり、ガラスの中に金箔を練り込みます。この時、ガラスの中に空気を取り込まないように注意して練り込みます。また、ガラスの中に大きな金箔が残っている場合は、押さえ用鉄板の上でガラスを再び潰し、もう一度練り直します。金箔を練り込み終えたら、ガラスを炎の中に入れて熱した後、こての上で転がして円柱状に成型します

10 金箔を練り込んだガラスを充分に熱し、04と同じ手順でその全側面に金箔を貼り付けます

11 05〜09と同じ手順で、貼り付けた2枚目の金箔をガラスに練り込み、こての上で成型します

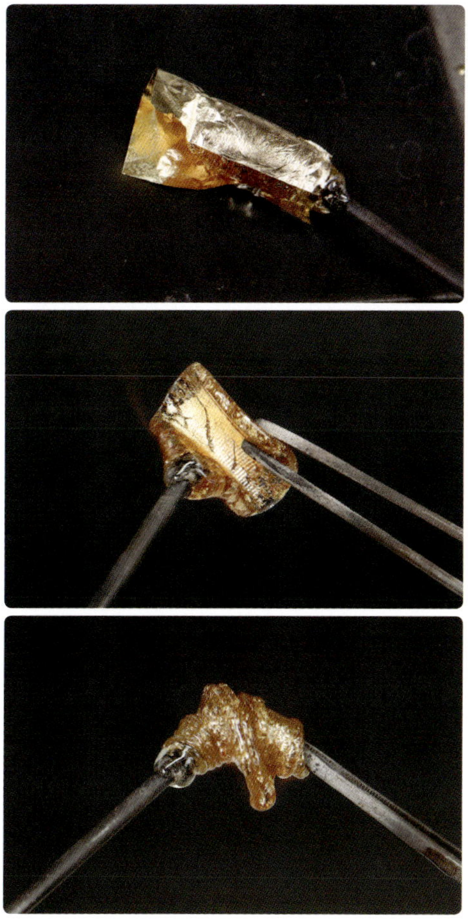

12 1枚目と2枚目の金箔と同様に、3枚目の金箔をガラスに練り込みます。練り込む金箔の量（枚数）は、用途に合わせて適宜調整し、充分な量の金箔を練り込んだら、ガラスを円柱状に成型します

ガラスを引く

13 成型したガラスを充分に熱し、適当なガラスロッドをガラスの先端に合わせます

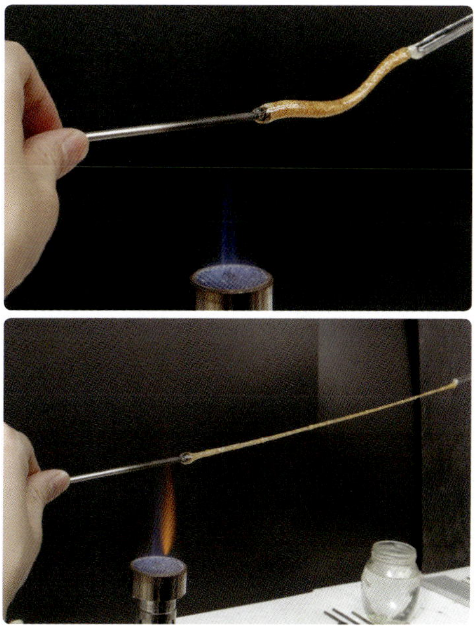

14 ガラスを炎の手前に出し、前章の細引きと同じ要領で好みの太さに引き延ばします

15 引いたガラスを徐冷し、芯棒の先でカットします

完成

16 透明なガラスロッドの中に、細かい金箔が無数に練り込まれた金箔練り棒の完成です

菊のムリーニを作る

菊のムリーニは、ベースを円周の長いタイヤ型に成型し、その周囲に細引きで細かくガラスをのせ、全体の形を整えた後に引き延ばして制作します。

ベースを作る

01 クリアガラス（G-1）をたっぷりと熔かし、ステンレス芯の先2〜3mm位にかぶせ、全体では1cm程に巻き取ります

02 芯棒側の側面と先端側を交互にヘラで平らに均し、巻き取ったガラスをタイヤ型に成型します

Check

写真のようなタイヤ型に成型し、ガラスを炎の中で熱して表面を均し、全体の形を整えます

側面にガラスをのせる

03 細引き（A-29）の先端を炎の中で熔かし、ベースの裏側、芯棒の付け根からガラスの先端に向け、熔かしたガラスを線状にしてのせます。この時は、炎の中で細引きをしっかりと熔かしながらガラスをのせていきます

04 のせたガラス2本分程度の間隔をあけ、同様にして細引きのガラスをのせていきます

Point

05 この写真で確認できる程度の間隔をあけ、細引きのガラスをなるべく等間隔にのせていきます

Check

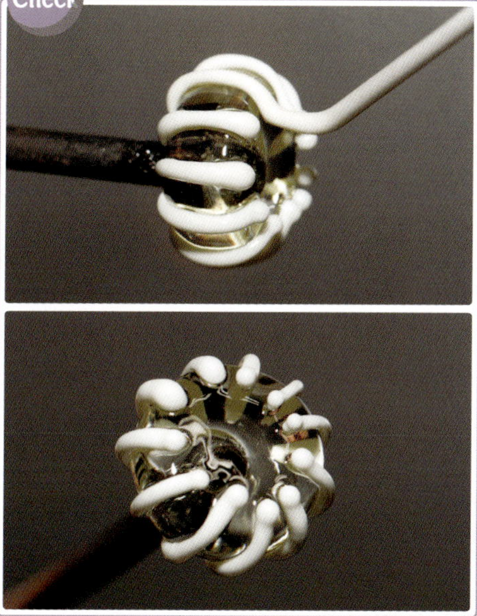

ガラスをのせるスペースが少なくなったら、最後のガラスをのせるスペースを考慮して間隔を微調整し、下写真のような状態にします

06 ベースの側面にのせたガラスを、全て芯棒に寄せて付けます

07 ガラス全体を熱し、こての上で転がして円柱状に成型します

08 先端のガラスを耐熱ピンセットで中心に寄せ、寄せた先端部をつまんで引き取ります

Check

タイヤ型をした最初のベースに対し、引く直前のガラスは球体に近い状態になります

ガラスを引く

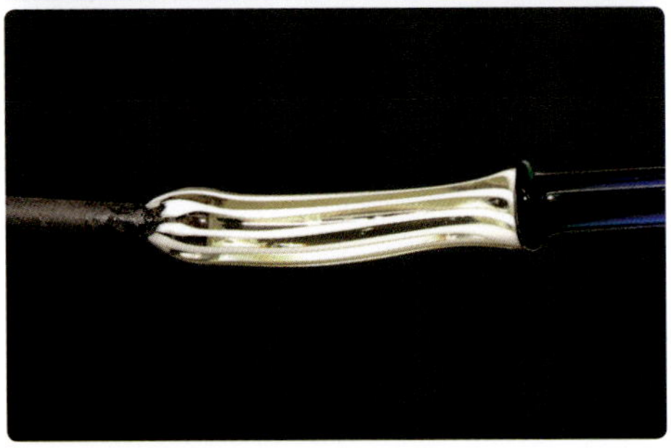

09 太めのガラスロッドでポンテを作り、ガラスの先端にこれを合わせて引きます

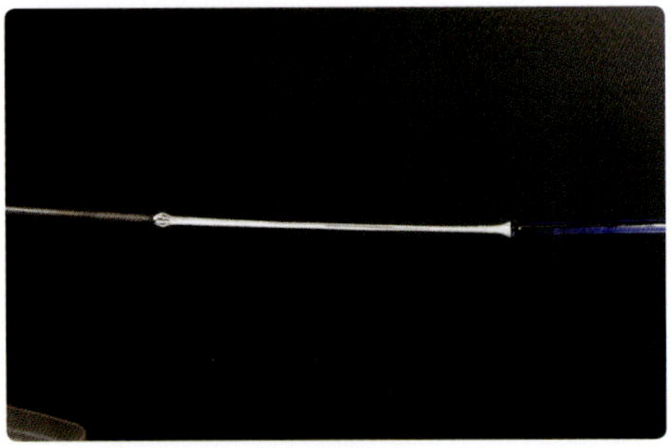

10 側面にのせたガラスのラインがねじれないよう、より慎重にポンテと芯棒を同時・同方向（手前と奥）に回しながらガラスを引きます

完 成

11 徐冷を済ませてカットすれば、菊のムリーニは完成です。表面（切断面）はほぼ柄が無いように見えますが、側面にはのせた細引きの線がしっかりと現れています。このムリーニは、そのまま埋めただけではあまり華やかさがありませんが、潰して埋め、引っかき棒で手を加えることにより花開きます。その詳細は、この後に続く玉の制作工程で確認してください

金箔と菊のムリーニを埋めた玉を作る

制作した金箔練り棒と菊のムリーニを使用し、和風テイストが漂う玉を制作します。この作品では、金箔練り棒の使い方とムリーニの変化に注目してください。

ベース玉を巻く

01 ガラス（A-26）をサクランボ大程度熔かし、芯棒に巻き取ります

02 芯棒に巻き取ったガラスを、俵型に成型します

金箔練り棒のガラスをのせる

03 金箔練り棒の先端を炎の上の方で熔かし、成型したベース玉の表面へ付けます

04 同じ炎の中で金箔練り棒を熔かしながら、ベース玉の上へ線を引くように、ランダムにのせていきます

05 03の付け始め地点までガラスをのせたら、炎の中で金箔練り棒のガラスを切ります

06 ベース玉にのせたガラスをヘラで押さえ、こての上で転がして軽く潰します

07 炎の上の方で玉全体を熱し、のせて潰したガラスを自然に馴染ませます

08 のせたガラスを馴染ませたら、こての上で転がして最初の俵型に成型します

ムリーニを玉に埋める

09 金箔練り棒のガラスのラインを避け、菊のムリーニをランダムに玉の表面へ付けていきます

10 付けたムリーニを下に向けて炎で熱し、熱したムリーニに正面からヘラを軽く押しあてて、徐々に潰していきます（前項の、クローバーのムリーニを埋める手順と同様です）

11 各ムリーニを上写真のような状態まで潰したら、ムリーニの中心へ垂直に引っかき棒の先端を刺し、ムリーニの模様を中心に集めます

12 全てのムリーニの中心を突いたら、玉全体を炎で熱し、仕上げの成型をした後に徐冷します

完成

13 以上で、金箔と菊のムリーニを埋めた玉は完成です。この項で制作した金箔練り棒は、他にも様々な使い方をすることができます

「金箔練り棒」を使ったアレンジサンプル

本項で作り方を解説した金箔練り棒は、玉の表面にのせて熔融させる使い方の他、のせた厚みをそのまま残す使い方や、点打ちのような使い方等、アイデア次第でとんぼ玉制作に自由に活用できます。ここでは、なかの氏が金箔練り棒を用いて制作した、高度な作品を紹介します。

ベース玉の表面にムリーニをレイアウトし、その周囲を全て金箔練り棒で覆った作品。合計8つのムリーニは七福神（全員が集合しています）と、七福神が乗る宝船です

この2つの作品では、人物顔の周囲を金箔練り棒のガラスで囲み、金箔をフレームのようにレイアウトしています。人物顔は非常に手の込んだムリーニで、側面に見えるアルファベットもムリーニです

立体成型で制作したどんぐり型のベースに、どんぐりが大好物のリスのムリーニをレイアウトした作品。金箔練り棒は、リアルなどんぐりのカサに使用されています

金魚のムリーニを埋めた玉

金魚のムリーニの作り方を通して、個別に引いた細かいパーツを組み合わせて作るムリーニの作り方と、そのムリーニを埋めた玉の作り方を解説します。

使用する工具・資材

- ステンレス芯（Φ4mm）
- ガラス瓶と水
- ヘラ
- こて
- 耐熱ピンセット
- フラットピンセット
- ガラス切り
- 予熱台
- 離型剤

使用する材料

- A-30
- G-1
- A-40
- G-36

左写真の金魚のムリーニは、これまでのムリーニのように熔かしたガラスを合わせるのではなく、細かく引いた各種のパーツを組み合わせて制作します

金魚を構成するパーツを作る

金魚のムリーニは、胴となるベースに目、尾びれ、脇びれ、の各パーツを組み合わせることで制作します。そこでまず、金魚を構成する各パーツを制作します。

「目」のパーツを作る

01 黒いガラス（A-30）を少量熔かし、ステンレス芯の端に巻き取ります

02 巻き取ったガラスを円柱状に成型し、これをベースとします

03 ベースを保温しつつ、クリアガラス（G-1）を熔かします

04 ベースにクリアガラスを巻き取り、その側面にヘラをあてて面を付けます

05 側面のクリアガラスを芯棒に寄せ付け、こての上で転がして円柱状に成型します

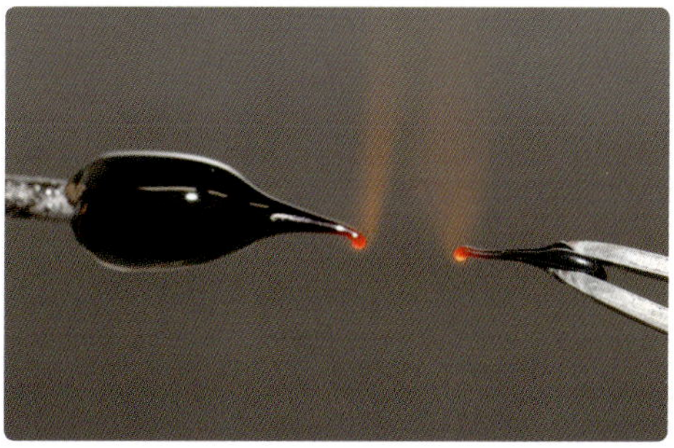

06 先端のガラスを耐熱ピンセットで中心に寄せ、寄せた分をつまみ取ります

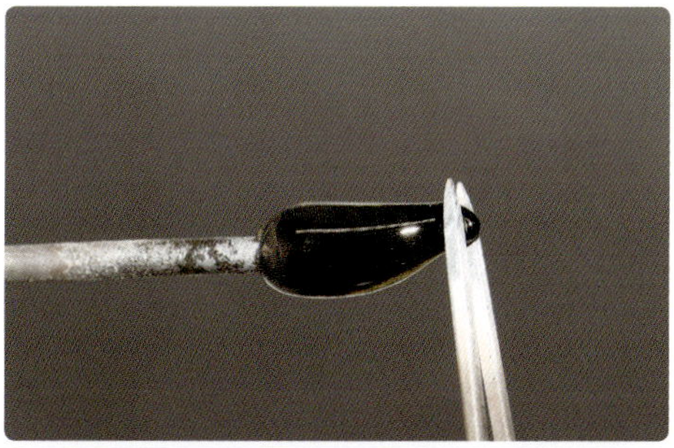

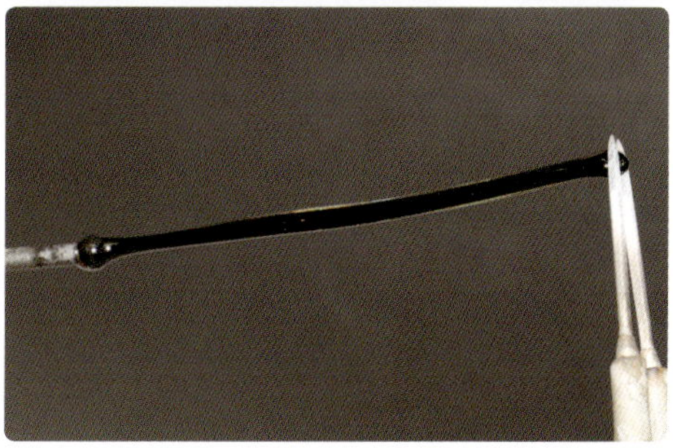

07 ガラスの先端を再びピンセットでつまみ、そのまままっすぐに引きます。このパーツには模様や図柄等がないため、細引きのようにピンセットで引くことができます。細引きと同様に徐冷し、芯棒の付け根でカットすれば目のパーツは完成です。完成したパーツは、p.107の18に掲載しています

「尾びれ」のパーツを作る

01 赤いガラス（A-40）を熔かして芯棒の端に巻き取り、熔かしたガラス全体を丸く成型します

02 成型したガラスをフラットピンセットで潰し、次の03のイラストの形状にヘラで成型します

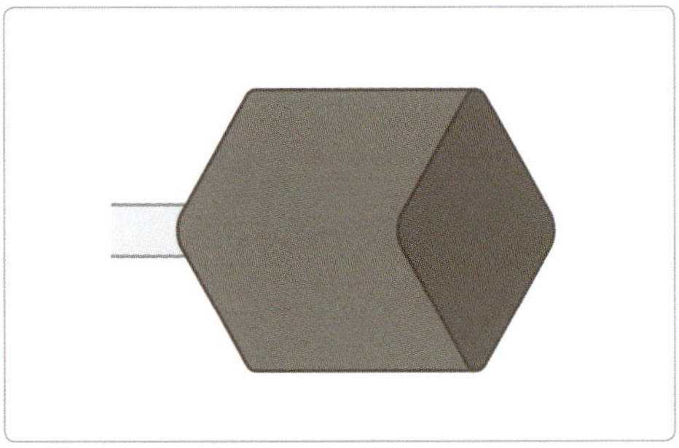

03 潰したガラスの側面にヘラをあてて成型し、正面が菱形の、柱状のベースを作ります

04 クリアガラス（G-36）をたっぷり熔かし、ベースの側面に隙間なく並べてのせます

05 側面にのせたクリアガラスにヘラをあて、ベースに沿った形状に整えます

06 側面のクリアガラスを芯棒に寄せ付けます

07 ベースの側面、菱形の鋭角な頂点をよりシャープにするため、ピンセットで平行につかみ、頂点の先へ向けて引き出します

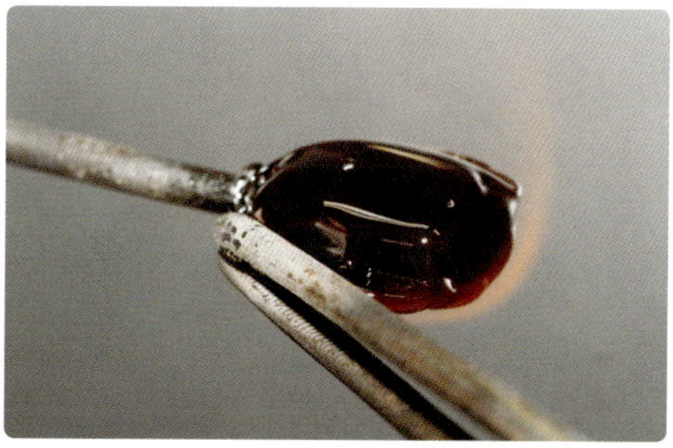

08 反対側の頂点も同様に引き出し、下写真のような状態にします

09 潰した部分を充分に熱して熔かし、ピンセットと同じように、平行にハサミの刃を入れてカットします

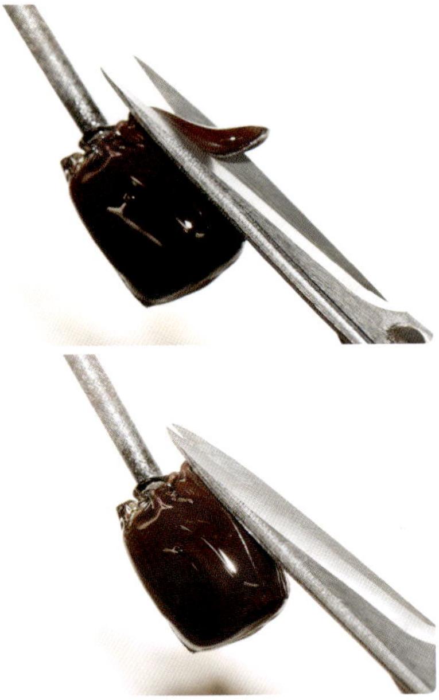

10 片側をカットしたら、反対側も同様にカットします

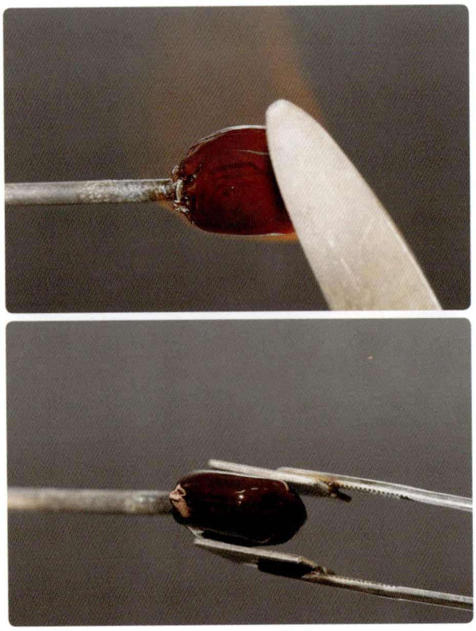

11 ガラスを炎の中で熱し、ヘラとフラットピンセットを使用してベースに沿った形状に整えます

12 先端のガラスを耐熱ピンセットで中心に寄せ、寄せた分をつまみ取ります

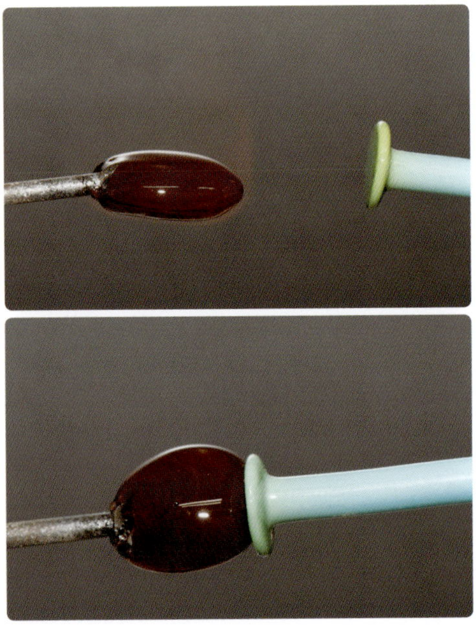

13 ガラスロッドの先端を広く潰したポンテを作り（尾びれは太めに引くため、ポンテの幅を大きくします）、ガラスの先端に合わせます

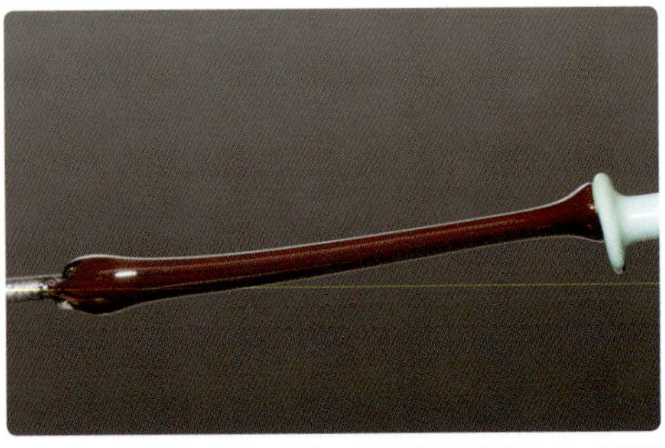

14 炎の外でポンテをゆっくりと引き、太めのパーツを引きます。引いたガラスが低温の所へ触れない場所で徐冷し、次頁で使う脇びれ分を少し残してカットすれば、尾びれのパーツは完成です。完成したパーツは、次頁の18に掲載しています

「脇びれ」のパーツを作る

15 脇びれは直前に制作した尾びれの縮小サイズのため、尾びれのパーツをカットした後、芯棒に残したガラスを熔かして制作します

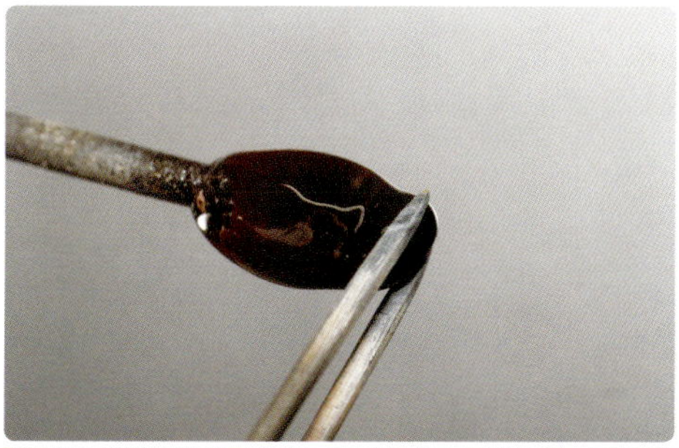

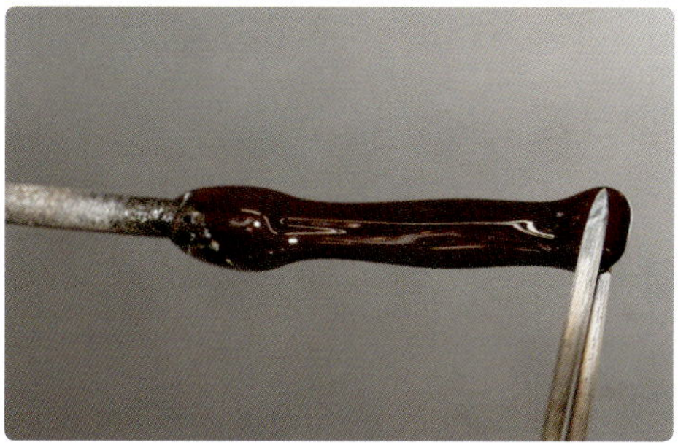

16 芯棒の先に残した尾びれのガラス全体を熱し、充分に熔かした上で菱形に成型します。成型したガラスを熱して熔かし、先端の端をピンセットでつかんで細く引きます

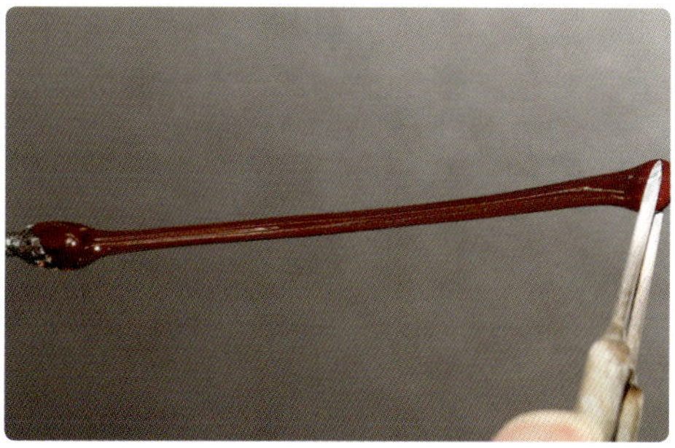

17 ピンセットを素早く動かして、尾びれよりも細くガラスを引きます

完成

18 各パーツの断面です。上から制作した順に並べたパーツは、そのサイズの比率も実物とほぼ同等です

各パーツを合わせ
金魚のムリーニを作る

前項で制作した「目（2本）」、「尾びれ（3本）」、「脇びれ（2本）」の各パーツを切り出し、「胴」となるベースに組み合わせて金魚のムリーニを制作します。

Point

01 前項で制作した各パーツを3cm前後の長さに揃えて切り出し、予熱台の上に並べて予熱します

ベースを作る

02 ステンレス芯の先に赤いガラス（A-40）を巻き取り、円柱状に成型してベースを作ります

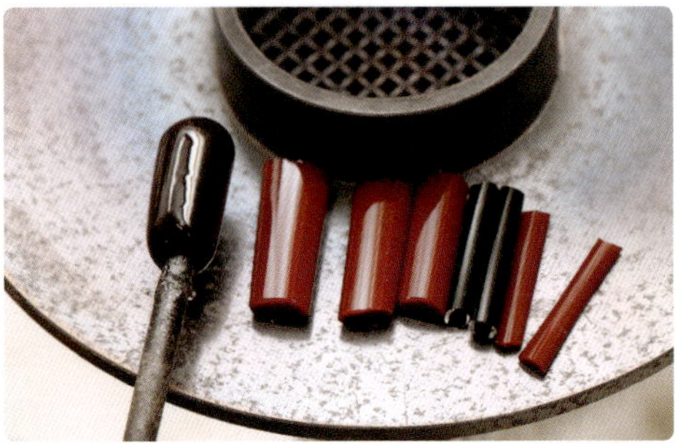

03 円柱状のベースは、切り出した各パーツと同じ3cm前後の長さに成型します。この長さは、2cm〜4cm程の間で調整できますが、短いと引いた後で使えるパーツが少なくなり、長いと制作の難易度が上がるため、技量に応じて程良い長さに設定します

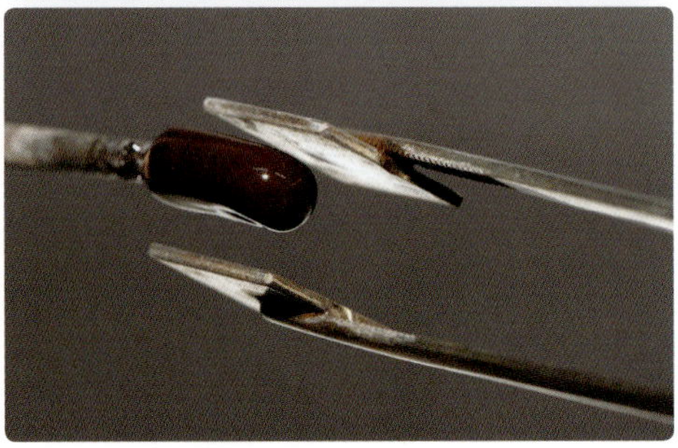

04 ベースを充分に熱して熔かし、フラットピンセットで軽く挟んで長楕円状にします

05 尾びれのパーツのベースと同様、側面にヘラをあてて成型し、次頁06のイラストの形に成型します

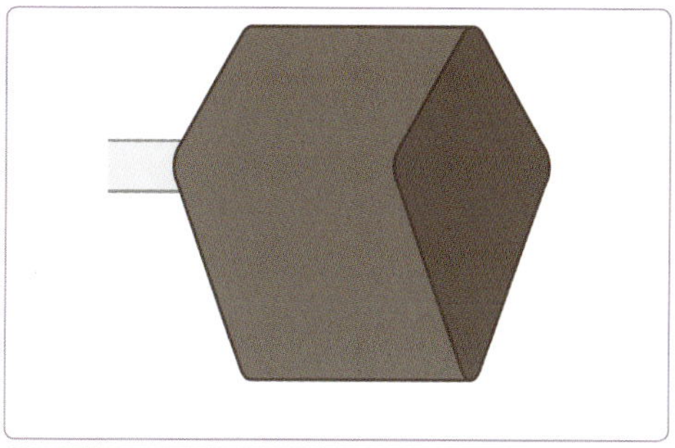

06 上のイラストのようなイメージで、上の2辺が短い菱形にベースを成型します

目のパーツを付ける

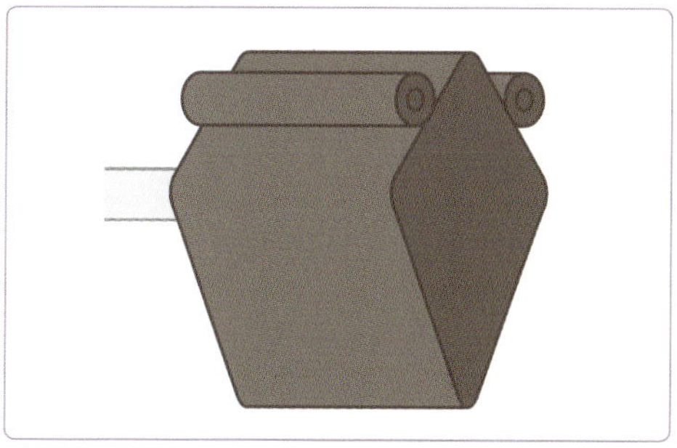

07 ベースを充分に熱し、短い2辺の頂点の両脇に目のパーツを付けます。パーツの先端を熱し、熱した箇所を芯棒側の端に合わせると、位置がずれてしまった場合にも付け直しをすることができます

08 ベースを保温しつつ、もう一方の目のパーツの先端を炎で熱し、熱した先端をベースの芯棒側の端に揃えて付けます

09 07のイラストのように目のパーツを付けたら、パーツの芯棒側を熱して芯棒に寄せ付けます

10 クリアガラス（G-36）をたっぷり熔かし、付けた目のパーツの間（ベースの頂点）へ先端側から流すようにしてのせ、芯棒側の端でガラスを切ります

11 10でのせたガラスを上からヘラで軽く押さえ、目のパーツをしっかりとベースに定着させます

脇びれのパーツを付ける

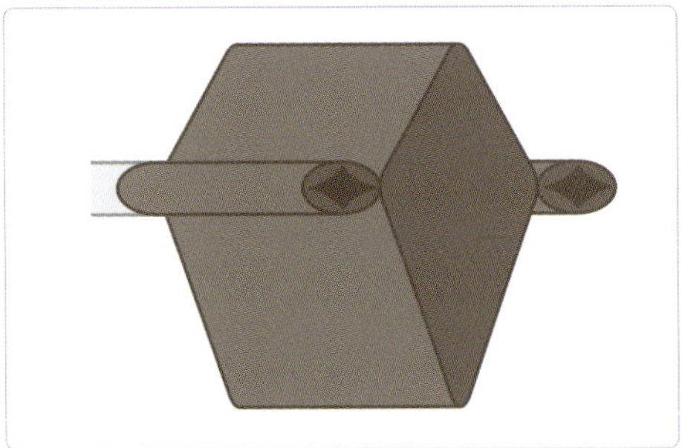

12 ベースの横側面の頂点に、このイラストのように脇びれのパーツを付けます

13 目のパーツと同様、パーツの先端を炎で熱し、熱した先端をベースの芯棒側の端に揃えて付けます

Check

脇びれのパーツは、ベース側面の頂点上へ立てるように付けます

14 目のパーツと同様、脇びれのパーツの芯棒側を熱して芯棒に寄せ付けます

15 目と脇びれのパーツの間に熔かしたクリアガラスをのせ、ヘラで軽く押さえて定着させます

尾びれのパーツを付ける

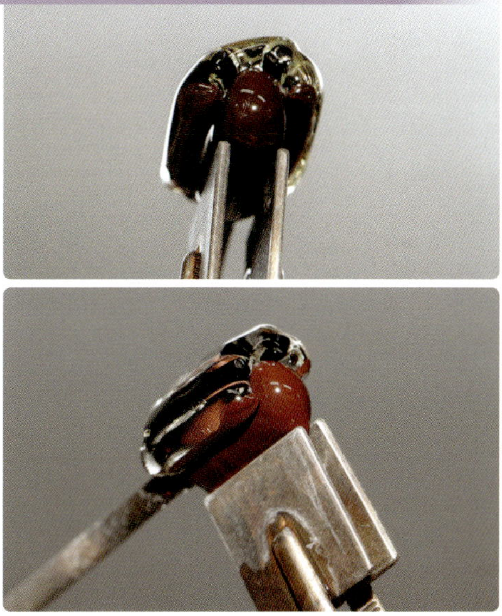

16 ベース（菱形）の下側の頂点を、側面と平行にフラットピンセットで挟み、潰して下に引き延ばします

17 尾びれのパーツの端を熱し、引き延ばした頂点の両側面に付けます。付け方は、これまでのパーツと変わりません

Check

2つの尾びれのパーツは、16で引き延ばした箇所から斜め下に向けて付けます

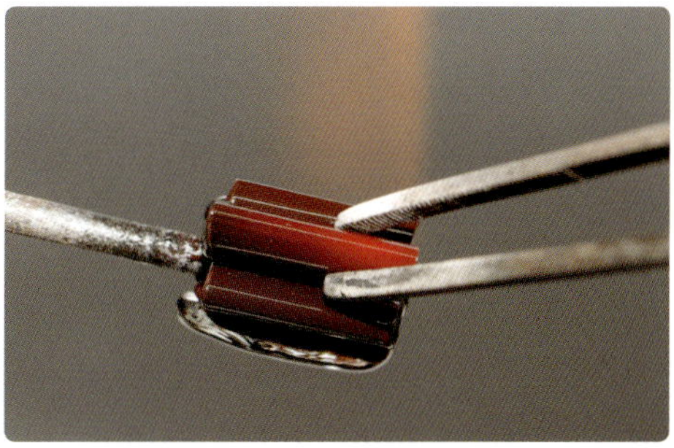

18 ベースの下側の頂点に、残りの尾びれを付けます

Check

18で付ける尾びれのパーツは、ベースの頂点からまっすぐ下に向けて付けます

19 付けた脇びれのパーツ全ての芯棒側を熱し、芯棒に寄せ付けます

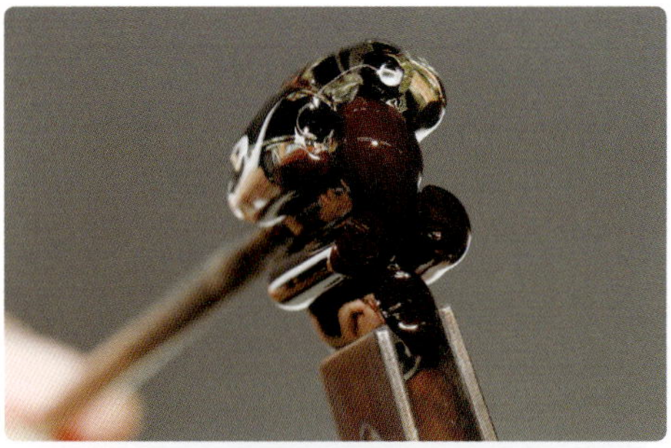

20 付けた尾びれの先端をフラットピンセットで潰し、先を細長く成型すると共に、それぞれの向きを変えて金魚のシルエットに動きを付けます

Check

尾びれの先を潰して向きを変えた状態。それぞれの向きを僅かにずらすことで、金魚に動きを与えます

21 脇びれと尾びれの間2ヵ所と、尾びれと尾びれの間2ヵ所に、クリアガラスをのせます

22 ガラス全体を丸く整えるため、先端側から見てクリアガラスが足りない所を確認し、凹んでいるような所へ適宜クリアガラスを足します

23 のせたガラスにヘラをあて、側面を整えて均します

24 ガラス全体を炎で熱し、こての上で転がして側面をさらに平滑に均します

25 芯棒側のガラスを、芯棒に寄せ付けます

26 先端を中心に寄せ、寄せた分をつまみ取ります

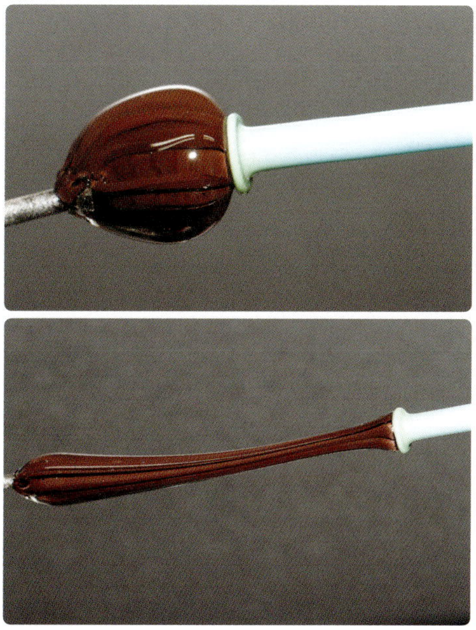

27 先端の中心にポンテを付けて引きます

完成

28 以上で、金魚のムリーニは完成です

金魚のムリーニを埋めた玉を作る

金魚のムリーニを埋める玉は、ベース玉にムリーニの側面と同じクリアガラスを用い、ムリーニと玉を一体にして、金魚のシルエットをより強調させます。

ベース玉を巻く

01 金魚のムリーニを予熱台で予熱しつつ、クリアガラス(G-36)を芯棒にたっぷりと巻き取ります

02 巻き取ったガラスを、ヘラとこてで成型します

ムリーニを埋めて成型する

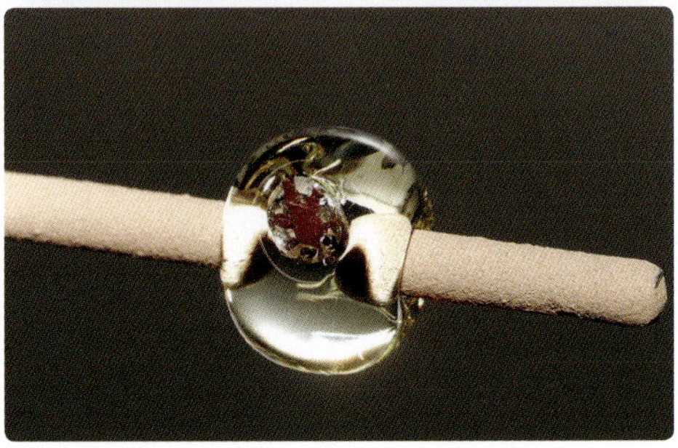

03 ムリーニを耐熱ピンセットでつまみ、熱したベース玉の表面へ付けて押し込みます

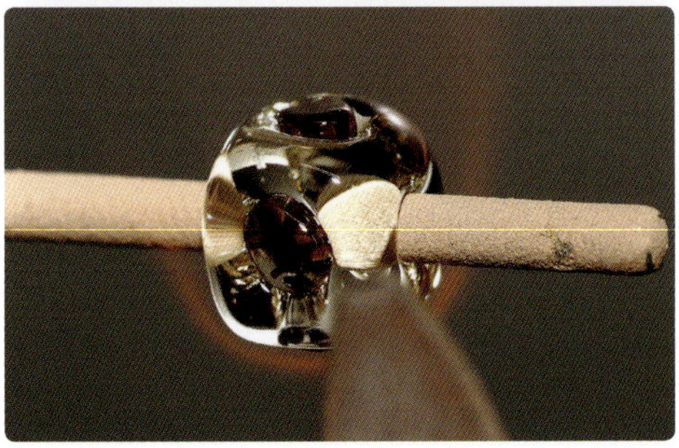

04 残りのムリーニも同様に押し込み、押し込んだムリーニを下に向けて炎で熱し、正面からさらにヘラをあてて押し込みます

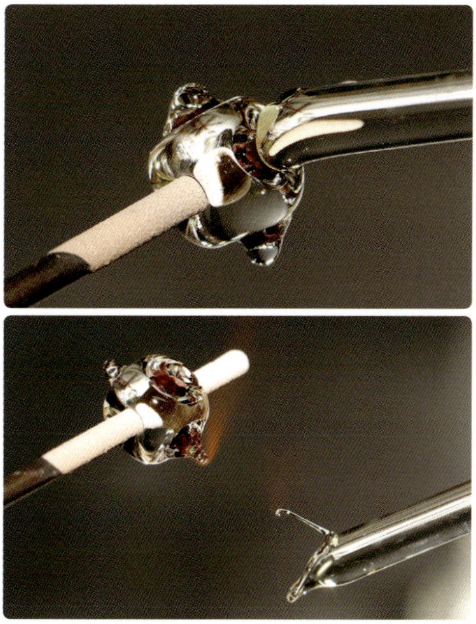

05 ベース玉と同じガラスロッドの先端を熔かし、ムリーニを覆うようにのせていきます。ここでガラスをのせるのは、ムリーニが熱で縮まるのを防ぐためです

06 のせたガラスを熱し、ヘラでゆっくりと押さえます。力強く一気に押すと金魚が潰れてしまうため、力加減に注意する必要があります

07 玉全体を炎で熱し、ヘラとこてで仕上げの成型をした後に徐冷します

完成

08 以上で、金魚のムリーニを埋めた玉は完成です

透明感のある花のムリーニ

ごく小さな花芯や花弁の中にまで模様を表現した、透明感のある花のムリーニ。ここではこのムリーニと、ムリーニを埋めた玉の作り方を解説します。

使用する工具・資材

- ステンレス芯（Φ4mm）
- ガラス瓶と水
- ヘラ
- こて
- 耐熱ピンセット
- フラットピンセット
- ガラス切り
- 予熱台
- 押さえ用鉄板
- バチケガキ
- 引っかき棒
- 離型剤

使用する材料

- A-29
- G-34
- G-12
- G-1
- S-16
- G-24
- SS-8
- 金箔練り棒（p.92参照）

細かい花芯の内部や、花弁一枚一枚の筋が奥まで透き通った薄紫色の花。複雑な工程を経て左写真のムリーニを作り、このムリーニを埋めた上写真の玉を作ります

花のパーツを作る

透明感のある花のムリーニを構成するパーツは、そのパーツ自体を別の細かいパーツを組み合わせて作るという、複雑な手順を踏んで制作します。

花芯を構成するパーツを作る

01 白いガラス（A-29）を熔かし、ステンレス芯の端に巻き取ります

02 巻き取ったガラスを円柱状に成型して、花芯のパーツのベースとします

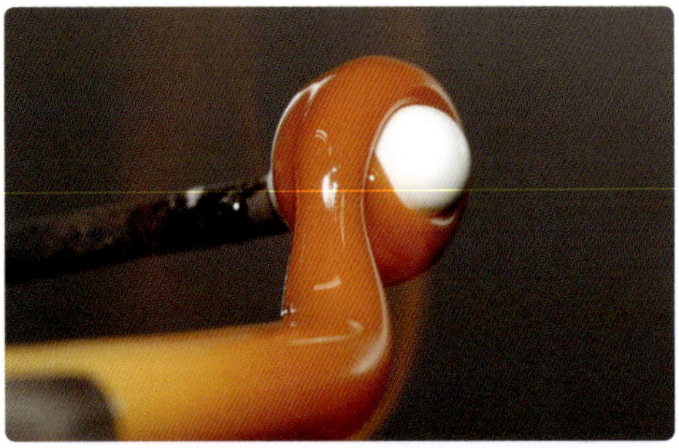

03 2層目のガラス（G-34）を熔かし、やや厚くベースに巻き付けます

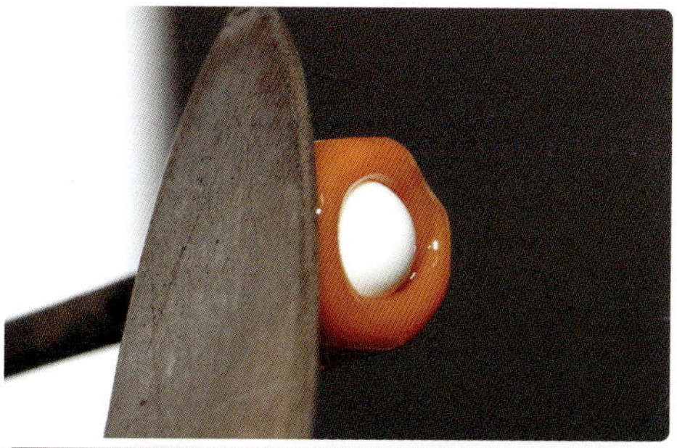

04 巻き取ったガラスを円柱状に成型し、芯棒側の端を芯棒に寄せ付けます

05 3層目のガラス(G-12)を熔かし、2層目のガラスの上へ巻き付けて成型し、芯棒側の端を芯棒に寄せ付けます

06 ガラスをこての上で転がし、円柱状に整えます

07 4層目のガラス(G-1)をたっぷりと熔かし、2層目のガラスの上へ巻き付けます

08 巻き付けたガラスにヘラをあて、表面を均します

09 4層目のガラスの芯棒側の端を、芯棒に寄せ付けます

10 ガラス全体を熱し、こての上で転がして円柱状に整えます

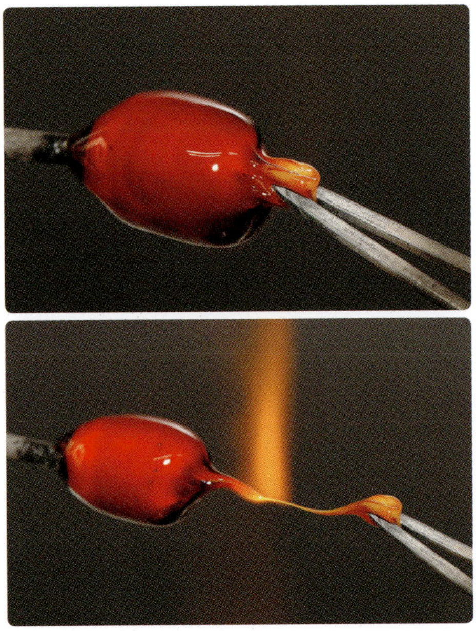

11 先端のガラスを中心に寄せ、寄せた分を耐熱ピンセットでつまんで引き取ります

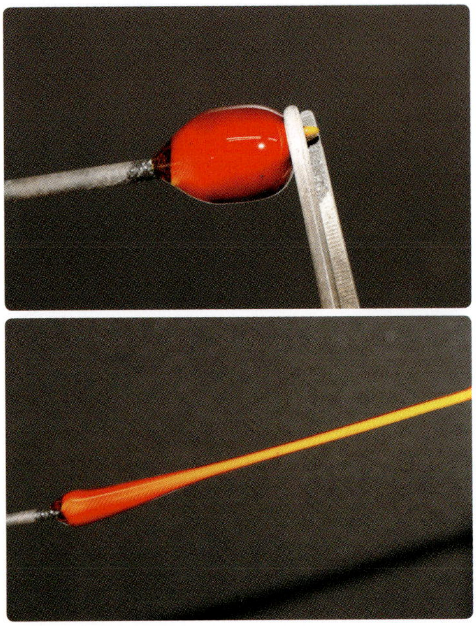

12 寄せた先端をピンセットでつかみ、ガラスを細長く引きます

Check

12で引いたパーツは、徐冷を済ませた後に3cm程の長さに切り揃え、予熱台の上で予熱します。実際に使用するのは7本ですが、余裕があれば残りを予備として予熱しておきます

花芯のパーツを作る

13 ステンレス芯の先端にガラス（G-1）を少量巻き取り、小さなタイヤ状に成型してベースを作ります

14 予熱しておいた「花芯を構成するパーツ（以降、パーツ）」の端を熱し、ベース上へ写真のように並べて付けます

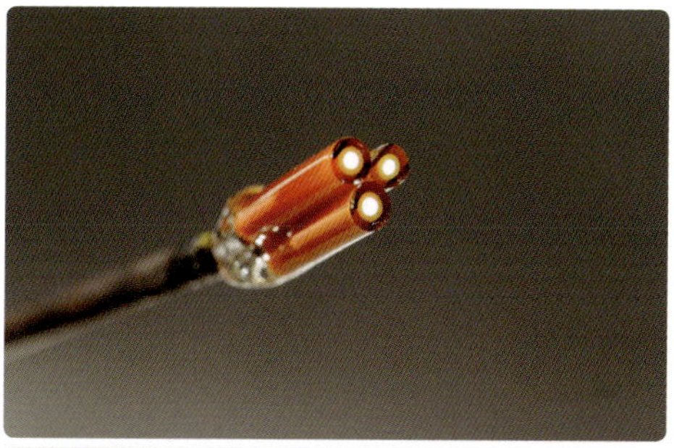

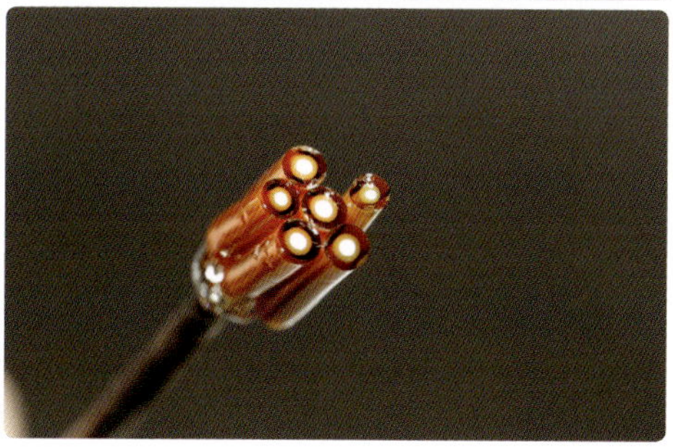

15 14と同様にして、パーツを順にベースへ付けていきます。先に付けたパーツが倒れないように注意しつつ、各パーツの側面を平行に接させて付けます

Check

合計7本のパーツをベースに付け、正面（先端）をこの写真の状態にします

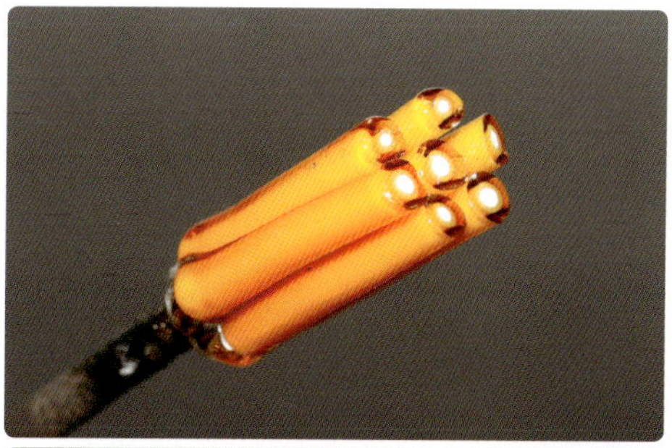

16 側面にあたる6本のパーツの芯棒側を熱して熔かし、芯棒に寄せ付けます

17 クリアガラス（G-1）を熔かし、先端側から芯棒側に向けて塗るようにのせ、側面のパーツの隙間を埋めていきます

18 側面のパーツの隙間全てを埋めたら、ヘラとこてで側面を均し、円柱状に成型します

19 ガラスの先端を耐熱ピンセットで中心に寄せ、寄せた分をつまみ取ります

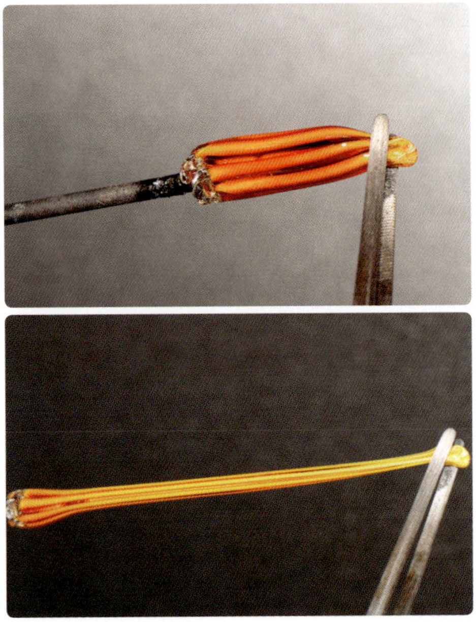

20 寄せた先端をピンセットでつかみ、ガラスを細く引いて徐冷を済ませれば、花芯のパーツは完成です。完成したパーツは、p.124の38に掲載しています

花弁を構成するパーツを作る

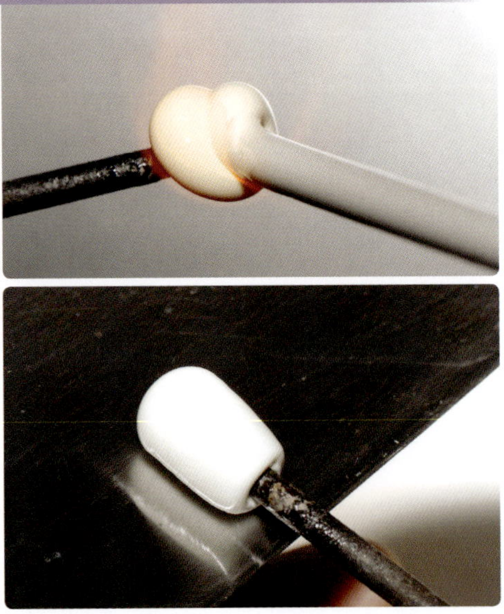

21 白いガラス(A-29)をステンレス芯の端に巻き取り、円柱状に成型してベースを作ります

22 ガラス(S-16)をたっぷりと熔かし、ベースの側面に巻き付けます

23 巻き付けたガラスを整えて円柱状に成型し、芯棒側を芯棒に寄せ付けた後、充分に熱します

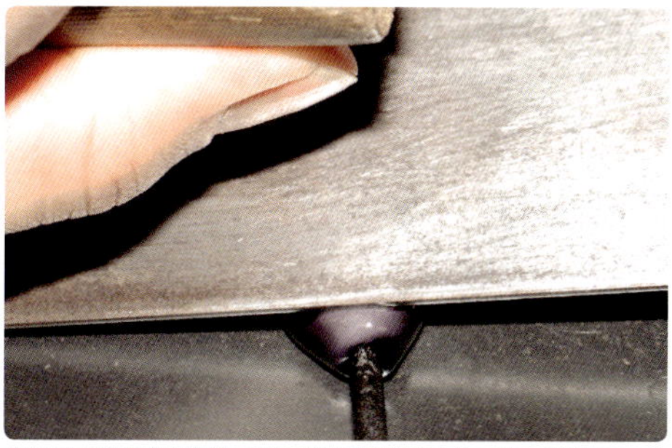

24 熱したガラスを押さえ用鉄板にのせ、こてで平らに潰します。潰し終えたガラスは、素早く炎の中に戻して再び熔けるまで熱します

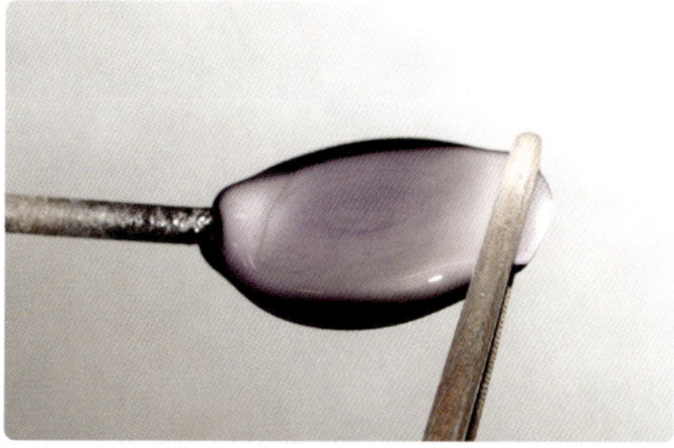

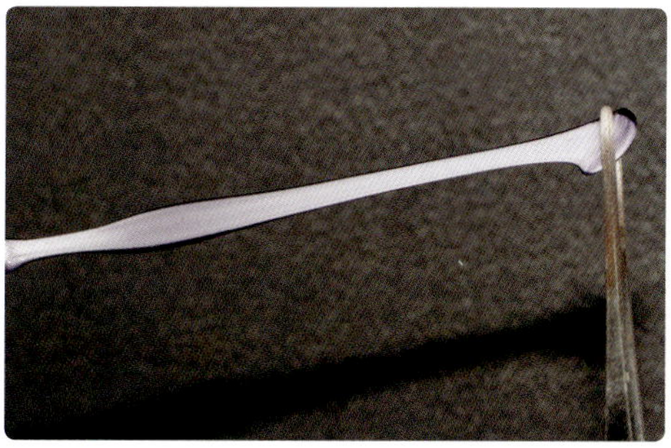

25 潰したガラスを充分に熱して熔かしたら、その先端側の端をピンセットでつかみ、まっすぐに引きます

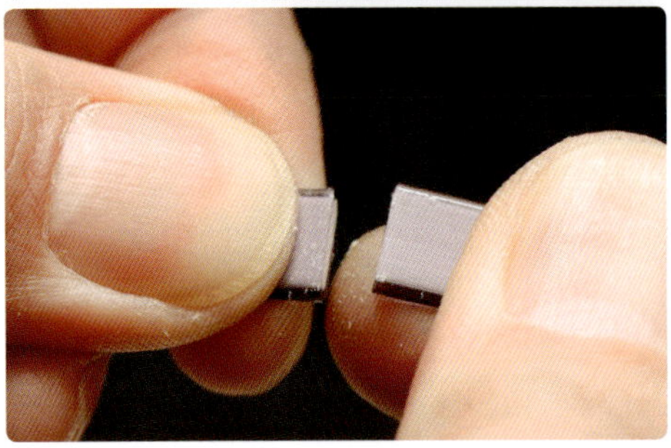

26 引いた後に徐冷したガラスは、表面に平ヤスリで筋を入れ、その筋を中心に割り折ります

Check

上が完成した「花弁を構成するパーツ」で、下は22で巻き付けたガラスの色違い(SS-8)バージョンです。ガラスは引き延ばすと色が薄くなるため、より濃い色のパーツを作りたい場合は、使用するガラスもより濃いものを選ぶと良いでしょう

花弁のパーツを作る

27 「花弁を構成するパーツ(以降、パーツ)」を3cm程度の長さに揃えて切り出し、5枚＋予備を予熱台の上で予熱します。そして、ガラス(S-16)をたっぷりと熔かし、ステンレス芯の先に巻き取ります

28 巻き取ったガラスを切り出したパーツと同じ3cm程の円柱状に成型し、これをベースとします

29 成型したベースをフラットピンセットで挟み、長楕円状にします

30 パーツの片端(短辺)を熱し、熱した箇所を芯棒側の端に合わせ、ベースの短い側面へ写真のように付けます

31 付けたパーツを熱して軽く熔かし、ヘラをあてて浮いた面をベースに沿わせます

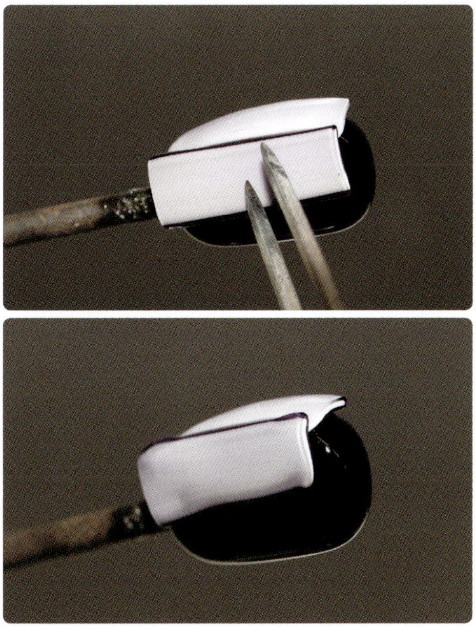

32 30〜31と同様にして、写真のように（端を僅かに重ねて）2枚目のパーツを付けます

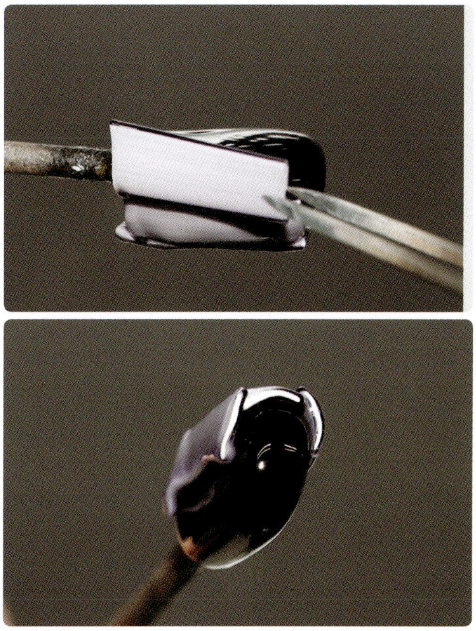

33 続いて、3枚目のパーツを2枚目のパーツの反対側に付けます

34 2枚目と3枚目のパーツに端を重ね、4枚目と5枚目のパーツを順に付けます

35 付けたパーツの芯棒側を芯棒に寄せ付け（上写真）、ガラス全体を熱して花弁の形に成型します

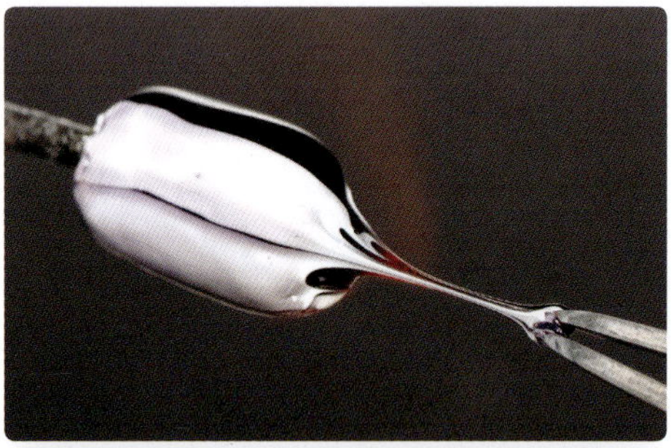

36 ガラスの先端を中心に寄せてつまみ取り、その中心にポンテを合わせます

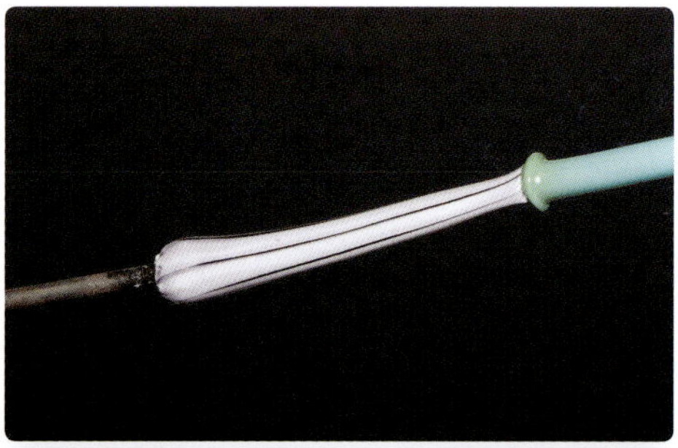

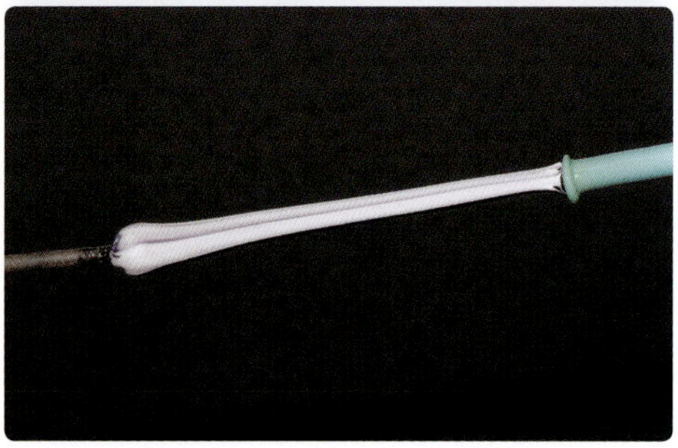

37 芯棒とポンテを同時に同方向へ回しながら、ガラスをまっすぐに引きます

完成

38 先に制作した花芯のパーツと、完成した花弁のパーツです。この後は、これらのパーツを組み合わせて透明感のある花のムリーニを作ります

透明感のある花のムリーニを作る

ベースの中心に花芯のパーツを立て、その周りへ均等に花弁のパーツを並べ、側面をクリアガラスで覆った後に引き、透明感のある花のムリーニを作ります。

Point

01 花芯（1本）と花弁（5本＋予備）のパーツを3cm程度に切り揃え、予熱台の上で予熱します

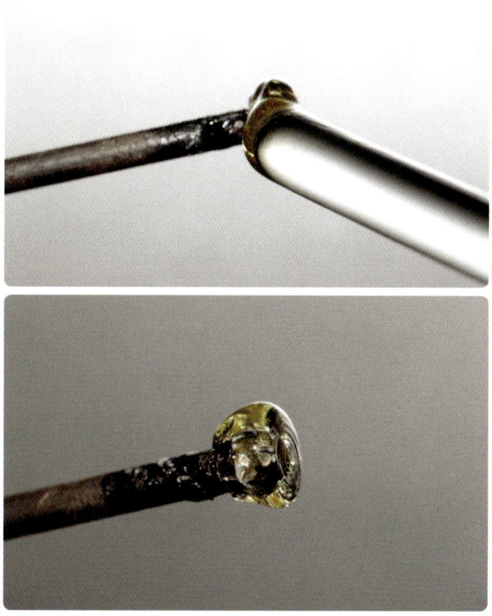

02 ステンレス芯の先端にガラス（G-1）を少量巻き取り、小さなタイヤ状に成型してベースを作ります

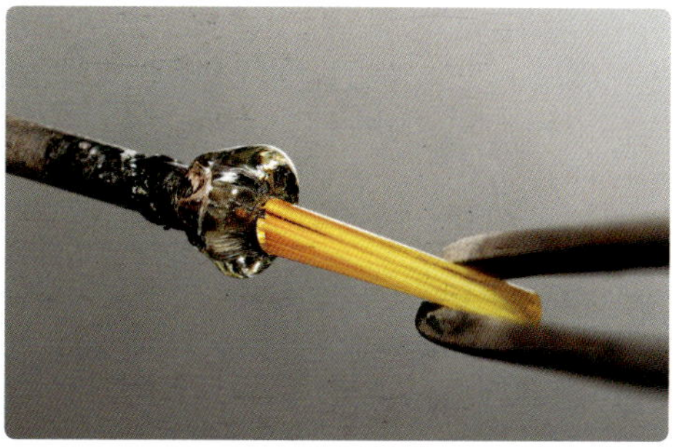

03 花芯のパーツ（以降、花芯）の先端を熱し、熱した箇所をベースの中心に付けます

04 花弁のパーツ（以降、花弁）の端を熱し、先細の側面を花芯に向けて平行に揃え、熱した箇所をベースに付けます

05 04と同様にして、間隔をあけて2枚目と3枚目の花弁を付けます

06 花芯を中心に花弁が広がるようにバランスを調整して、残りの4枚目と5枚目の花弁を付けます

07 5枚全ての花弁をベースに付けたら、正面と側面から全体のバランスを確認し、必要に応じてピンセットやヘラ、バチケガキ等で花弁の位置を整えます

08 ガラス側面の先端から芯棒側に向かい、各花弁の間へクリアガラス（G-1）を塗るようにのせて隙間を埋めます

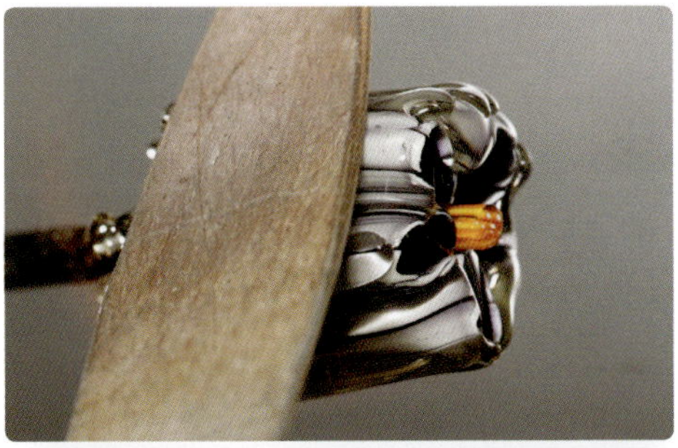

09 ガラス全体を熱して整え、側面にガラスが足りない所があれば適宜追加し、円柱状に成型します

Check

成型を終えたガラスを正面から見た状態。ベースに付けた花芯と花弁が花を形成し、その周囲全面をクリアガラスで包んだ状態です

10 ガラスの芯棒側を熱し、芯棒側の側面を芯棒に寄せ付けます

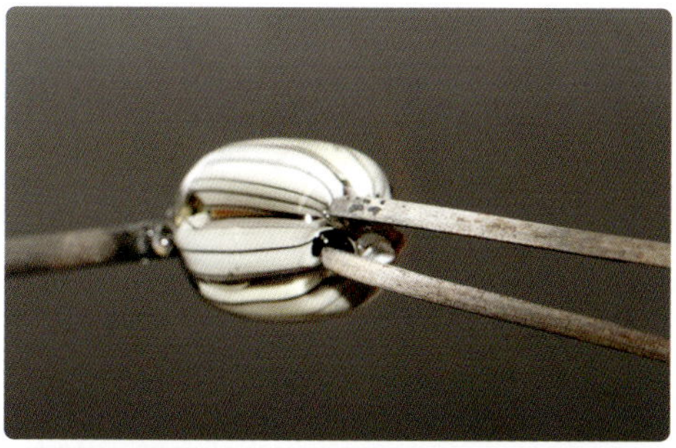

11 ガラスの先端を耐熱ピンセットで中心に寄せ、寄せた分をつまみ取ります

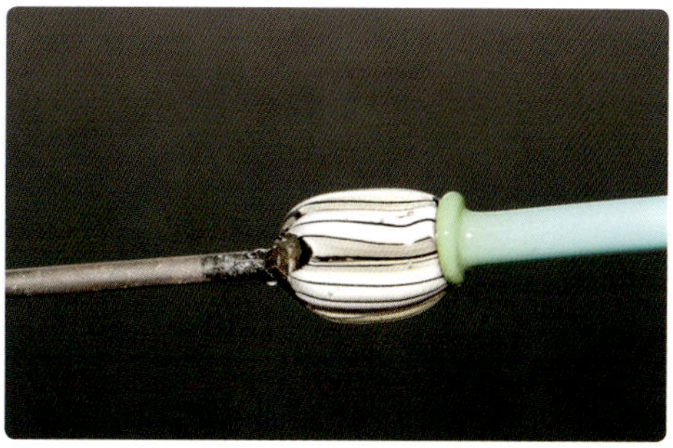

12 中心に寄せた先端にポンテを合わせます

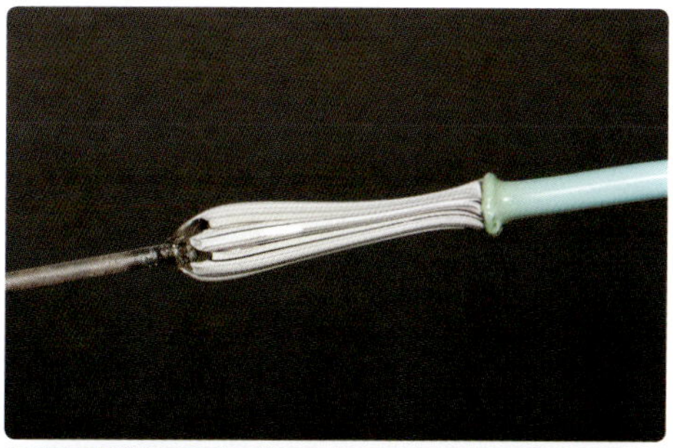

13 芯棒とポンテを同時・同方向に回転させながら、ガラスをゆっくりと引きます

完成

14 以上で、透明感のある花のムリーニは完成です

透明感のある花のムリーニを埋めた玉を作る

ムリーニの透明感を活かすため、小さめに巻いた玉にクリアガラスを厚くすきがけし、ムリーニの花模様を崩さないよう、丁寧にこれを埋め込んで玉を作ります。

Point

01 玉に埋めるムリーニを切り出し、予熱台の上に並べて予熱します

ベース玉を巻く

02 ガラス（G-24）をサクランボ大程度熔かし、芯棒に垂らして巻き取ります

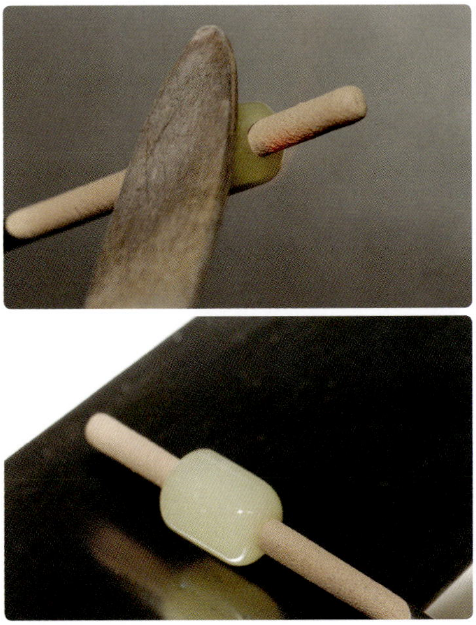

03 巻き取ったガラスをヘラとこてで均し、筒型に成型します

ベース玉に点を打って引っかく

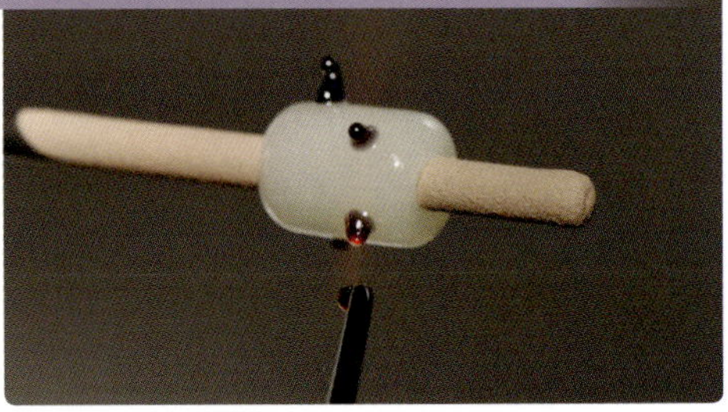

04 ベース玉の表面へ、細引き（SS-8）でランダムに小さな点を打ちます

05 細めに引いた金箔練り棒（p.92～参照）を使い、先に打った点の周囲へランダムに点を打ちます

Point

06 金箔練り棒で打った点のガラスも、細引きと同様に炎の中で切ります

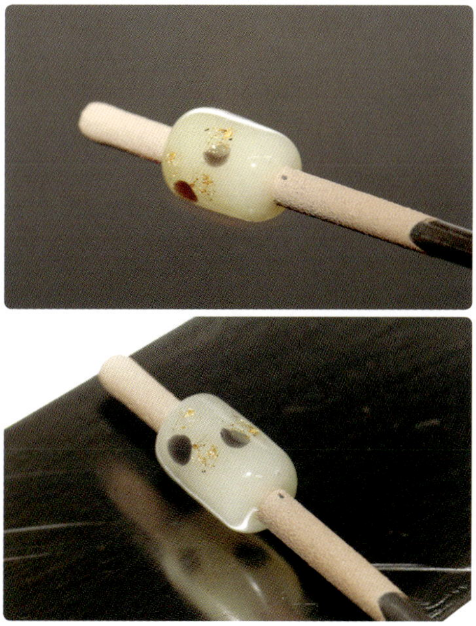

07 ベース玉に打った点をヘラで押さえ、完全に馴染ませた後、こての上で転がして形を整えます

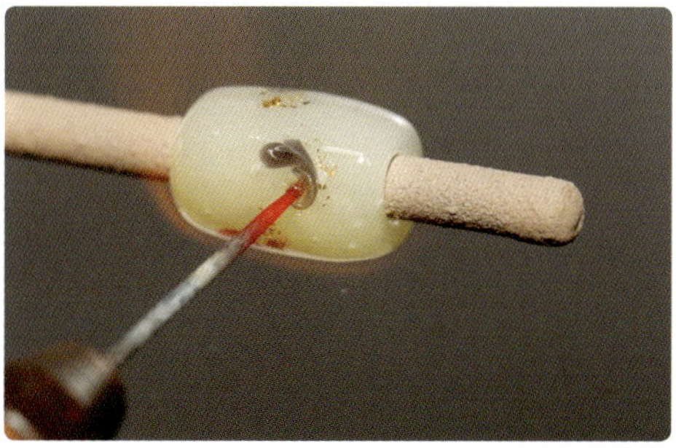

08 ベース玉に打った点を炎で熱し、引っかき棒で点をかき混ぜるように引っかいて模様にします

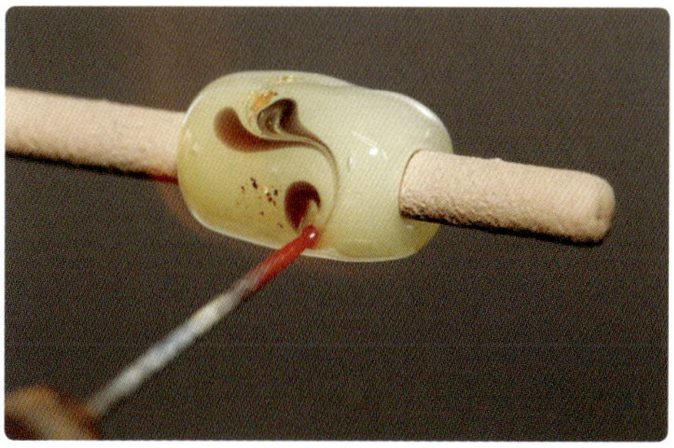

09 引っかき棒の先を近くの点まで動かすと、流れるような模様を表現できます

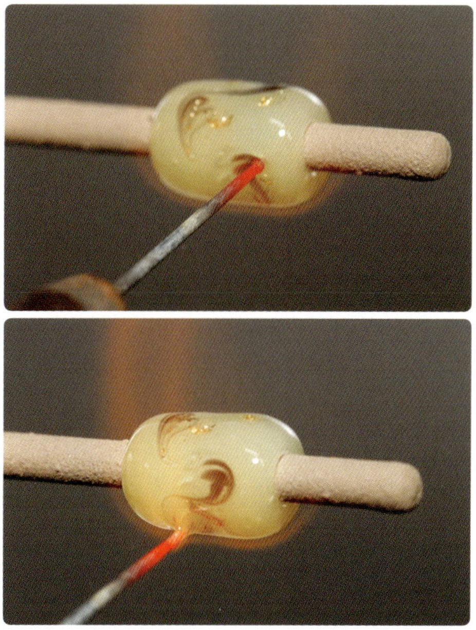

10 ガラスが充分に熔けていないと模様が流れないため、炎の中で熱しながら引っかきます

Check

打った点を引っかくことにより、この写真のような模様に変化させています

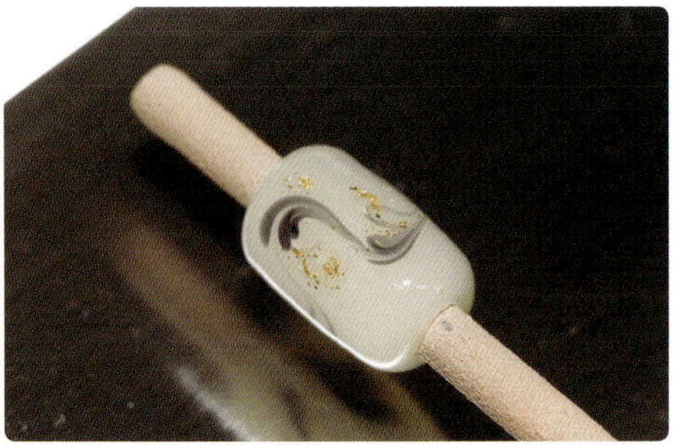

11 引っかいた箇所を充分に熱し、ヘラとこてで表面を整えて均します

すきがけする

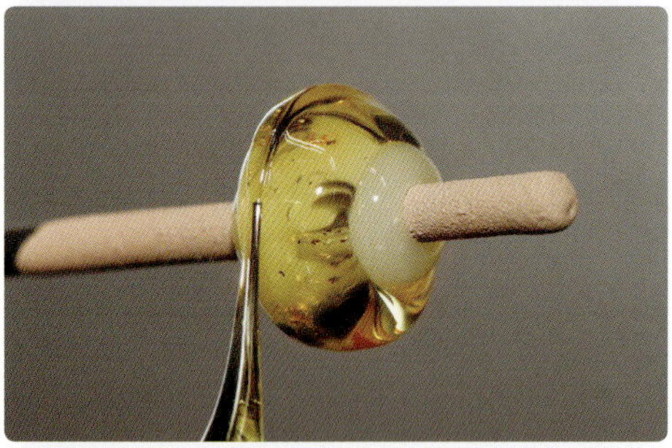

12 クリアガラス（G-1）をベース玉に巻き取り、ヘラとこてで成型して、下玉の模様を封じる一層目のクリアガラス層を設けます

13 さらにクリアガラスを熔かして巻き取り、ムリーニを埋める厚みとなる第二層目を作ります

14 ヘラとこてで成型し、クリアの層が厚い下写真のような玉を作ります

ムリーニを玉に埋める

15 玉の表面にムリーニを付けていきます

16 下玉の模様とのバランスを見て、玉の表面6ヵ所に間隔をあけてムリーニを付けます

17 各ムリーニを下に向けて炎で熱し、熔けた所で正面に向け、ヘラをまっすぐにあてて軽く潰します

18 潰したムリーニをさらに下へ向けて熱します

19 熱したムリーニにヘラをあて、軽く潰します。ムリーニの花模様を崩さないよう、何度かに分けてムリーニを潰し、玉と一体化させていきます

20 全てのムリーニを玉に埋め込んだら、全体を熱して仕上げの成型をします

完成

21 表面に透明感のある花が並び、クリアの奥にあるベース玉にも模様がのぞく玉の完成です

桜のムリーニを埋めた混色玉

各種のパーツを組み合わせて桜の花を模した可憐なムリーニを作り、そのムリーニを複数の色のクリアガラスから成る玉に埋めた作品を制作します。

使用する工具・資材

- ステンレス芯（Φ4mm）
- ガラス瓶と水
- へラ
- こて
- 耐熱ピンセット
- ガラス切り
- 予熱台
- 押さえ用鉄板
- バチケガキ
- 離型剤
- 金箔（金澄）

使用する材料

- G-34
- G-1
- S-20
- G-26
- A-29
- G-21
- S-14
- S-2
- G-5

花芯と花弁のパーツを個別に作り、これを組み合わせて左写真のムリーニを作ります。そして、そのムリーニを埋めた上写真の玉は、合計4色のクリアガラスを元に作ります

桜のパーツを作る

黄色のベースにクリアガラスを巻いた花芯のパーツと、白いベースの上にピンクのガラスを重ね、外側の側面に溝を入れた花弁のパーツを制作します。

花芯のパーツを作る

01 ガラス（G-34）をステンレス芯の先に巻き取り、円柱状に成型してベースを作ります

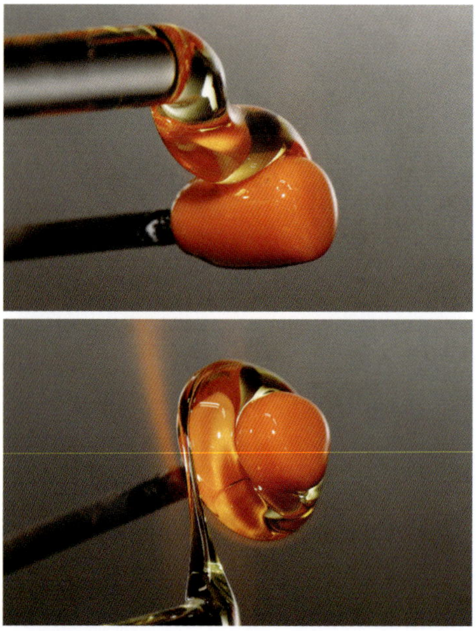

02 クリアガラス（G-1）をたっぷり熔かし、ベースへ厚く巻き付けます

03 巻き付けたガラスを円柱状に成型し、芯棒側のガラスを芯棒に寄せ付けた後に再度、全体を円柱状に成型します

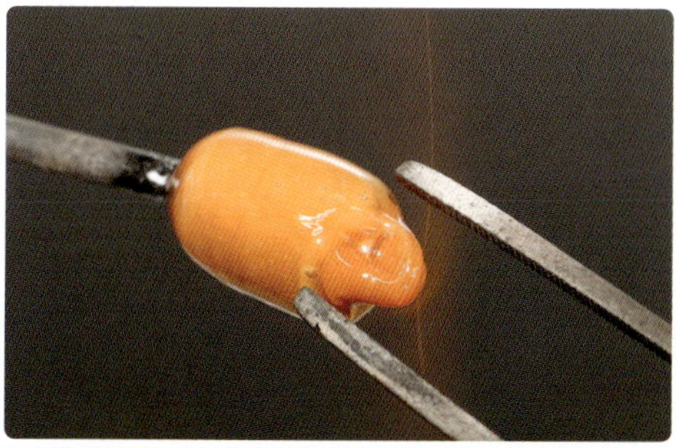

04 ガラスの先端を耐熱ピンセットで中心に寄せ、寄せた分をつまみ取ります

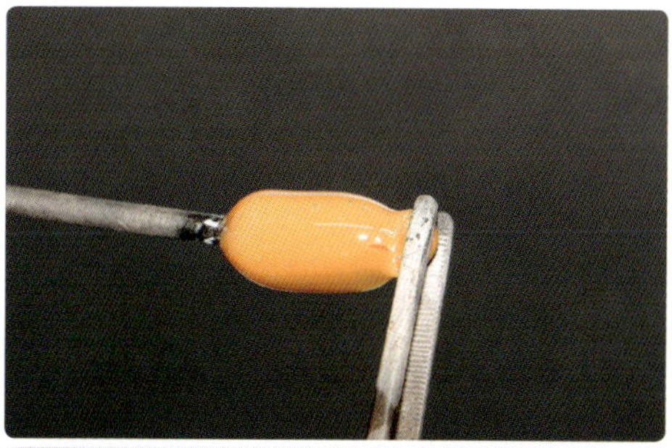

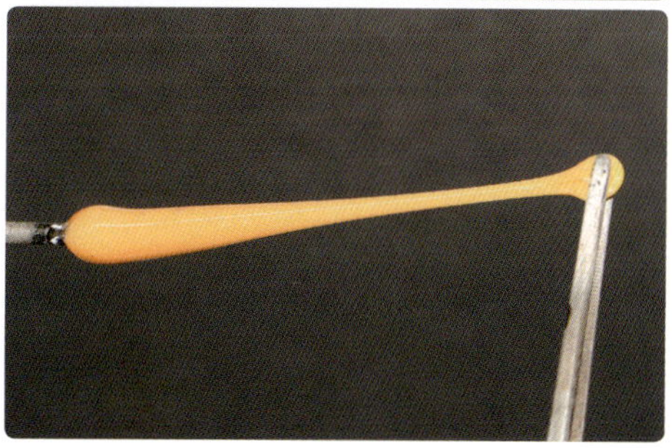

05 寄せた中心をピンセットでつかみ、ガラスをまっすぐに引いて細い花芯を作ります。完成したパーツは、p.138の27に掲載しています

花弁のパーツを作る

06 薄ピンク色のガラス（S-20）をステンレス芯の先に巻き取り、円柱状に成型してベースを作ります

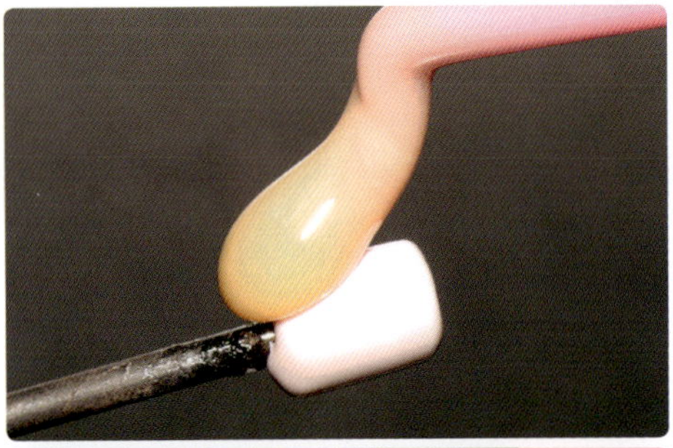

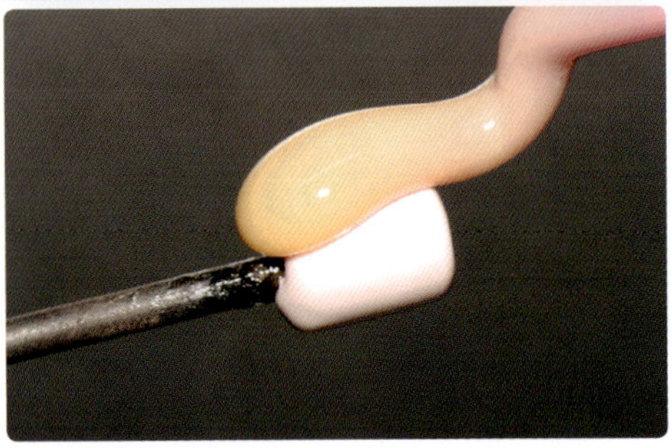

07 濃いピンク色のガラス(G-26)をたっぷり熔かし、ベースの芯棒側から先端側に向けてのせます

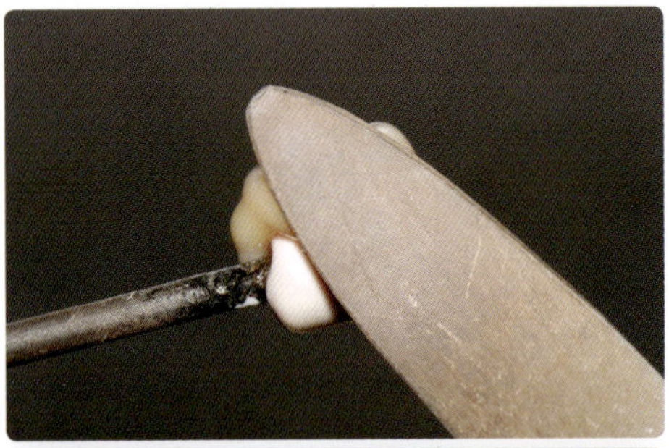

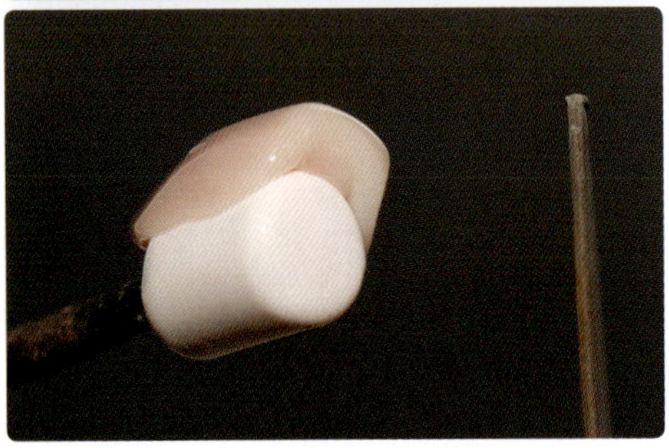

08 のせたガラスの両側面にヘラをあてて均し、ベースの側面と揃えます(下写真参照)

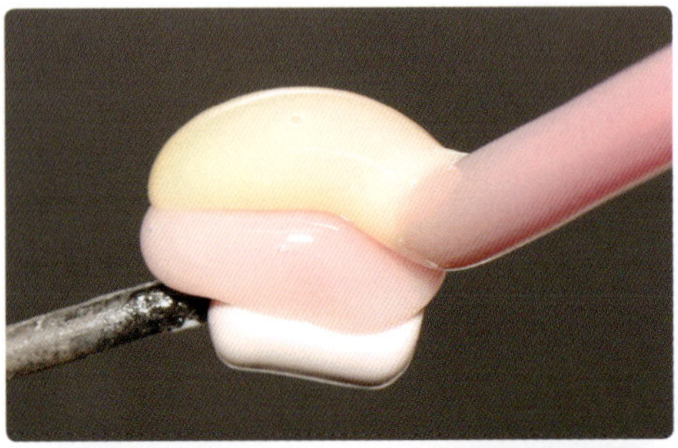

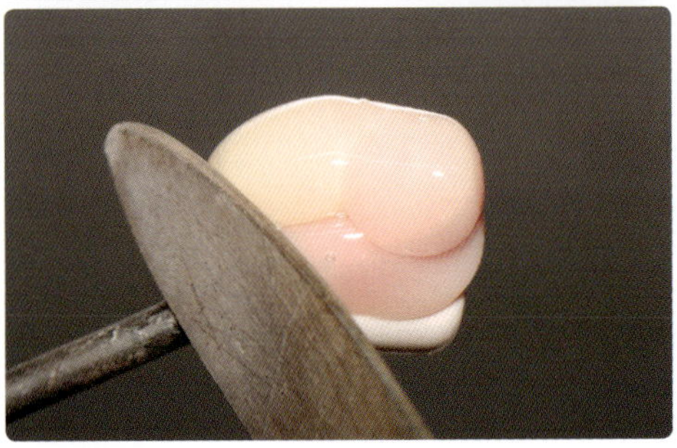

09 均したガラスの上へ07と同様にして同じガラスをのせ、08と同様に両側面を均します

Check

ベースの上へ2層にガラスをのせ、側面を均して整えた状態です。ベースと同程度の厚み分のガラスをのせています

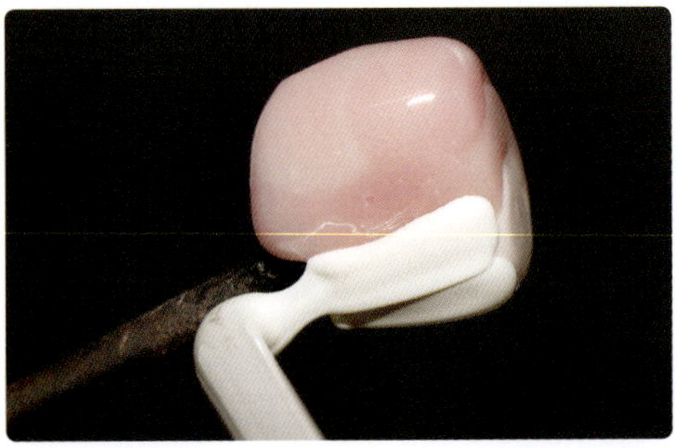

10 ガラス(A-29)を熔かし、ベースの側面へ先端から芯棒側へ向かい、薄く塗るように熔かしたガラスをのせていきます

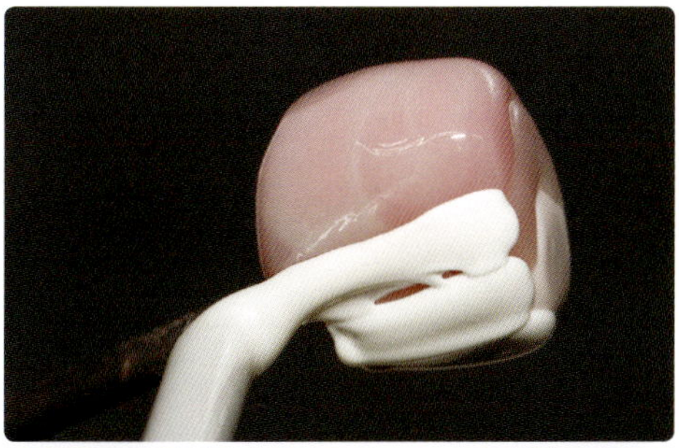

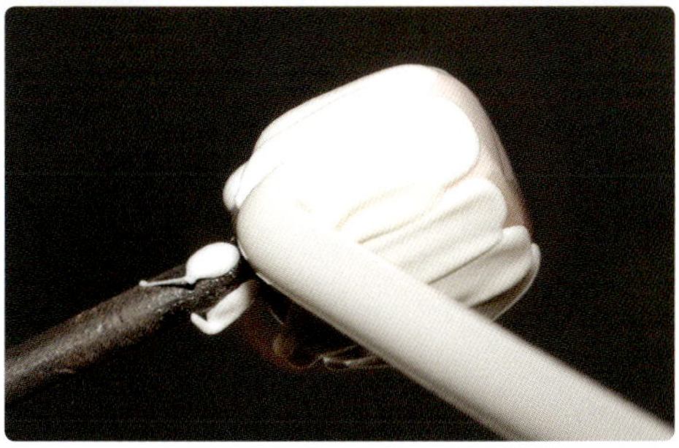

11 ベースの上へのせたガラスの側面も含め、隙間なく側面を覆うようにガラスをのせます

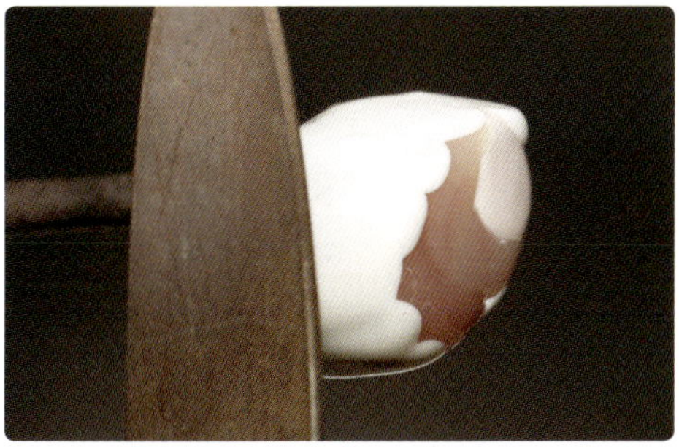

12 側面にのせたガラスを炎で熱し、ヘラをあてて表面を整えます

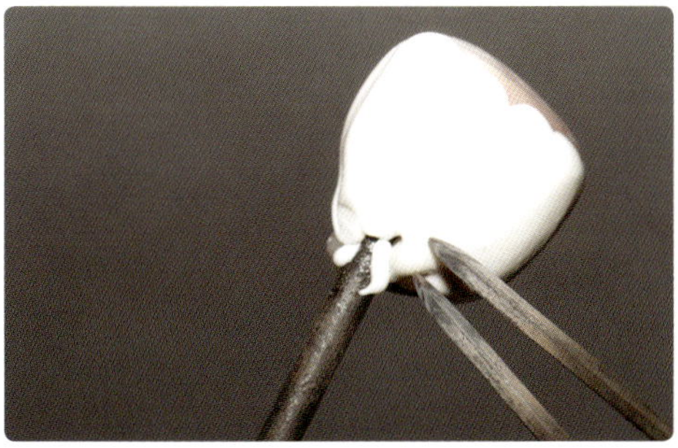

13 芯棒側のガラスを芯棒に寄せ付けます

14 ベースを花芯側に見立て、ガラスの両側面を写真のように平らに成型します

Check

成型したガラスの状態。1枚の花弁の状態に近付いています

15 成型したガラスの、ベースとは逆側を炎にあてて充分に熱します

16 15で熱した箇所へ、芯棒と平行にバチケガキをあてて深めの溝を入れます

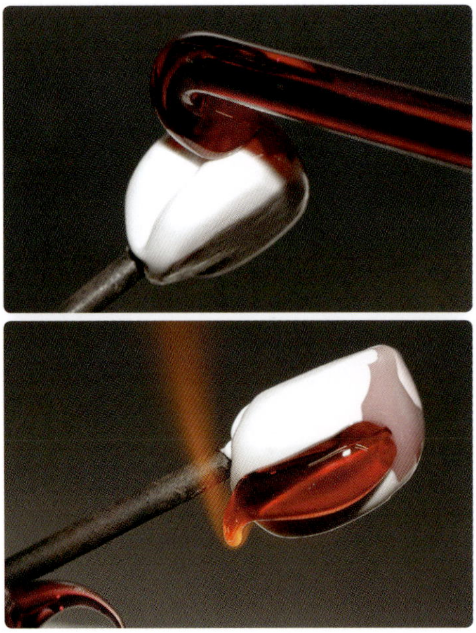

17 クリアピンクのガラス（G-21）をたっぷりと熔かし、これを先端側から芯棒側に向かい、16で入れた溝を埋めるようにのせます

18 17でのせたガラスにヘラをあて、写真のように軽く面を付けます

19 面を付けたガラスの脇へ、下の白いガラスの線を残すように1～2mmの間隔をあけ、17と同様にして同じガラスをのせます

20 面を付けたガラスの反対側にも、同様にして同じガラスをのせます

21 19〜20でのせたガラスに接する形でガラスをのせ続け、花弁の花芯側先端にあたるベースの側面のみ、1〜2mm程度ガラスをのせずに残しておきます（白いガラスの線を残しておきます）

22 のせたガラスをヘラで整えます

23 芯棒側のガラスを芯棒に寄せ付け、ガラス全体を熱して表面を整えます

Check

上写真は、ベースを下に花弁を正面から見た状態、中写真は花弁の上側面、下写真は花弁の下側面を見た状態です

24 ガラス全体を熱し、ガラスが馴染んで側面が平滑になった所で、先端を中心に寄せてつまみ取ります

25 先端の中心にポンテを合わせ、炎の外でゆっくりと引きます

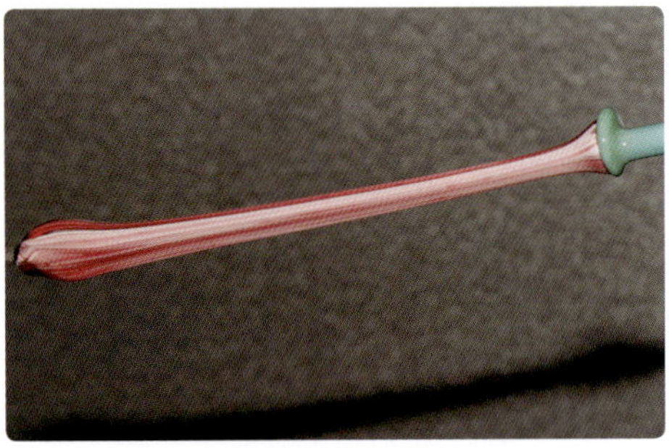

26 先に引いた花芯に対し、あまり細くならない程度に引いてパーツを作ります

完成

27 先に制作した花芯と、その後に制作した花弁の完成した状態です

桜のムリーニを作る

桜のムリーニの作り方は、ベースに花芯を立て、その周囲に花弁を並べてクリアで包み込むという、前項で制作した透明感のある花のムリーニと同様です。

Point

01 花芯（1本）と花弁（5本）のパーツを3cm程度に切り揃え、予熱台の上で予熱します

02 ステンレス芯の先端にガラス（G-1）を少量巻き取り、小さなタイヤ状に成型してベースを作ります

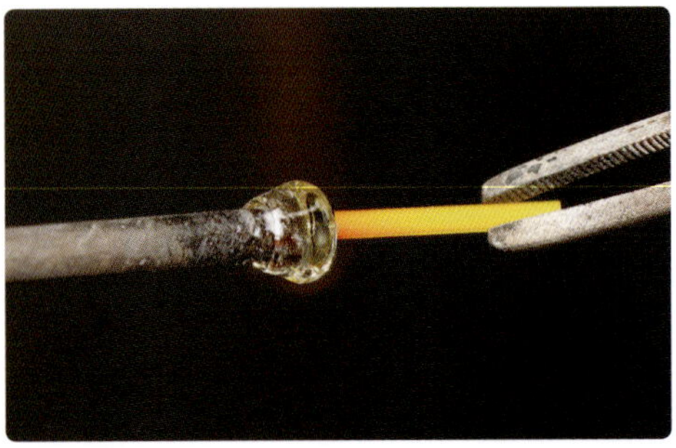

03 花芯のパーツ（以降、花芯）の端を熱し、ベースの中心に付けます

04 花弁のパーツ（以降、花弁）の端を熱し、先が尖った側（パーツのベース側）を花芯に沿わせてベースに付けます

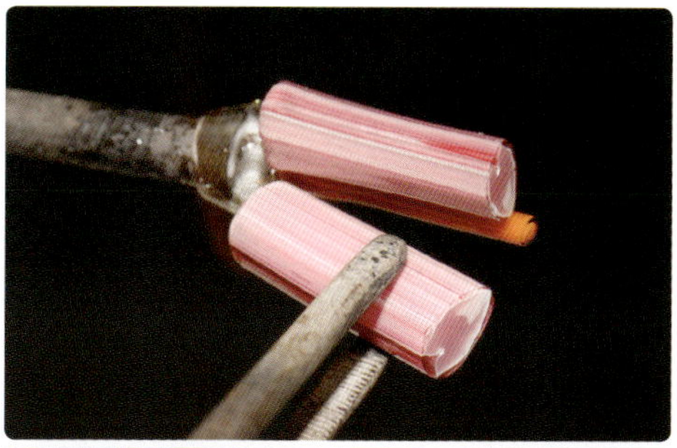

05 適度な間隔をあけ、2枚目の花弁を付けます

06 3枚目と4枚目の花弁を、間隔を調整しながら付けていきます

Point

07 バチケガキやヘラの側面を使い、中心の花芯と花弁の側面の線を平行に揃えます

08 最後の花弁をベースに付けます

09 全ての花弁を付けたら、正面（先端）から見て全体のバランスを整え、花弁の先を花芯に寄せます

10 各花弁の芯棒側の端にクリアガラス（G-1）をのせ、花弁を安定させます

11 正面から見て、再度全体のバランスを整えます

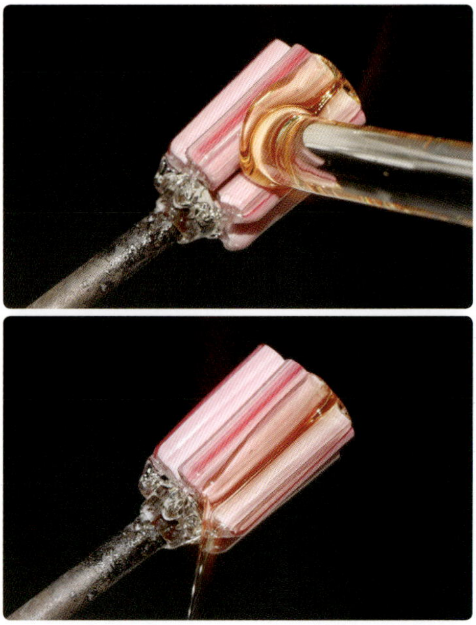

12 ガラス側面の先端から芯棒側に向かい、各花弁の間をクリアガラスで埋めていきます

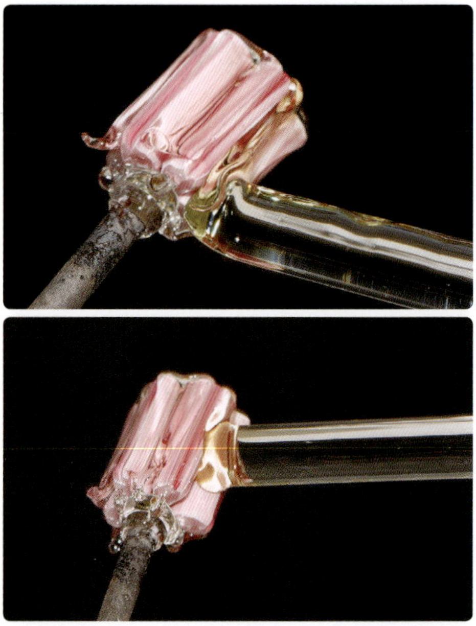

13 熔かしたガラスを先端側に付け、芯棒側へ塗り込めるように動かしてのせます

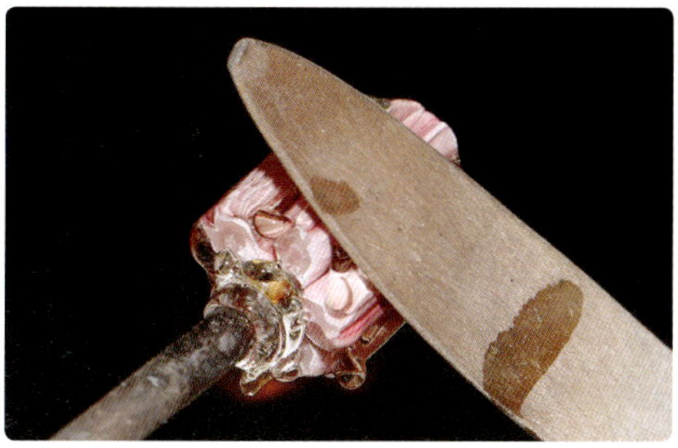

14 花弁の間全てにガラスをのせたら、ヘラを押しあててこれを軽く潰します

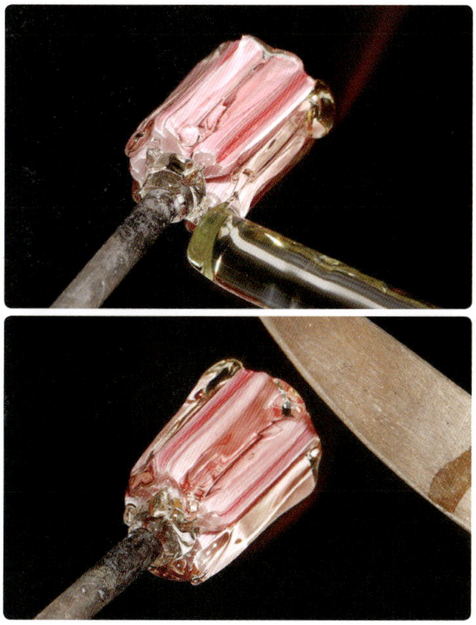

15 側面を丸く整えるため、ガラスが足りない凹んだ部分があればガラスを足し、再度ヘラで整えます

16 側面を均一に整えたら、芯棒側のガラスを芯棒に寄せ付けます

17 こての上で転がし、側面を整えます

18 全体を充分に熱し、再度こての上で転がして円柱状に成型します

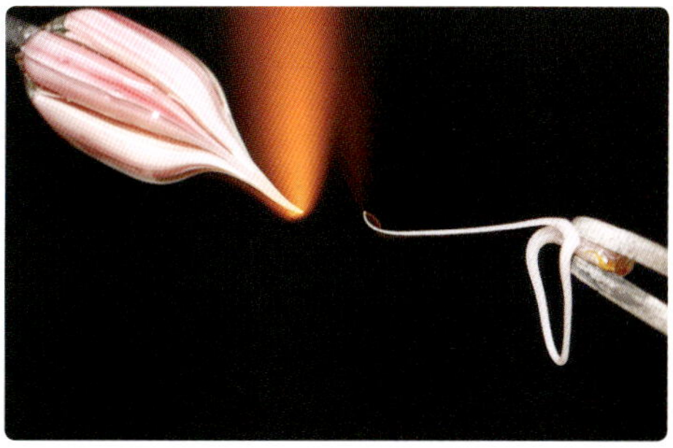

19 先端のガラスを耐熱ピンセットで中心に寄せ、寄せた分をつまみ取ります

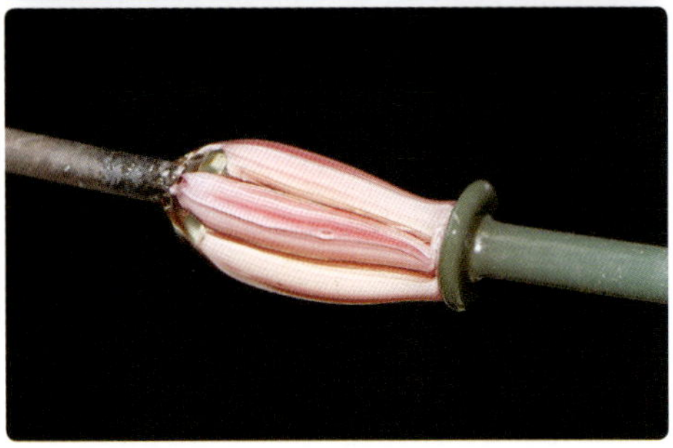

20 先端の中心にポンテを合わせ、芯棒側のかたまりを保温しながらゆっくりと引きます

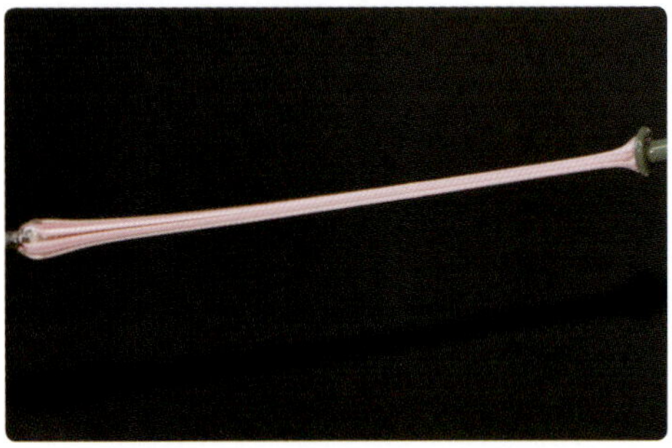

21 芯棒とポンテを同時・同方向に回転させつつ、ガラスをゆっくりと細く引きます

完 成

22 徐冷後に芯棒の付け根でカットすれば、桜のムリーニは完成です

桜のムリーニを埋めた玉を作る

カラークリアガラスを下地に巻き、これに異なる色のクリアを足して混色のベース玉を制作。その上にクリアガラスをすきがけし、桜のムリーニを埋めて玉を作ります。

Point

01 ベース玉に彩りを添えるため、金箔を使用します。金箔を1cm程度の小片にし、あらかじめ押さえ用鉄板の上に並べておきます

ベース玉の下地を巻く

02 カラークリアガラス(S-14)を少量熔かし、芯棒に巻き取ってヘラをあて、表面を均します

03 こての上で転がし、円柱状の筒型に成型します

04 成型したガラスを熱し、用意した金箔の上で転がして、表面に金箔を付けます

05 バランスを見て、金箔が足りない部分があれば付け足します。金箔は、ガラスの表面を覆い隠さず、適度な隙間をあけて付けます

06 こての上でガラスを転がし、金箔を密着させます

ガラスを重ねてベース玉を巻く

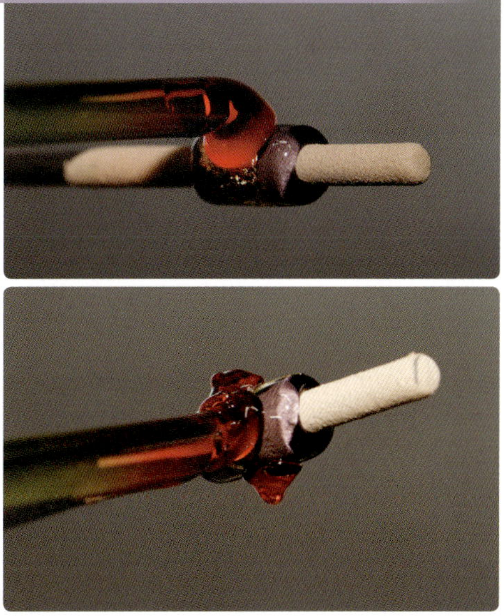

07 下地とは異なる色のカラークリアガラス(S-2)を熔かし、金箔の上を目安に間隔をあけてのせます

08 のせたガラスにヘラをあて、軽く表面を整えます

09 07でのせたガラスとは異なる色のクリアガラス（G-21））を熔かし、先にのせたガラスの隙間を埋めるようにのせます

10 08と同様、のせたガラスにヘラをあてて均します

11 前にのせた2色とは異なる色のクリアガラス（G-5等）を熔かし、玉の表面へランダムにのせます

12 ガラス全体を熱し、ヘラとこてで筒型に成型して、写真のようなカラークリアガラスが混ざり合ったベース玉を作ります

すきがけする

13 クリアガラス（G-1）をたっぷりと熔かし、ベース玉の上へ垂らして巻き取ります

14 巻き取ったガラスを、ヘラとこてで成型します

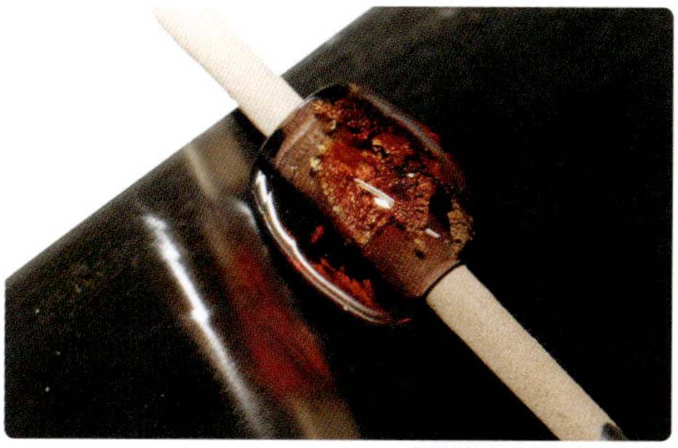

15 俵型に成型し、芯棒側の側面も整えます

ムリーニを玉に埋める

16 すきがけに使用したクリアガラスを熔かし、玉の表面のムリーニを埋める位置へ小さく点を打ちます。ムリーニを埋める位置は、ベース玉の金箔とのバランスを見ながら、好みで決めて構いません

17 打った点を下に向けて炎にあて、点が熔けて凹んだ所で正面に向け、そこにムリーニを付けます

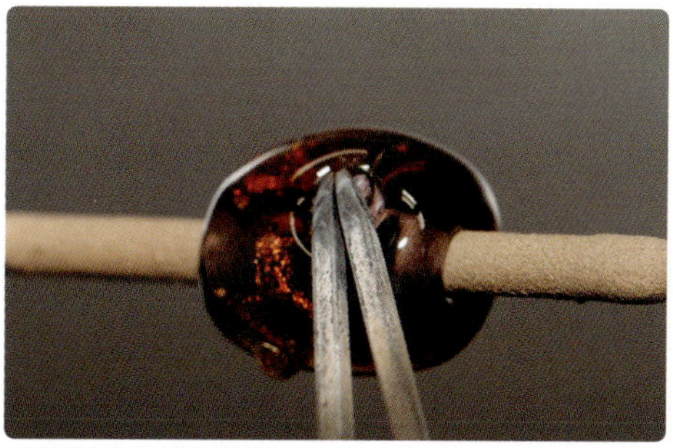

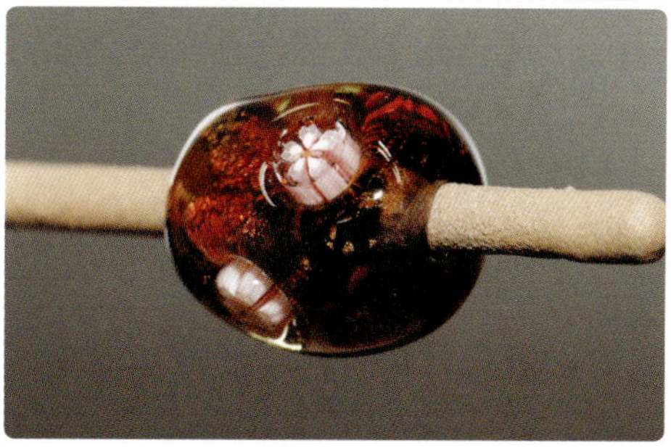

18 点位置に付けたムリーニは、これをつまんだ耐熱ピンセットで軽く押し込んだ後、ヘラで軽く押さえます

19 全てのムリーニを18の下写真のような状態に埋めたら、すきがけに使用したクリアガラスを熔かし、埋めたムリーニの表面を覆う程度にのせていきます

20 19でのせたガラスを下に向けて熱し、熔けた所で正面からヘラをあて、徐々に平らに均します

21 芯棒をテンポよく回し、「熱してはヘラをあてる」工程を繰り返して、のせたガラスを平滑に整えます

Check

19でのせたガラスは、その盛り上がりが収まったこの写真の程度まで均します

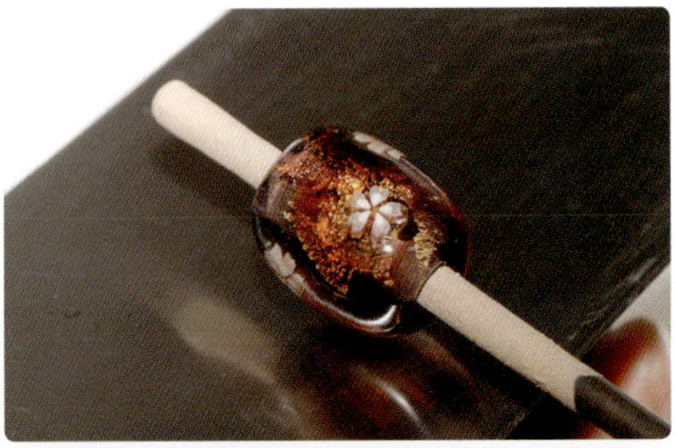

22 ガラス全体を熱し、ヘラとこてを使用して仕上げの成型をした後に徐冷します

完成

23 以上で、桜のムリーニを埋めた玉は完成です

高度なテクニックを使った
ムリーニ

この項では、様々なパーツを組み合わせて作ったムリーニをさらに組み合わせて作る高難易度のムリーニと、アルファベット（一部）の文字をガラスで表現するムリーニの作り方を解説します。

人形の顔のムリーニ

写真は拡大したもので、このムリーニの実寸はΦ6〜7mm程の大きさです。ここでは、このムリーニの使い方は解説していませんが、前章のムリーニと同様に使用することができます

「眉毛」、「眼」、「鼻」、「頬」、「口」といったパーツを個別に作り、これを巧みに組み合わせて、愛らしい人形の顔を作ります。難易度は高いですが、とんぼ玉の制作に慣れたならぜひ挑戦してみてください。

使用する工具・資材

- ステンレス芯（Φ4mm）
- ステンレス芯（Φ10mm前後）
- ガラス瓶と水
- ヘラ
- こて
- 耐熱ピンセット
- ガラス切り
- 予熱台
- バチケガキ
- フラットピンセット

使用する材料

- S-22
- SS-1
- G-34
- G-21
- A-29
- S-8
- A-19
- SS-8

頬の色を作る

市販されているガラスロッドに使いたい色が無い場合は、熔かしたガラスを混ぜて好みの色に調色します。ここでは、頬のパーツのガラスを調色します。

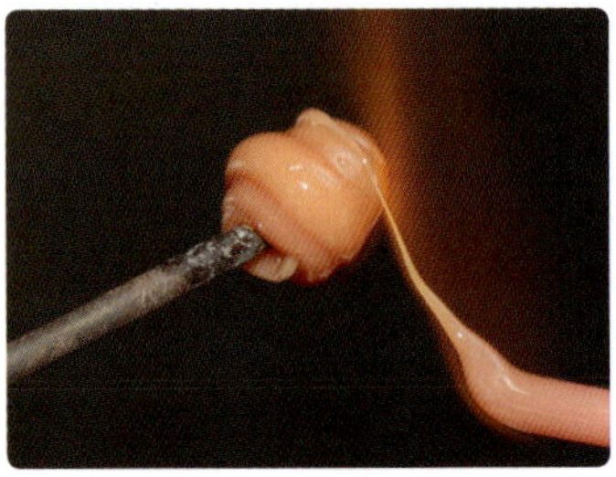

01 ステンレス芯の先端に、ガラス（S-22）をたっぷりと熔かして巻き取ります

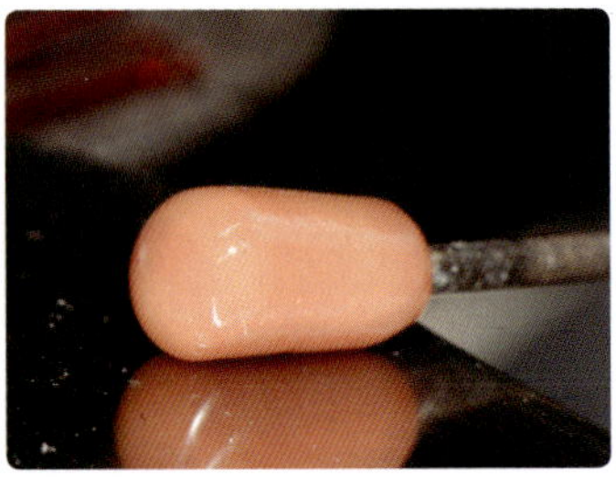

02 巻き取ったガラスを円柱状に成型してベースとします

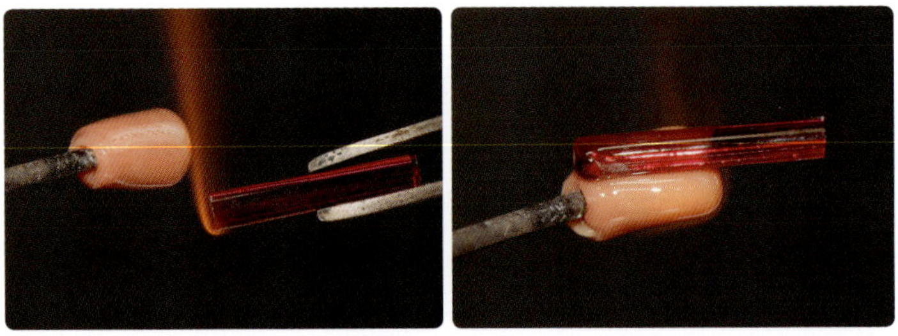

03 ベースを充分に熔かし、3〜4cm程度にカットしたガラス（G-21）を熱して付けます

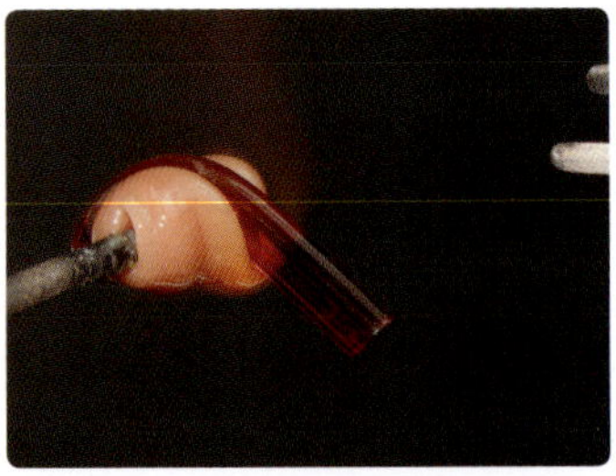

04 ベースと共に、付けたガラスを熱して熔かします

ピンセットでガラスの端をつかみ、芯棒を回して熔かしたガラスをねじり、混ぜ合わせます

05

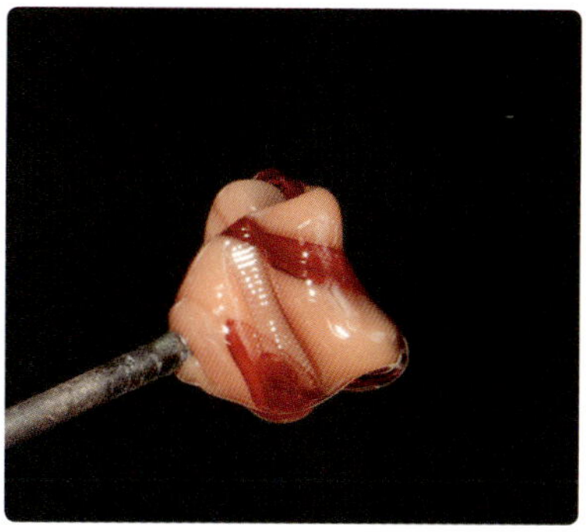

混ぜ合わせたガラスをピンセットで平らに潰し、半分に折り畳みます

06

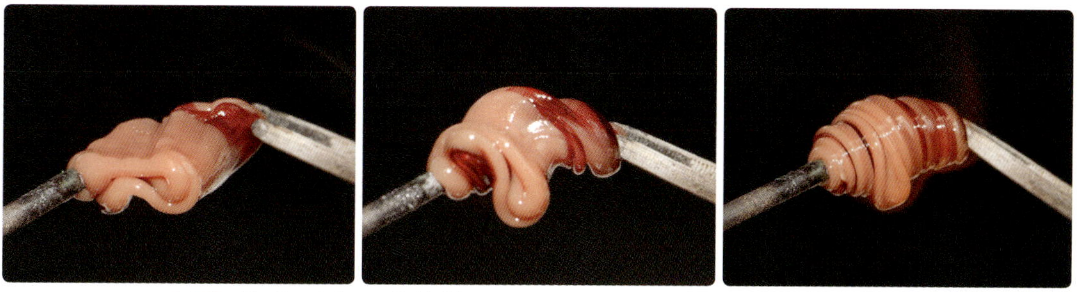

07 折り畳んだガラスの端（先端）をピンセットでつかみ、05と同様にねじって混ぜ合わせます

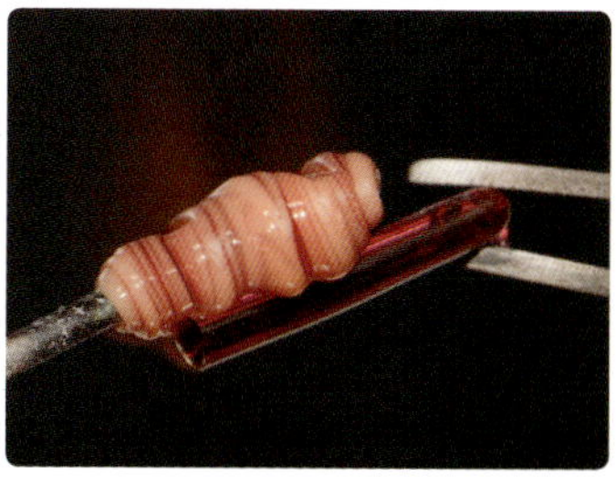

08 色味を確認し、03と同じガラスをさらに付け加えます

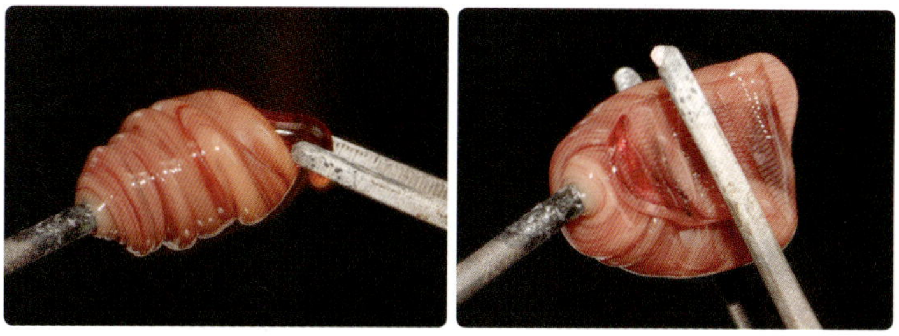

09 04〜07と同じ要領で、付け加えたガラスを充分に練って混ぜ合わせます

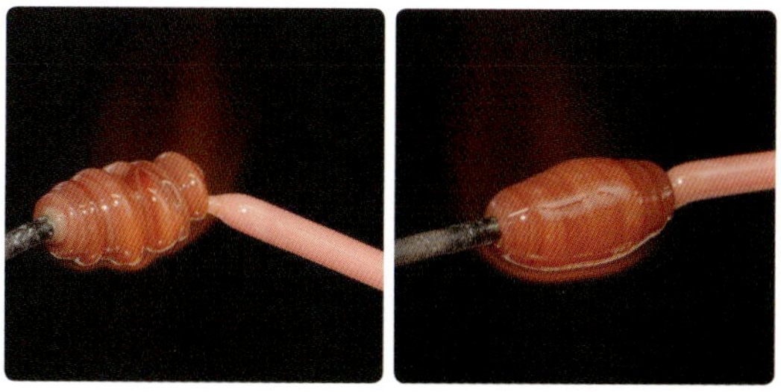

10 好みの色が得られるまでガラスを混ぜ合わせたら、ガラス全体を充分に熔かし、その先端に適当なガラスロッドの端を合わせます

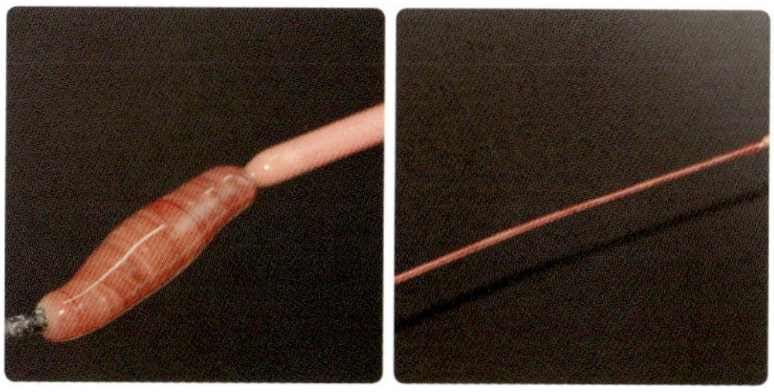

11 ガラスロッドの端がガラスに定着した所で、ムリーニと同じ要領で適度な太さにガラスを引きます

顔を構成する各種のパーツを作る

顔を構成する、「眉毛」、「眼」、「鼻」、「頬」、「口」の各パーツを作ります。各パーツは、組みやすいように四角く作ります。

「頬」のパーツを作る

01 前工程で調色したガラスを熔かし、ステンレス芯の先に巻き取ります

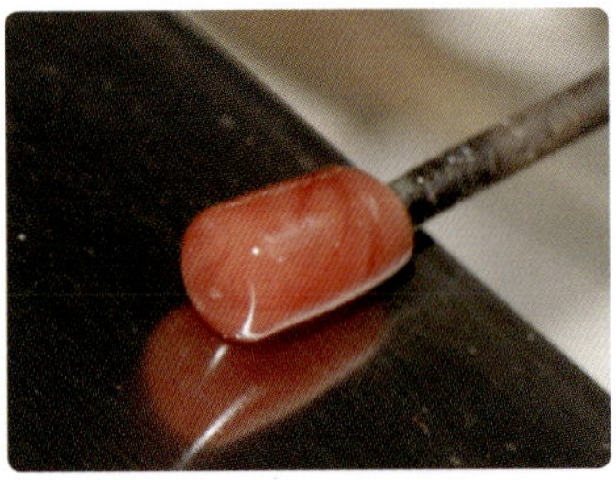

02 巻き取ったガラスを円柱状に成型してベースとします

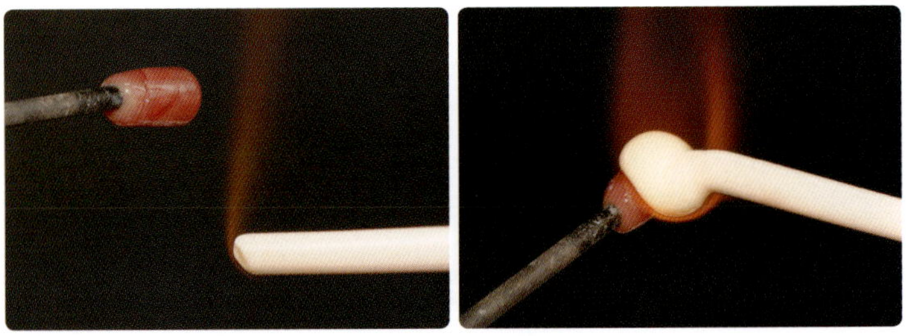

03 肌色のガラス(A-19)を熔かし、ベースに巻き取ります

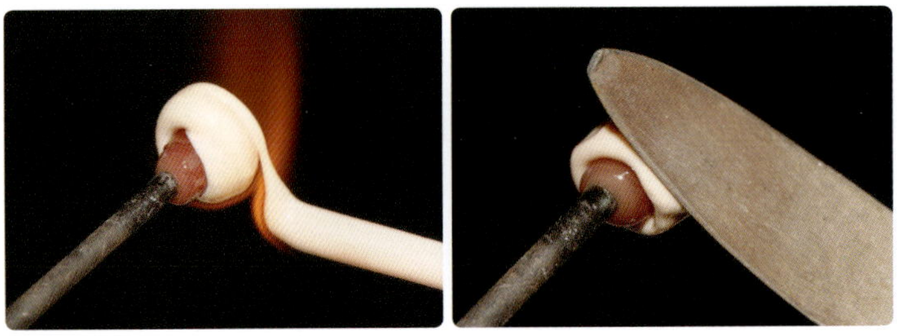

04 左写真程度のガラスを巻き取り、ヘラとこてでベースと同じ円柱状に成型します

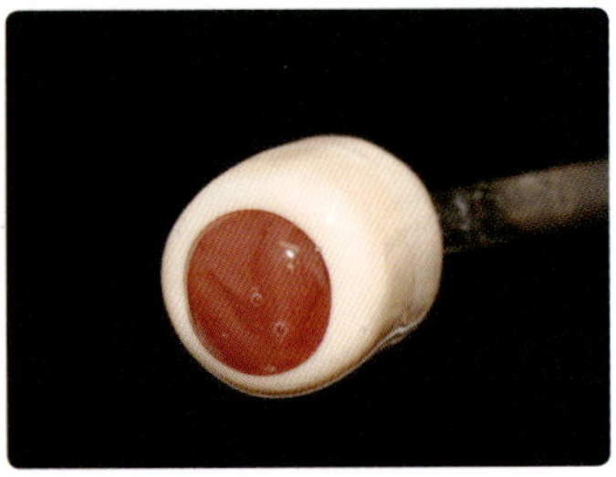

05 円柱状に成型したガラスの、先端(正面)の状態です

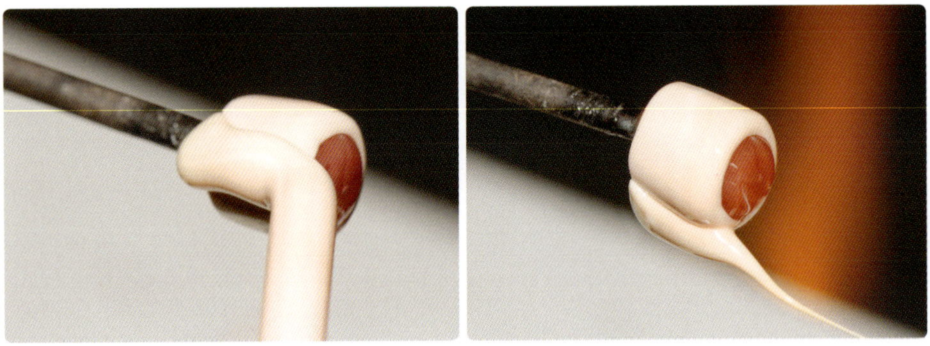

06 同じ肌色のガラスを熔かし、芯棒側から先端に向け、側面へ塗り延ばすようにのせます

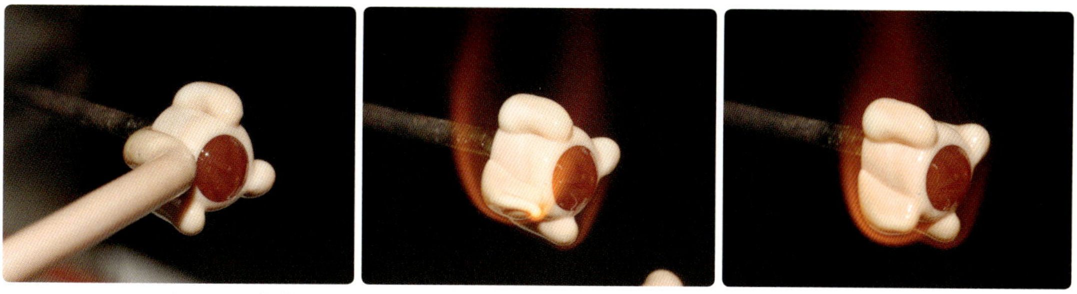

07 円柱状のガラスへ四つ角を付けるように、06と同様にして対角上にガラスをのせます。中写真のようにガラスをのせたら、ガラス全体を炎の中で充分に熱します

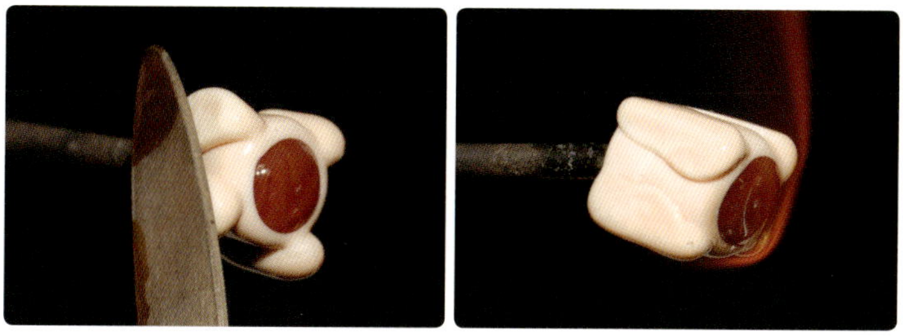

08 のせたガラスにヘラをあてて潰し、ガラスの側面を平らに均していきます

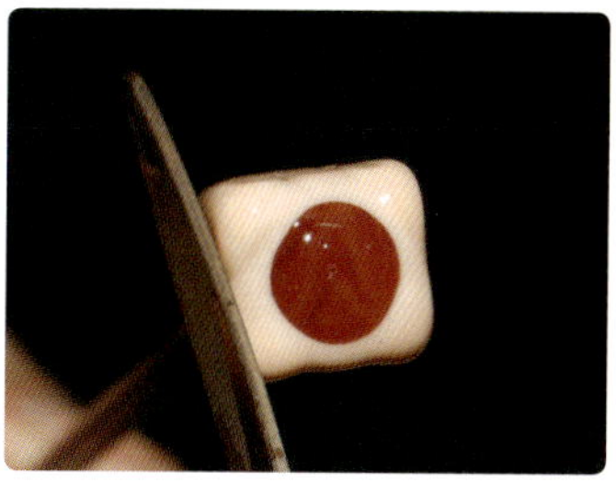

09 「ヘラをあてては熱し」を繰り返し、正面から見て正方形になるよう、側面を均します

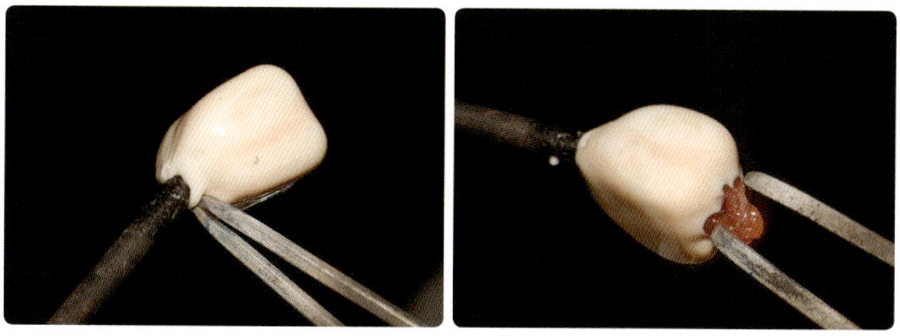

10 ガラス全体を熱し、芯棒側の側面のガラスを芯棒に寄せ付け、先端のガラスを中心に寄せてつまみ取ります

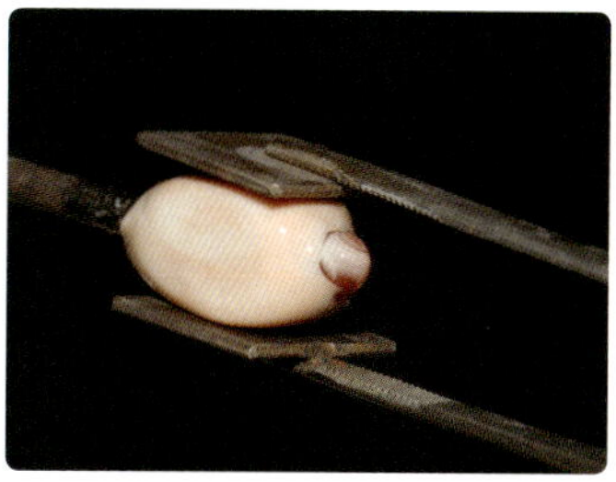

11 熱することで形が歪んだら、フラットピンセットを使ってガラスの側面を再度平らに均します

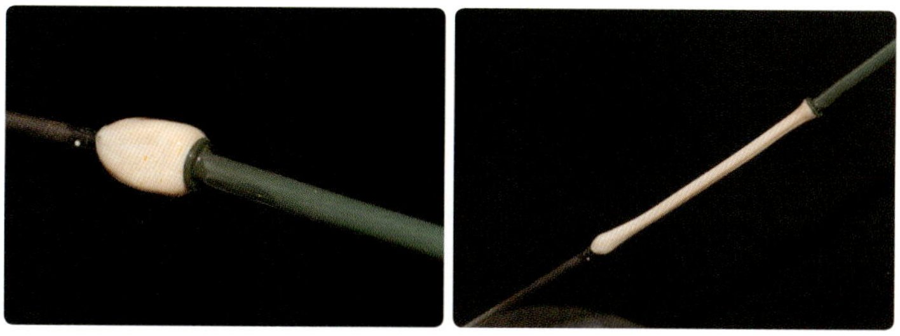

12 ガラスの先端にポンテをあてて細く引きます

完成

13 完成した「頬」のパーツです

「口」のパーツを作る

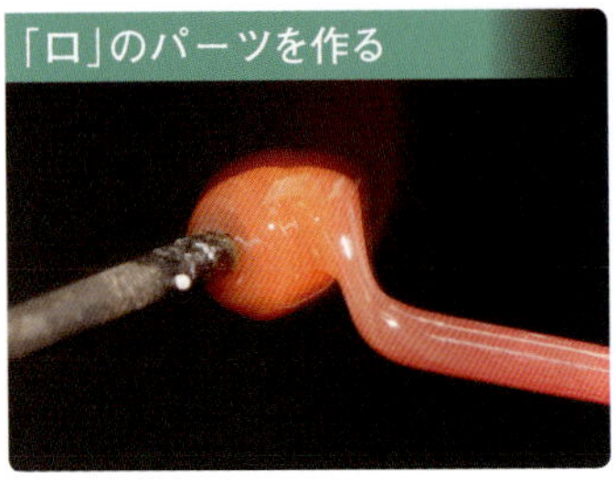

14 頬と同じ調色したガラスを熔かし、ステンレス芯の先に巻き取ります

15 巻き取ったガラスを円柱状に成型し、側面をこてにあてて面を付け、付けた面以外の側面を丸く整えます

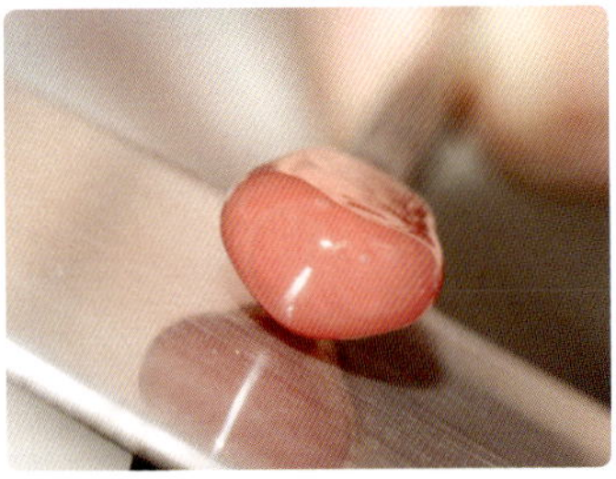

16 円柱に側面を付け、正面から見て“ふっくらとした下唇”のような形に成型します

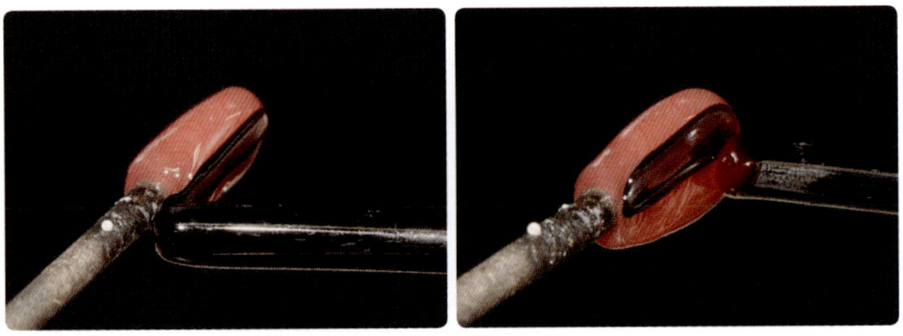

17 黒いガラスロッド（SS-1）の先端を僅かに熔かし、15で平らにした側面に先端側から芯棒側へ向け、ごく薄く塗り付けるようにガラスをのせていきます

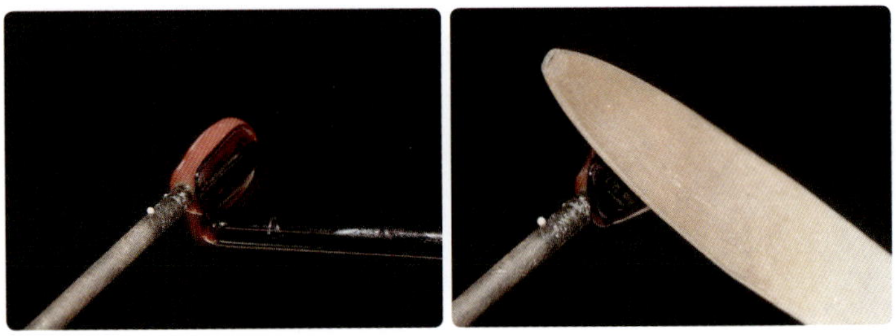

18 平らにした側面全面にガラスをのせたら、のせたガラスにヘラをあてて平らに均します

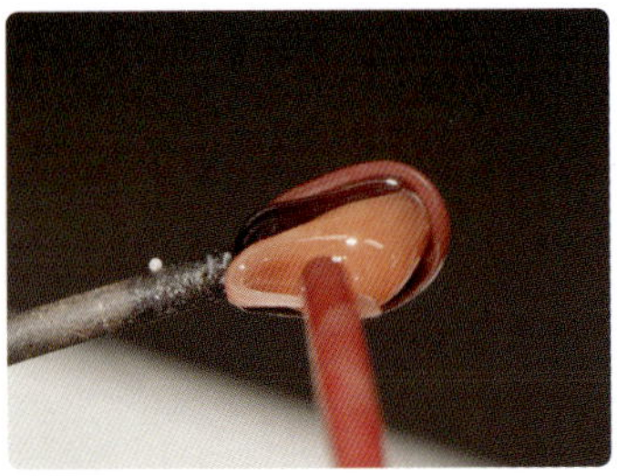

19 14と同じガラスを少量熔かし、18で平らに均したガラスの上へのせます

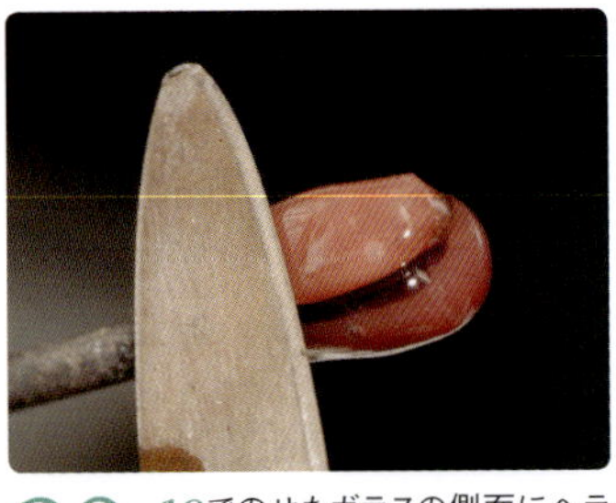

20 19でのせたガラスの側面にヘラをあて、なだらかな山状に整えて成型します

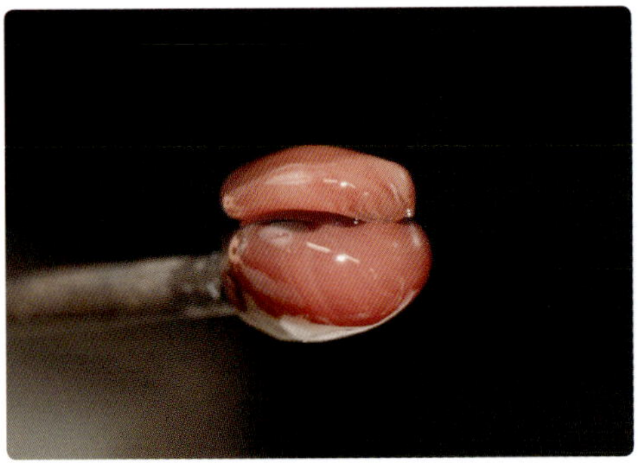

19でのせたガラスは“上唇”となります。上下を合わせた唇は、ふっくらとした下唇に対し上唇を小さめにのせると、可愛らしい口に仕上げることができます

21

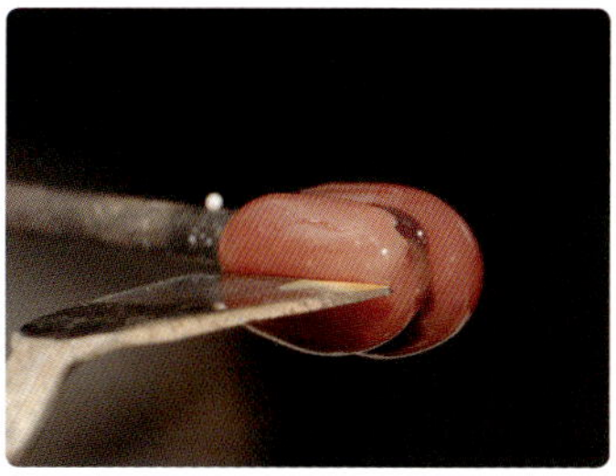

22 上唇の中心に、芯棒と平行にバチケガキの端をあて、明確な溝を付けます

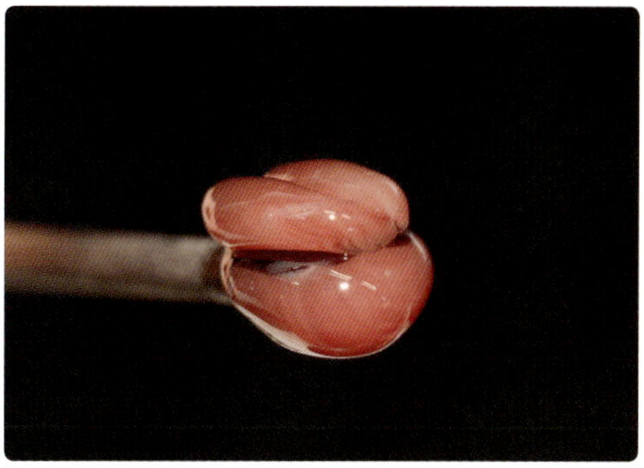

上唇に溝を入れた状態です。溝を入れることにより、より口らしくなります
23

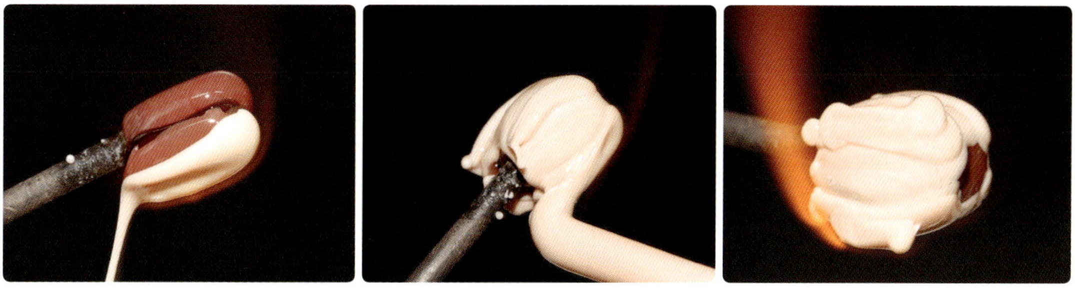

24 成型した口の周囲を覆うように、その全側面に肌色のガラスをのせていきます

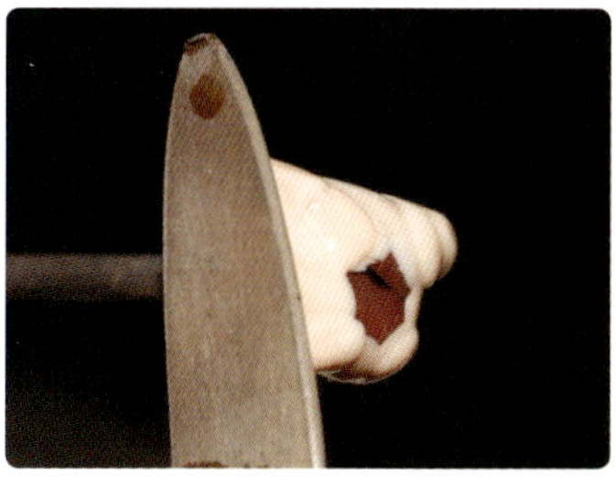

25 口を正位置で見た状態で、正面から見て正方形になるように側面を均します

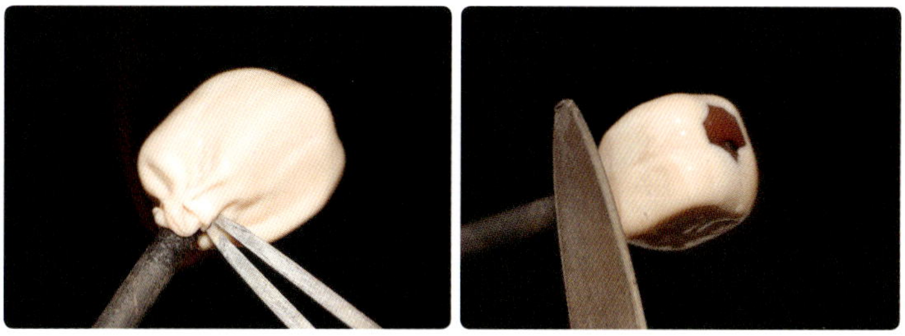

26 ガラス全体を熱し、芯棒側の側面のガラスを芯棒に寄せ付けた後、側面を整えます

27 フラットピンセットを使い、側面をあらためて平らに整えます

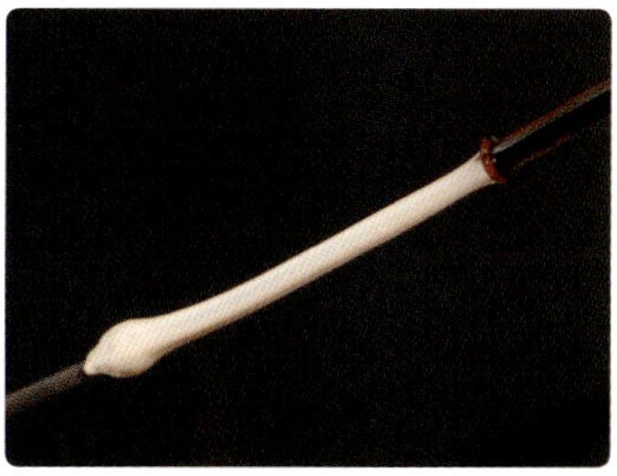

28 先端のガラスを中心に寄せてつまみ取り、ポンテを合わせてガラスを引きます

完成

29 完成した「口」のパーツです

「眉毛」のパーツを作る

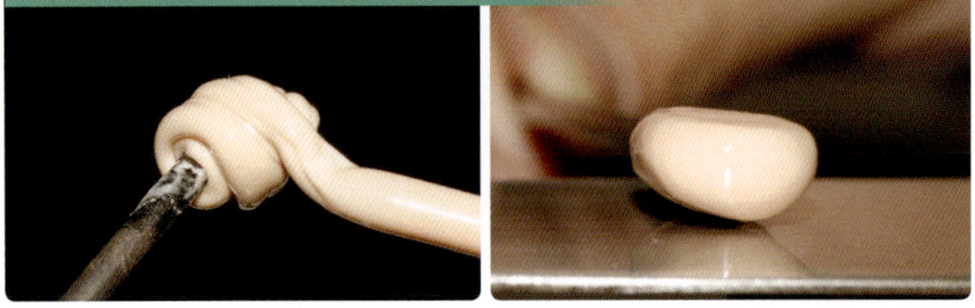

30 肌色のガラスを熔かし、円柱状に成型した後、側面をこてにあてて面を付け、付けた面以外の側面をなだらかな山なりに丸く整えます（※「口」の下唇よりも薄めに整えます）

31 面を付けていないなだらかな山なりの側面に、黒いガラス（SS-21）を薄くのせていきます

32 山なりの両端へ僅かに幅を残してガラスをのせ、のせたガラスをヘラで整えます

この写真のような状態に成型します
33

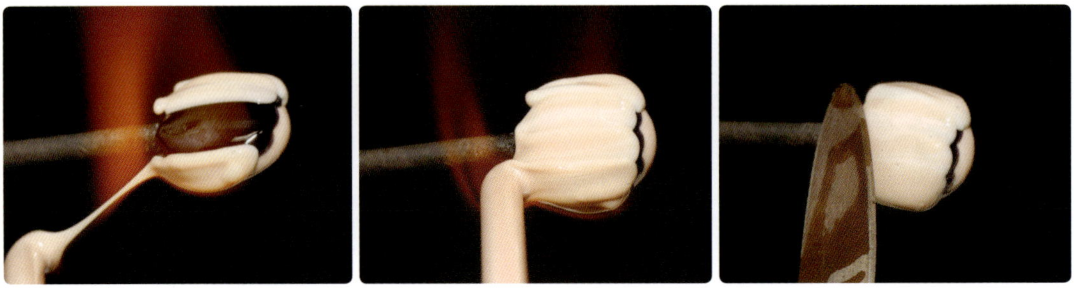

34 肌色のガラスを熔かし、31〜32でのせたガラスの上へ薄く塗り付けるようにのせ、のせたガラスをヘラで平滑に整えます

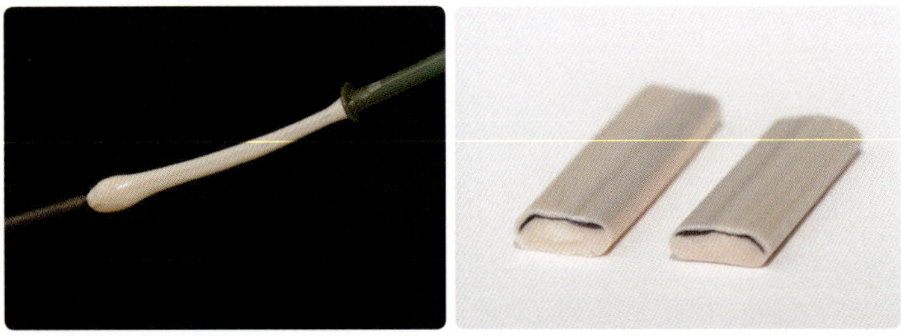

35 成型したガラス全体を熱し、側面を芯棒に寄せ付けて先端をつまみ取り、ポンテで引けば「眉毛」のパーツは完成です

「鼻の穴」のパーツを作る

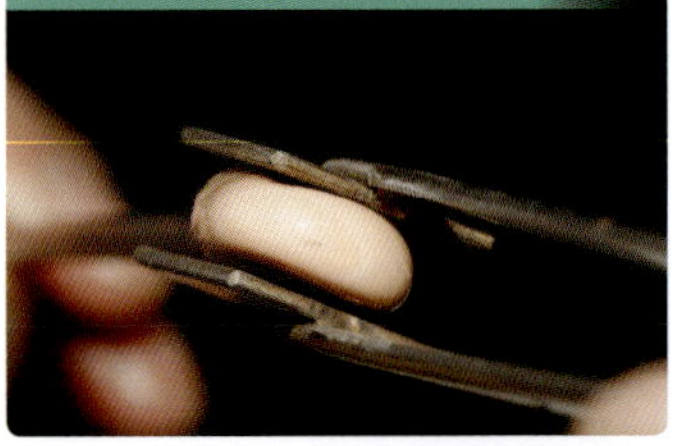

36 ステンレス芯に肌色のガラスを巻き取り、円柱状に成型した後、フラットピンセットで潰します

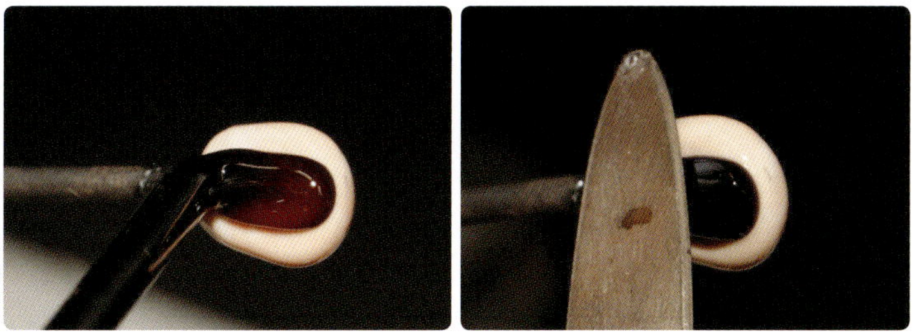

37 黒いガラスを熔かし、潰した片側面の中央部へ左写真のようにのせ、ヘラをあてて表面を均します

38 黒いガラスの上に肌色のガラスをのせ、縦長な四角形に整えて成型します

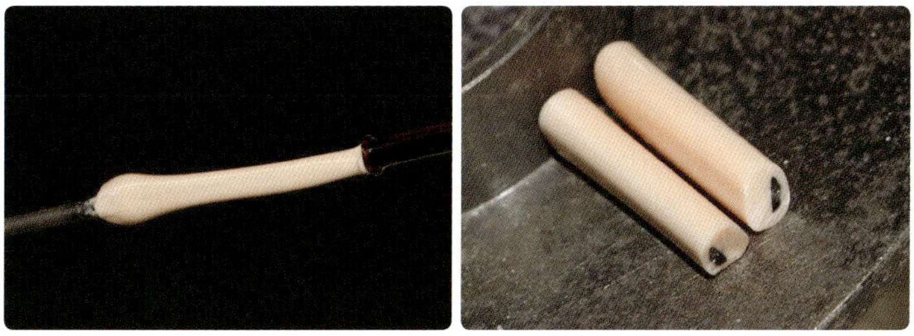

39 成型したガラスにポンテを合わせて引き、徐冷した後に3cm程度にカットし、予熱台の上で予熱します

「鼻」のパーツを作る

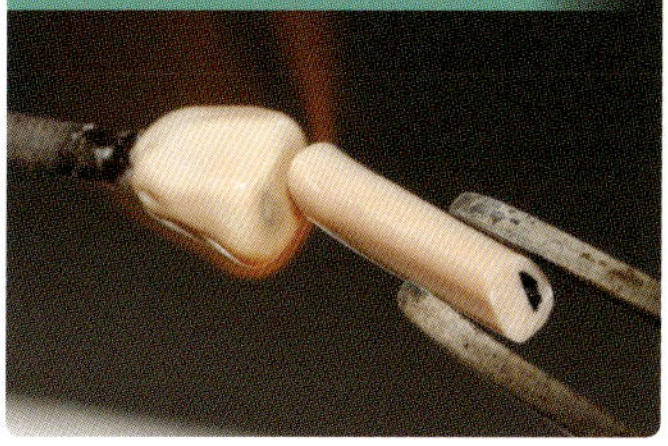

40 肌色のガラスで写真のようなベースを作り、その半分程のスペースに「鼻の穴」を付けます

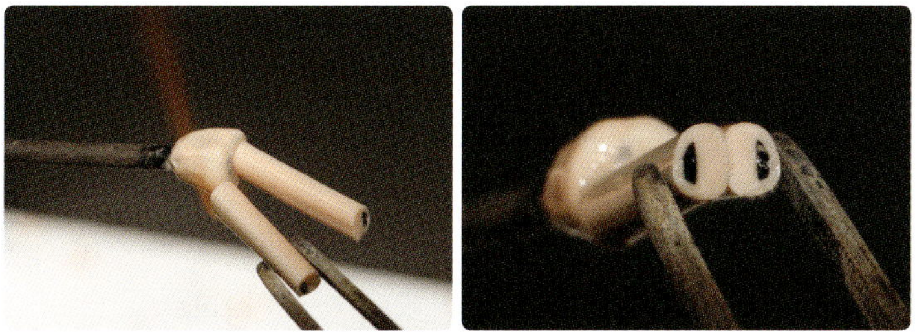

41 もう一方の鼻の穴を、先に付けた鼻の穴に並べて付けます。鼻の穴は肌色の厚みがある方を内側にし、正面から見た時に右写真のような状態にします

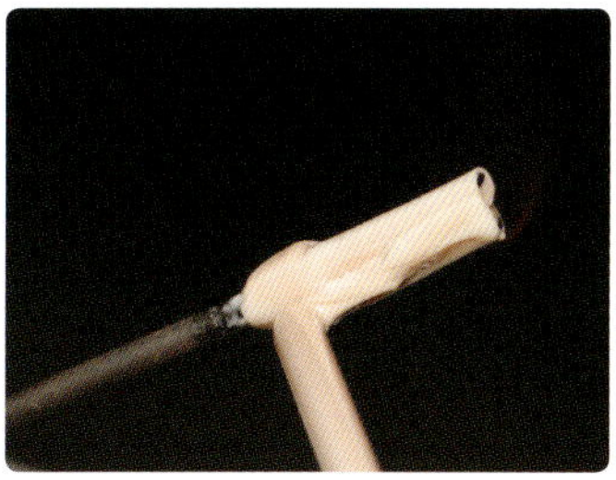

42 合わせた鼻の穴の隙間に、肌色のガラスを薄くのせます

43 反対側の隙間にもガラスをのせ、その周囲にもガラスをのせて全体を長方形に成型します

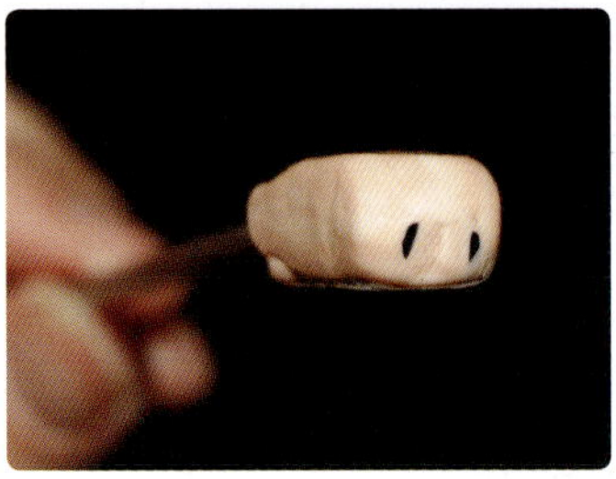

44 2つ並んだ鼻の穴を正位置で見た状態で、正面から見て正方形になるように側面を均します

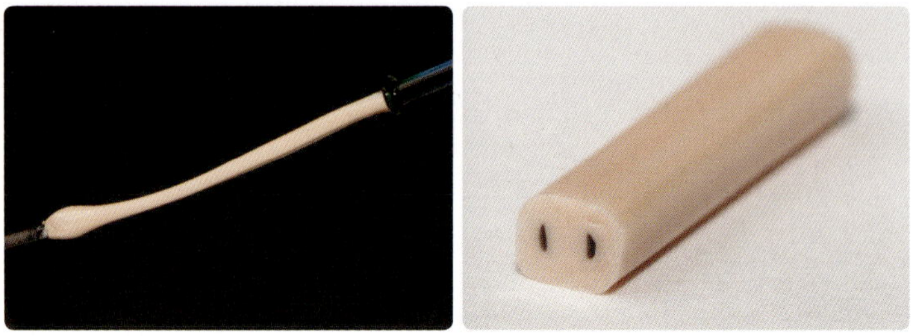

45 ポンテを合わせてガラスを引けば、「鼻」のパーツは完成です

「眼光」のパーツを作る

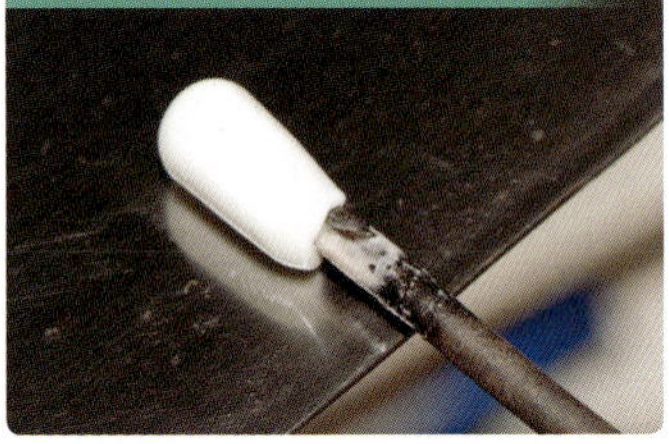

46 白いガラス(A-29)をステンレス芯の端に巻き取り、小さな円柱状に成型してベースとします

47 ベースの側面にガラス(SS-8)を巻き付け、ヘラをあてて円柱状に整えた後、芯棒側の付け根を芯棒に寄せ付けます

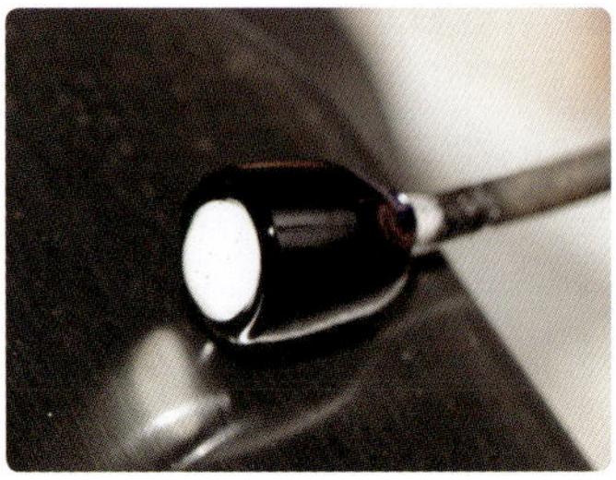

48 こての上で転がし、再び円柱状に成型します

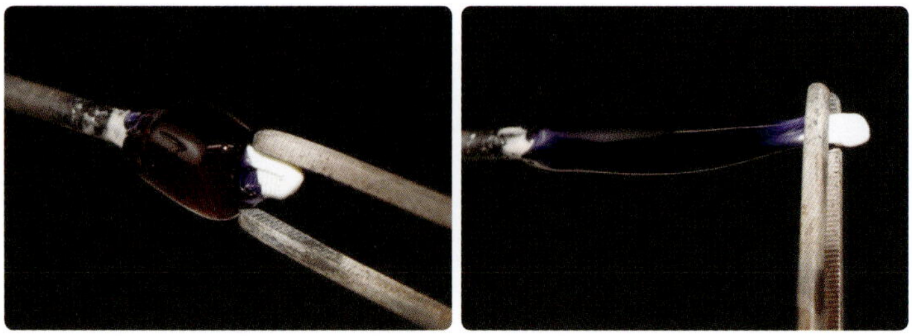

49 ピンセットで先端のガラスを中心に寄せ、寄せた先端をそのままつかみ、ガラスをまっすぐに引きます

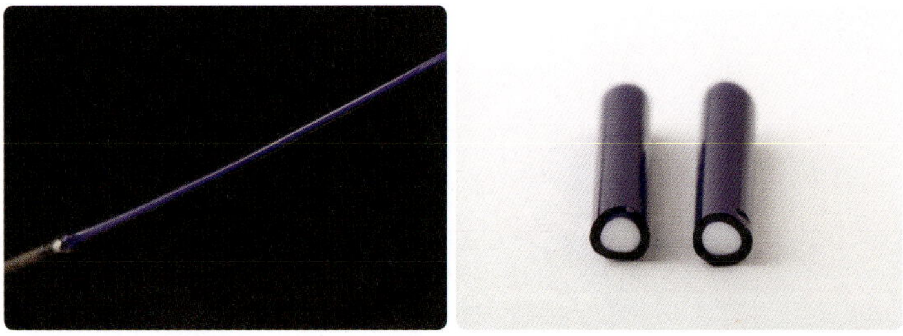

50 まっすぐに細く引き、徐冷後にカットすれば「眼光」のパーツは完成です。3cm程度の長さに切り揃え、2本を予熱台の上にのせて「眼」の組み合わせに備えます

「まつ毛」のパーツを作る

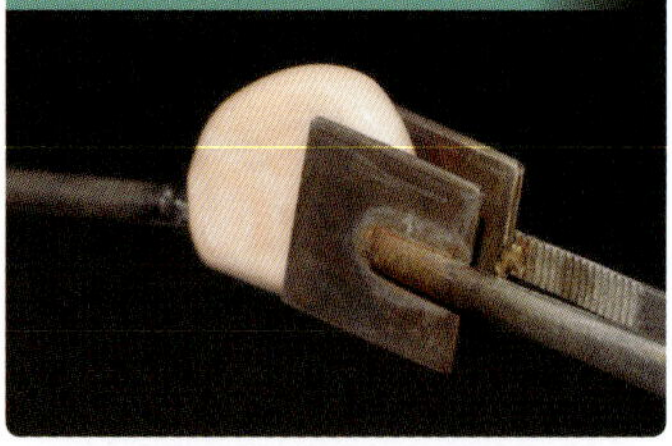

51 肌色のガラスを芯棒の先に巻き、円柱状に整えた後、フラットピンセットで平らに潰します

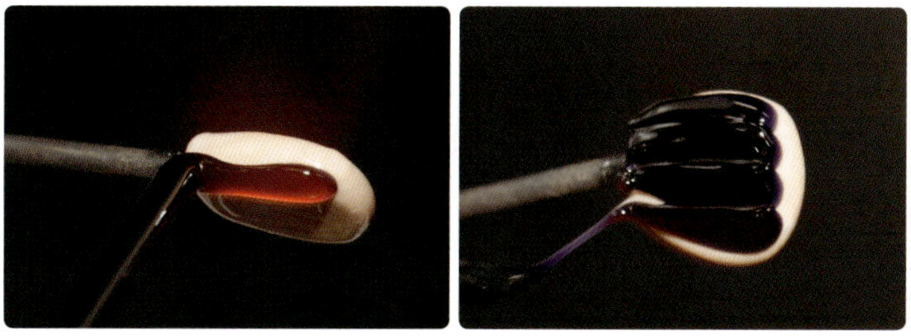

52 ガラス(SS-8)を熔かし、フラットピンセットで潰した片側面へ薄く塗り延ばすようにのせていきます

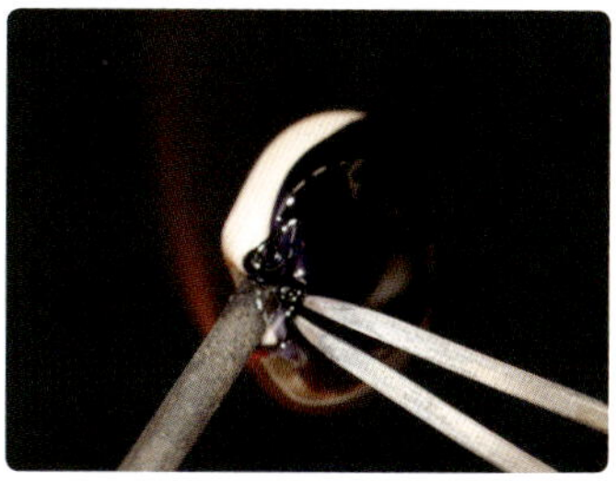

53 52でのせたガラスを芯棒に寄せ付けます

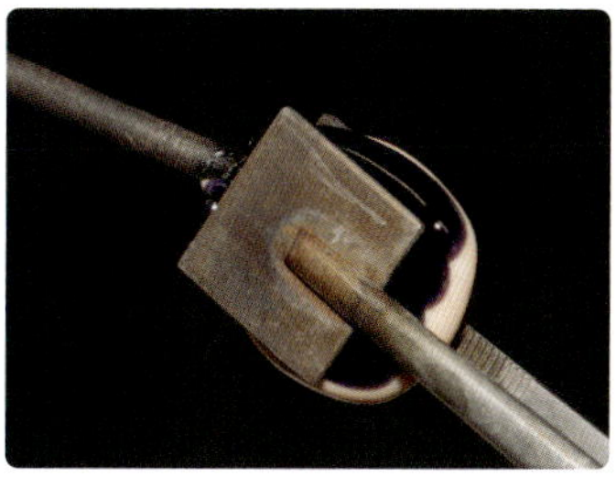

54 51と同様にして、ガラスをフラットピンセットで潰します

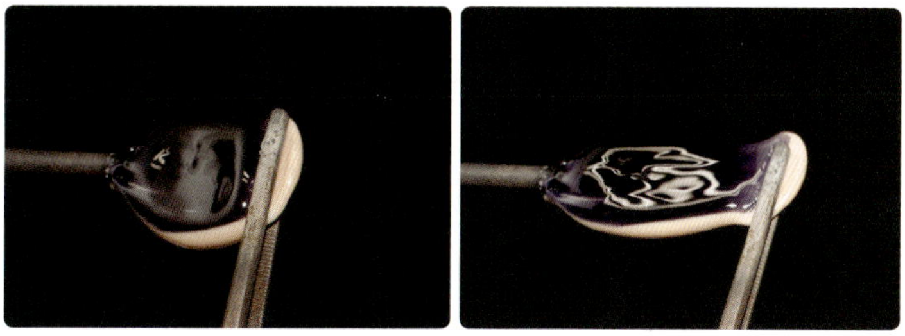

55 潰したガラスの端をピンセットでつかみ、まっすぐに横方向へ引き延ばします

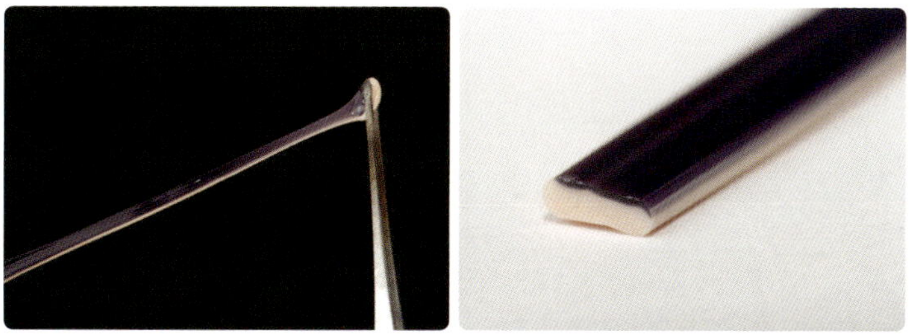

56 ガラスが細長くなるまで引き、徐冷後にカットすれば「まつ毛」のパーツは完成です。3cm程度の長さに5〜6本切り揃え、予熱台の上にのせて「眼」の組み合わせに備えます

「眼」のパーツを作る

57 黒に近い色のガラスをステンレス芯の先に巻き取り、小さな円柱状に成型します

58 成型したガラスの先端を平らに潰し、眼のベースとします

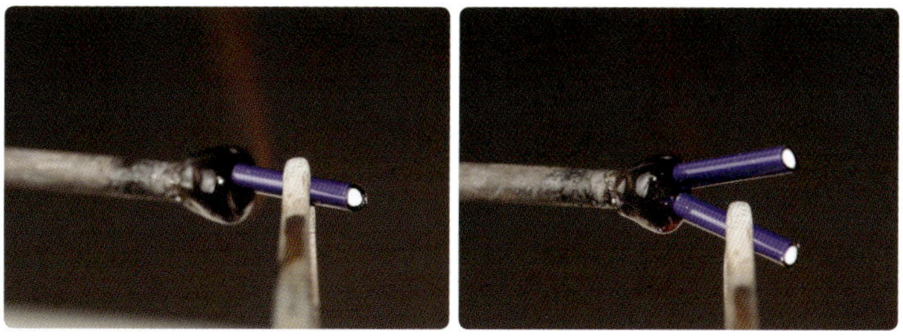

59 鼻の穴を付けた時と同じ要領で、ベースに2本の「眼光」を並べて付けます

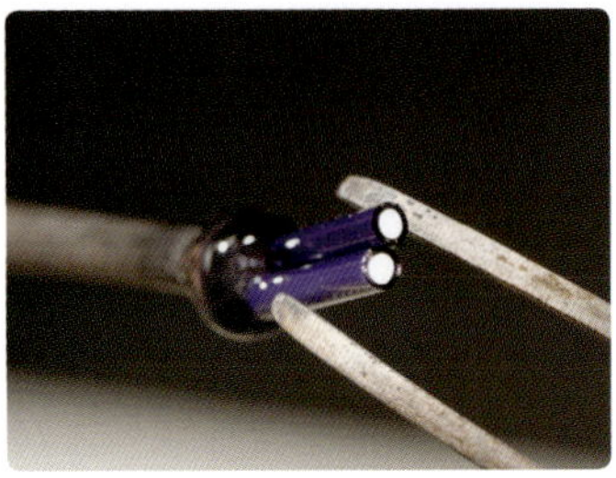

60 眼光を並べて立て、まっすぐ正面に向けて定着させます

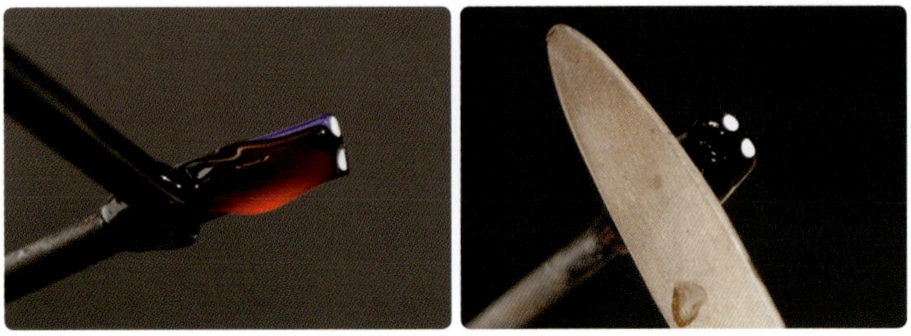

61 立てた眼光の周囲に黒目となるガラス（SS-8）をのせ、ヘラで側面を整えた後、芯棒側のガラスを芯棒に寄せ付けます

62 こての上でガラスを転がし、円柱状に成型します

円柱状に成型したガラスを正面から見た状態です。このガラスが、内側で眼光が光る黒目となります

63

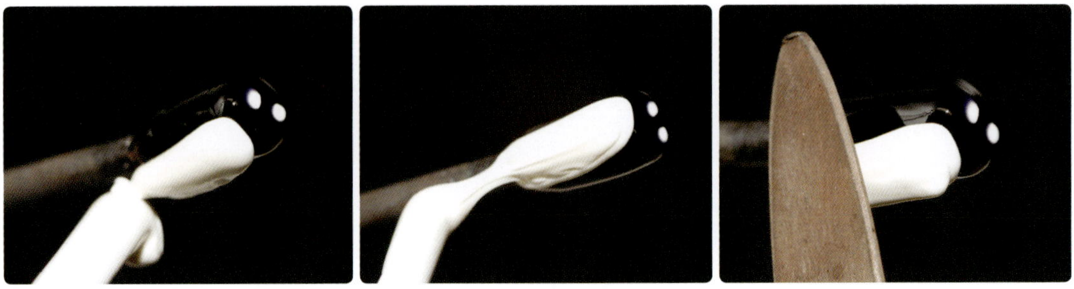

64 白目となる白いガラス（G-29）をたっぷり熔かし、黒目の側面に重ねてのせ、側面をヘラで丸く均します

65 黒目の反対側面にも、同様にして同じ程度の量の白いガラスをのせて均します

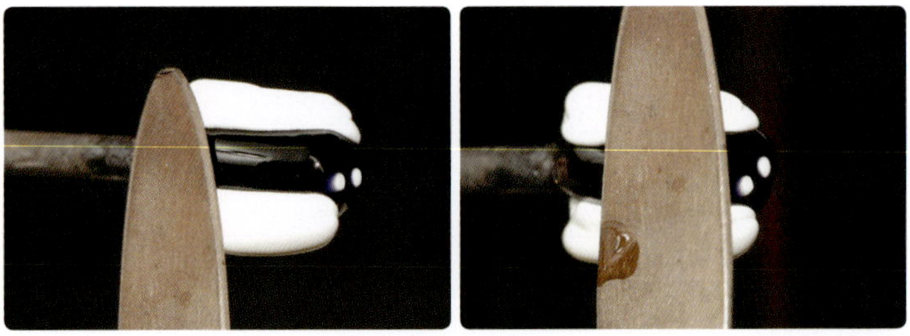

66 3本並べた黒目と白目に対し、写真のようにヘラをあてて面を付け、その面を平らに均します

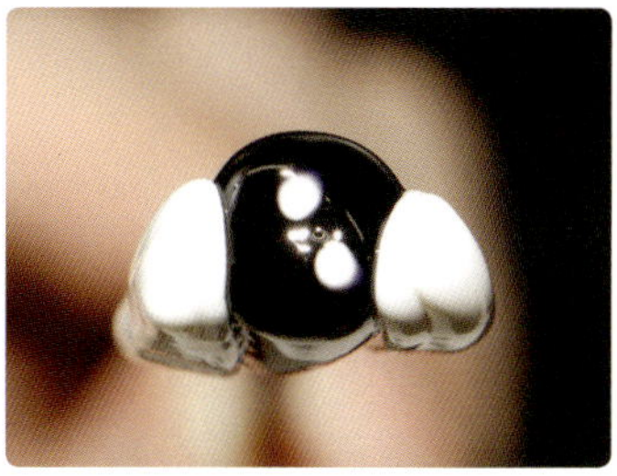

67 正面から見た時、このような状態になるように面を均します

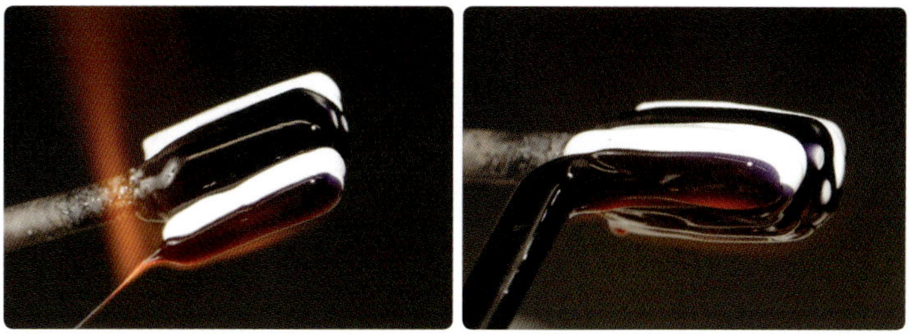

68 黒目と同じガラスを熔かし、面を付けていない山なりの側面へ薄く塗り延ばすようにのせます

69 のせたガラスにヘラをあて、表面を平滑に均します

山なりの側面にガラスをのせて均した状態です。ここでのせたガラスは、"アイライン"の役割を果たします
70

71 のせたガラスの芯棒側を、芯棒に寄せ付けます

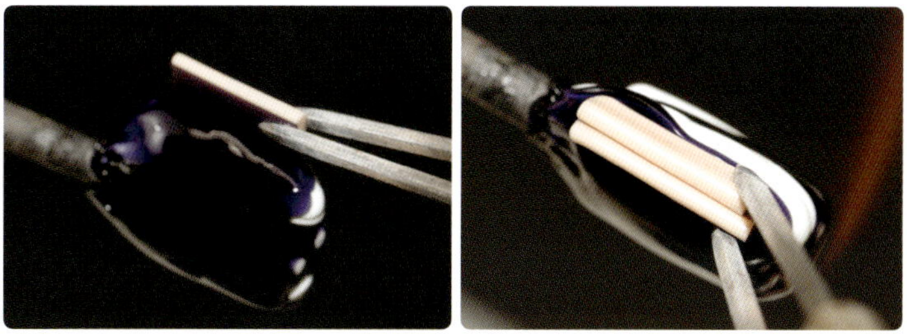

72 「まつ毛」の片側面を熱し、70の眼を正面から見た状態で、アイラインの右側からこれを付けて並べます。外れてしまわないよう、まつ毛の熱した側面をしっかりと押し付けます

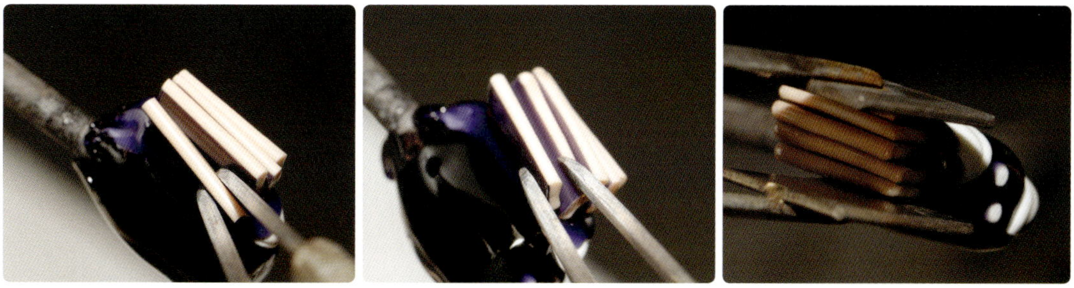

73 最初のまつ毛を押し付けたら、その横に、次のまつ毛を完全に接した状態で並べていき、5枚のまつ毛を付け終えたら、全体をフラットピンセットで挟んでラインを整えます

74 付けたまつ毛にヘラをあて、正面から見た時の角度を整えます

アイラインの側面に5本のまつ毛を並べて付けた状態です 75

76 肌色のガラスを熔かし、まつ毛を含めた眼の周囲を覆うようにのせていきます

77 眼の全側面が隠れる、この写真の状態まで肌色のガラスをのせます

78 眼の周囲に肌色のガラスを足し、眼を正位置で見た時、正面から見て四角くなるように側面を均し、右写真の状態にします

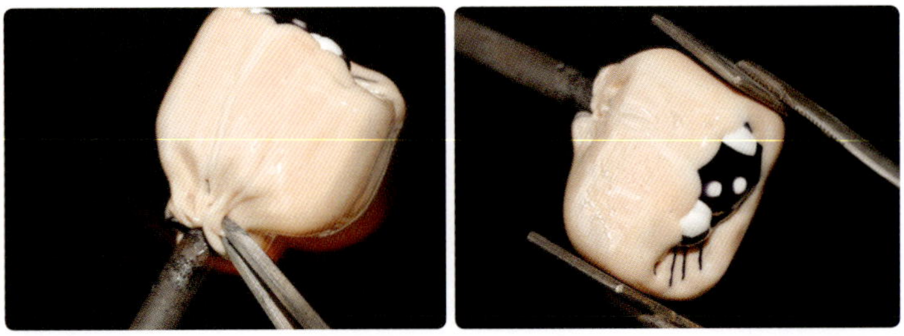

79 芯棒側のガラスを芯棒に寄せ付け、フラットピンセットで側面の形を整えます

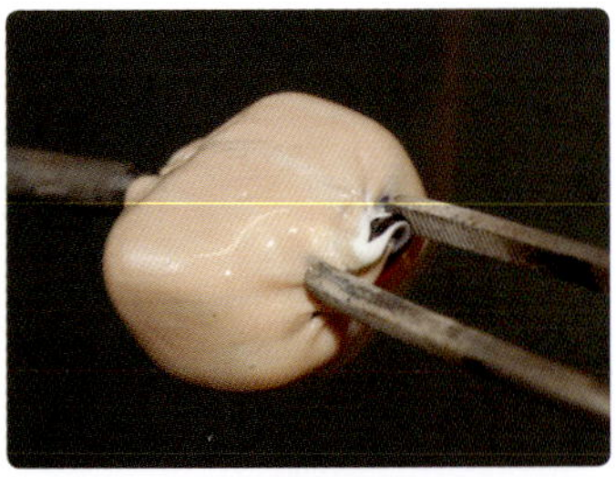

80 先端（正面）のガラスを中心に寄せてつまみ取ります

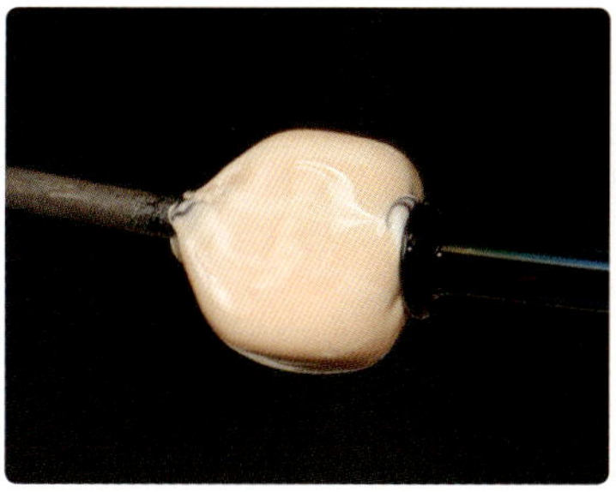

81 寄せた先端にポンテを合わせ、芯棒とポンテを同時・同方向に回しながらガラスをゆっくりと引きます。充分に徐冷した後、3cm程度の長さにカットすれば「眼」のパーツは完成です

各パーツを組み合わせムリーニを作る

適宜正面から状態を確認しつつ、これまでに制作した各パーツを組み合わせて、「人形の顔のムリーニ」を制作します。

各パーツを予熱する

「眉毛」「眼」「鼻」「頬」「口」の各パーツを3cm程度の長さに切り揃え、予熱台の上にのせて予熱します

01

ベースを作る

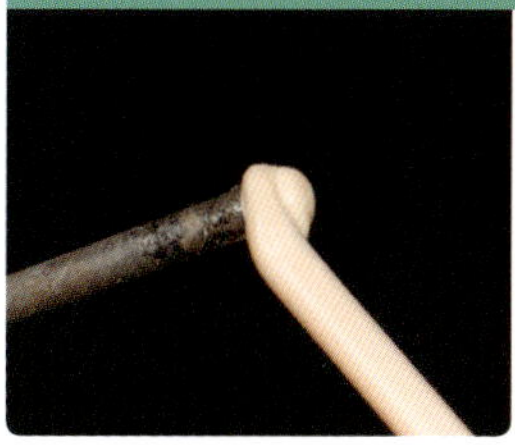
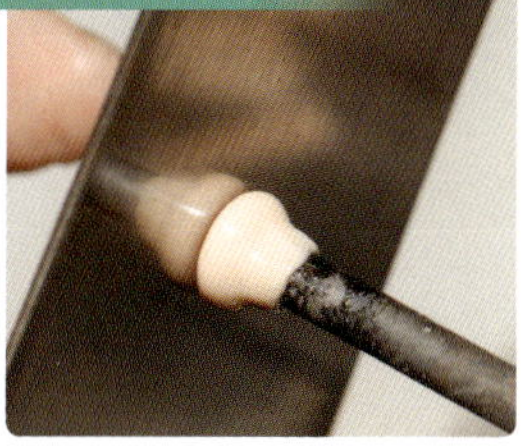

02 肌色のガラスを熔かし、各種パーツ制作工程の57～58と同様にして、ステンレス芯の先にベースを作ります

「鼻」を付ける

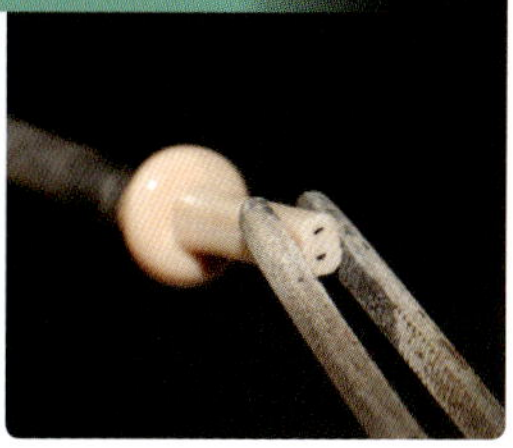

03 「鼻」の端を熱し、ベースの中央辺りに付けます

「頬」を付ける

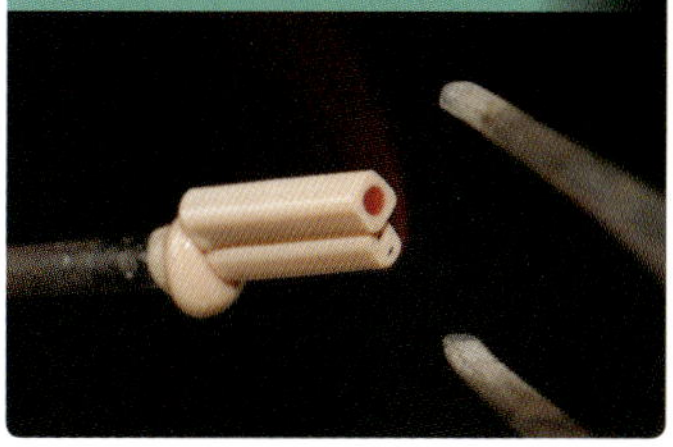

04 「頬」の端を熱し、鼻の側面にぴったり寄せて付けます

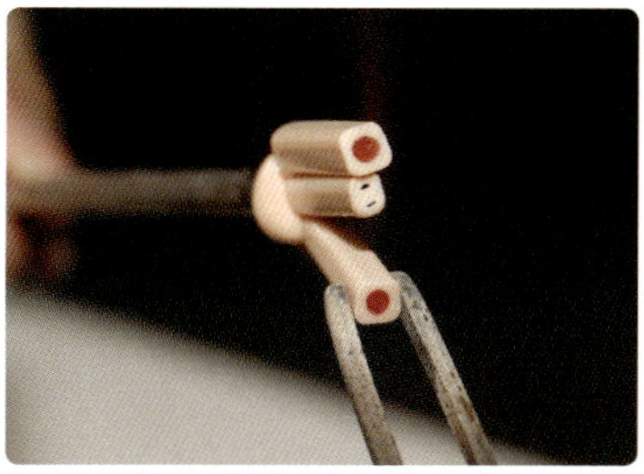
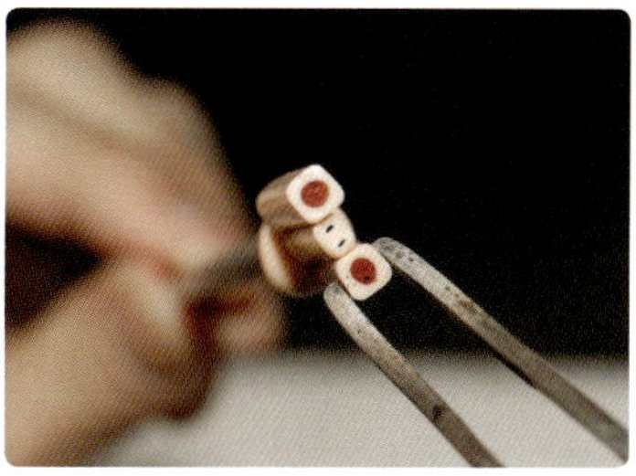

05 残りの頬の端を熱し、鼻の反対側へ同様にして付けます。2本の頬は、縦に並んだ鼻の穴に対し、右写真のように付けます

06 ベースに付けた鼻と頬のパーツを、フラットピンセットで挟んで平行に整列させます

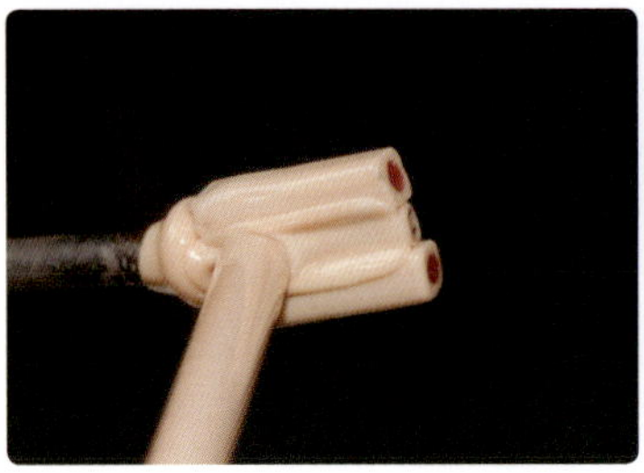

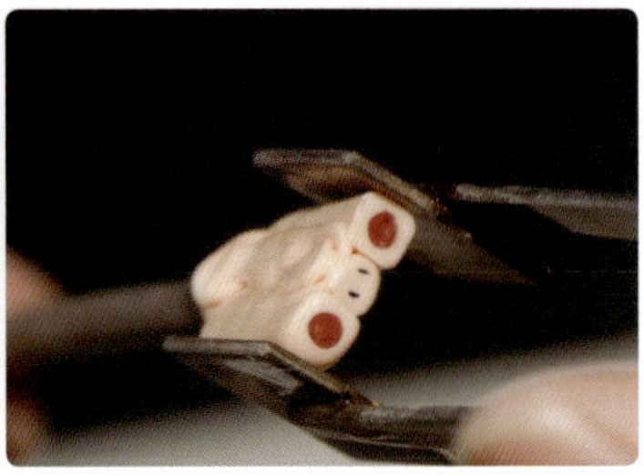

07 鼻と頬が並ぶ側面を見て、凹んでいる場合は肌色のガラスをのせて埋めます

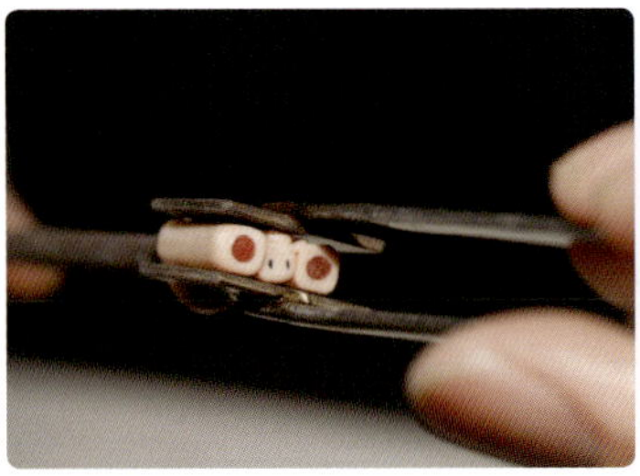

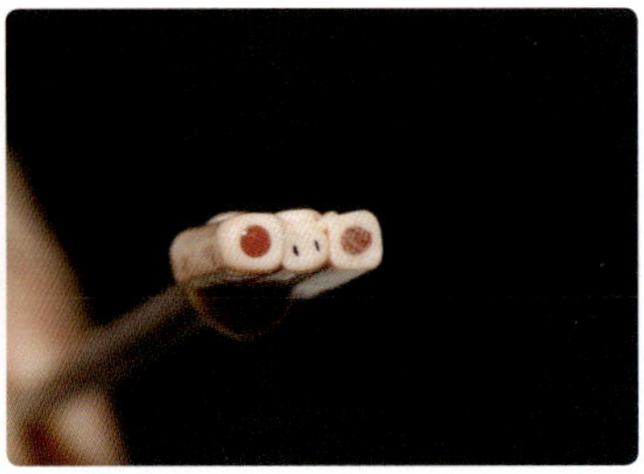

08 フラットピンセットで06と同様に挟み、鼻と頬の側面のラインを揃えます

「口」を付ける

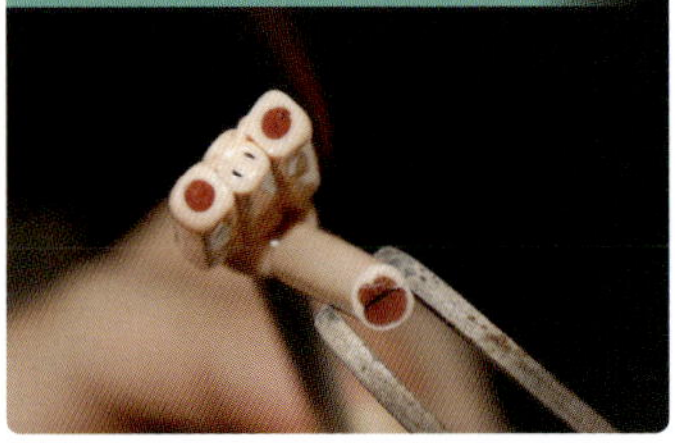

09 「口」の端を熱し、唇の上下の向きを確認した上、鼻の真下に付けます

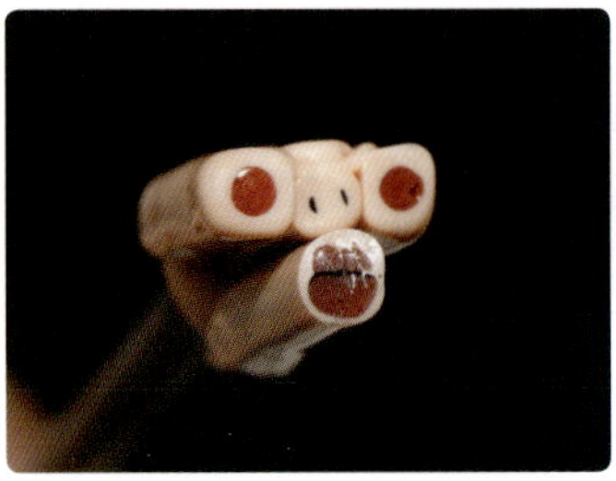

10 鼻の下に口を付けた状態です。鼻との間に隙間ができないよう、ぴったり寄せ付けます

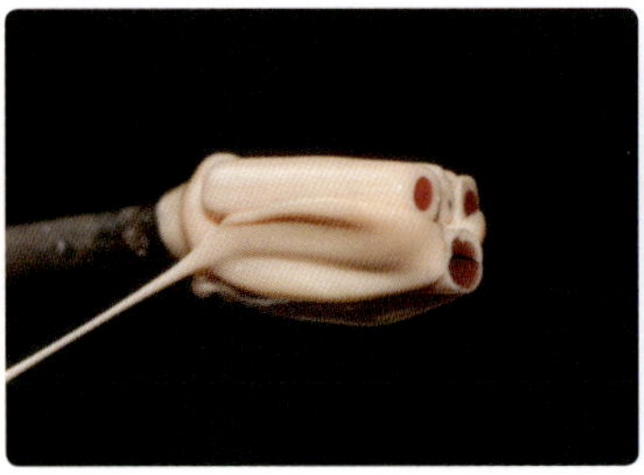

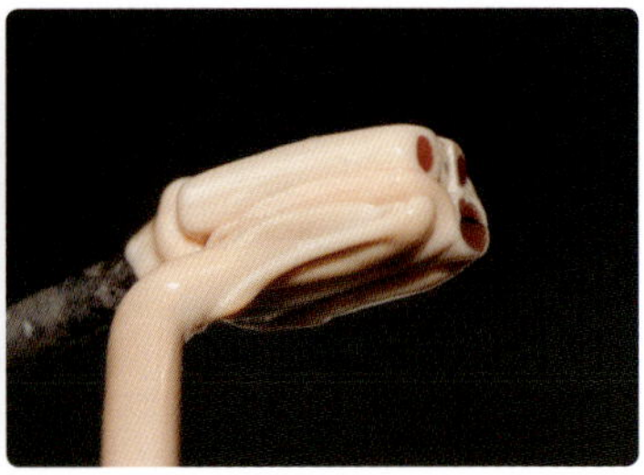

11 肌色のガラスを熔かし、各頬と口の間にのせて空いたスペースを埋めます（埋めた状態は、次の12を参照してください）

「眼」を付ける

12 鼻の側面を目安に、頬の上へ「眼」を写真のように付けます

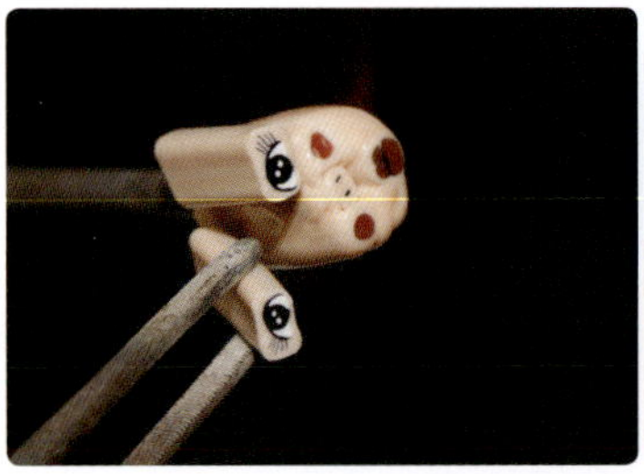

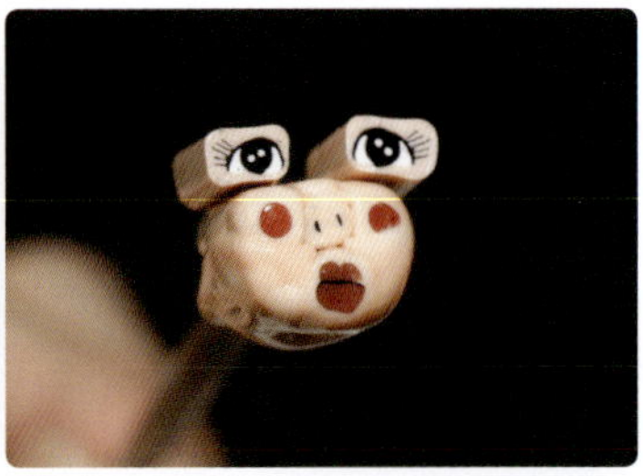

13 先に付けた眼とのバランスを見て、残りの眼を同様に頬の上へ付けます。ここで付ける眼は、その間を少し離すと、可愛らしい表情に仕上げることができます

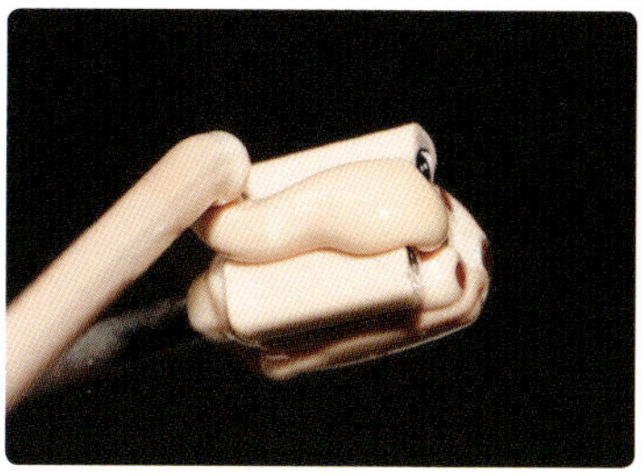
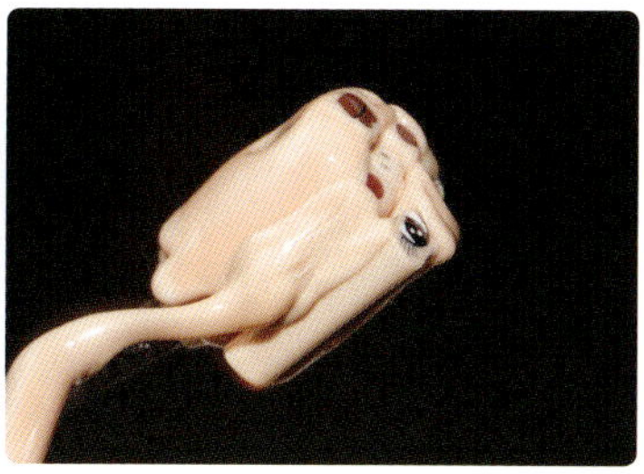

14 肌色のガラスをたっぷり熔かし、眼の間にのせて隙間を埋め、のせたガラスにヘラをあてて緩やかな山なりに均します

15 眼と眼の間を埋めた状態です

「眉毛」を付ける

16 眼の上へ、正面からバランスを見て「眉毛」を付けます

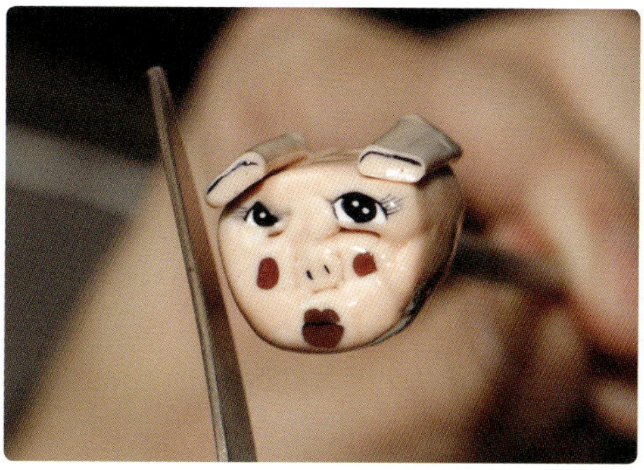

眉毛と顔の側面にヘラをあて、眉毛から口の下（あご）につながるフェイスラインを整えます
17

18 各眉毛の間と眉毛の上に肌色のガラスをのせ、のせたガラスをヘラで整えて額（ひたい）を作ります

19 次にのせる前髪を反らせるため、Φ10mm程度のステンレス芯を額にあてて緩い溝を入れます

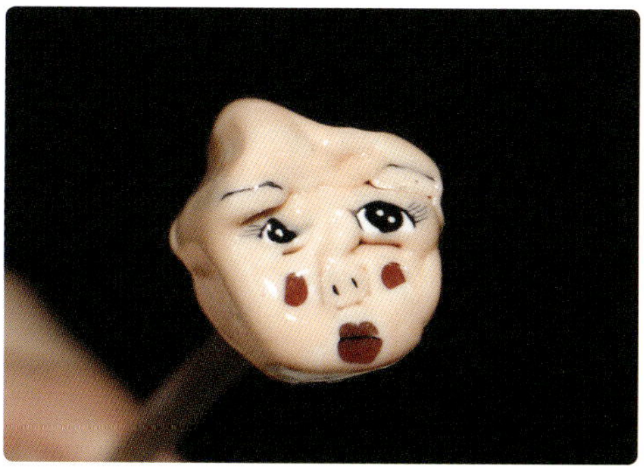

19で額に緩い溝を入れた状態です
20

「髪の毛」を付ける

21 ガラス（G-34）を熔かし、溝を入れた額の上にのせます

22 バランスを見ながらガラスを少しずつ重ねてのせ、頭頂部のラインを作ります

重ねてのせた髪の毛のガラスを均し、この写真のような状態にします
23

顔の側面を成型する

24 顔を正面から見て、全体のバランスを確認します。フェイスラインや髪の毛等、ガラスが足りない箇所があればガラスを付け足し、側面にヘラをあてて形を整えます

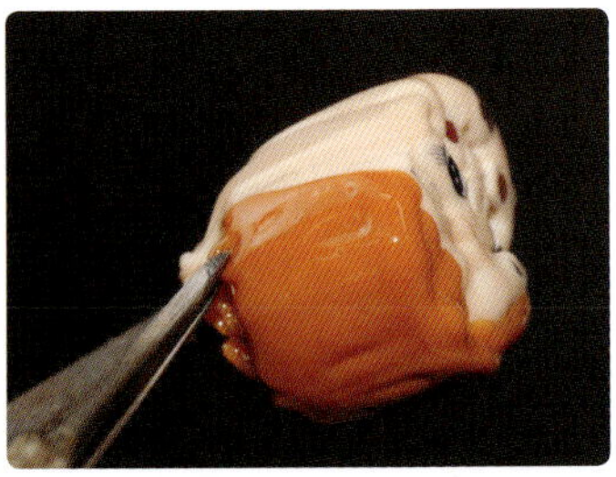

25 側面の形をヘラで整えたら、芯棒側のガラスを芯棒に寄せ付けます

26 こての上で転がし、側面をさらに整えます

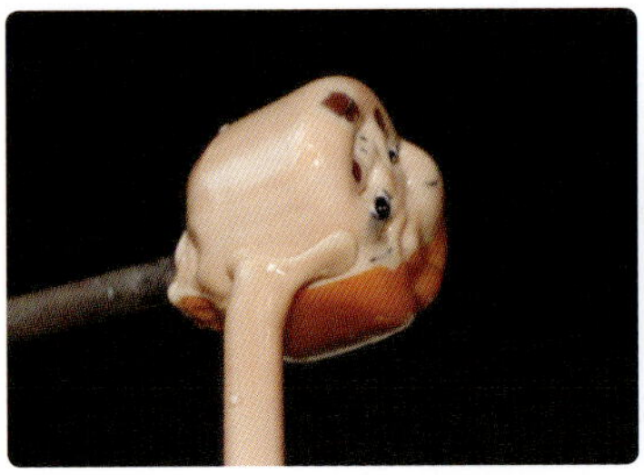

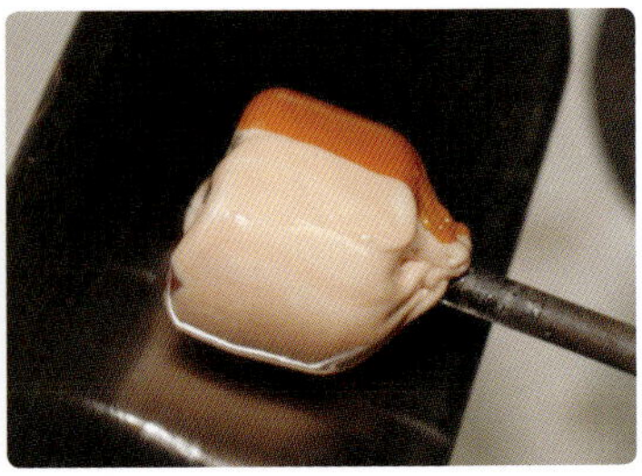

27 こてを使って成型した後、あらためて正面からバランスを確認。ガラスが足りない箇所があれば再度付け足し、こての上で転がして成型します

顔の周囲にガラスをのせる

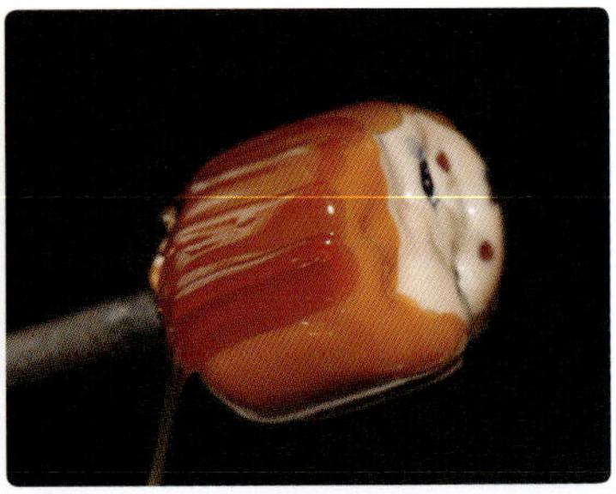

28 顔のフレームとなるガラス（S-8）を熔かし、髪の毛を含めた顔の全側面に、薄く引き延ばすようにしてのせていきます

29 顔の全側面にガラスを薄くのせたら、のせたガラスにヘラをあてて表面を均します

顔の全側面にガラスをのせ、その側面を整えた状態です

30

31 28でのせたガラスの芯棒側を、芯棒に寄せ付けます

32 こての上で転がして、顔の側面を平滑に均します

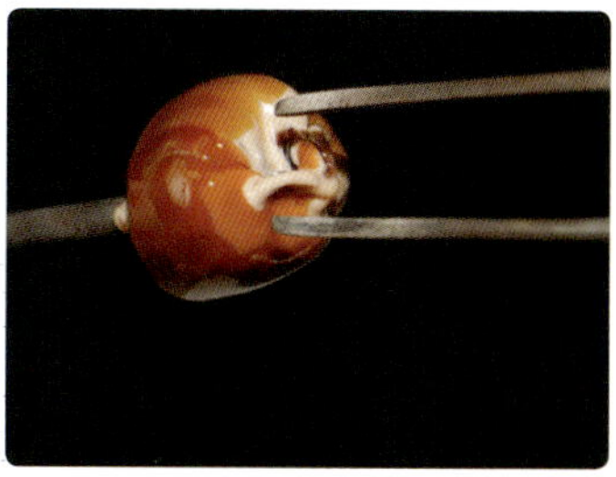

33 先端のガラスを中心に寄せ、寄せたガラスをつまみ取ります

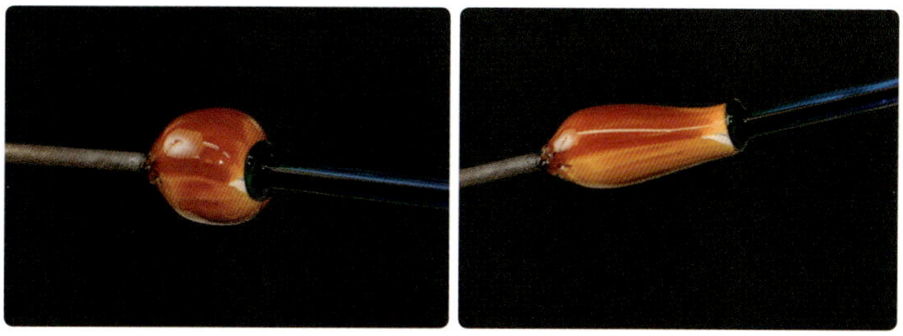

34 ガラス全体を熱して充分に熔かし、先端の中心にポンテを合わせてゆっくりとガラスを引きます

35 芯棒とポンテを同時・同方向に回しつつ、引いたガラスがねじれないように注意して引きます

完成

しっかりと徐冷を済ませ、引いたガラスをカットすれば、人形の顔のムリーニは完成です

36

アルファベットのムリーニ

ここでは、アルファベットの文字を構成する要素をバランスよく含んだ、「R」「I」「O」の3文字の作り方を解説します。他の文字を作りたい場合は、これらの文字の作り方を参考に、作りたい文字の展開方法を考えてください

ムリーニの作り方をよく理解すれば、カナや漢字といった複雑な文字を表現することもできます。ここでは比較的簡単な、直線と曲線で構成されるシンプルなアルファベット3文字の作り方を解説します。

使用する工具

- ステンレス芯（Φ4mm）
- ガラス瓶と水
- ヘラ
- こて
- 耐熱ピンセット
- ガラス切り
- 予熱台
- 押さえ用鉄板
- フラットピンセット

使用する材料

- A-29
- A-30

文字を表現する際のポイント

文字のムリーニを作る際は、文字を構成する線のどこか1ヵ所をベースに定め、そこを中心に他の線を展開していきます。

「I」のムリーニを作る

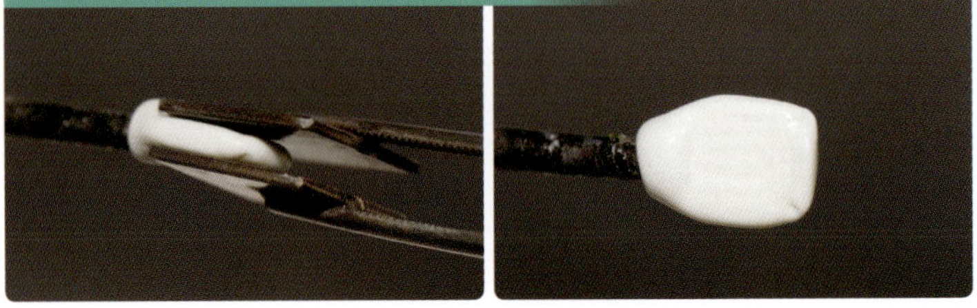

01 ステンレス芯の先端に文字となる白いガラス（A-29）を少量巻き取り、円柱状に成型してフラットピンセットで平らに潰した後、潰した側面を平行に整えます

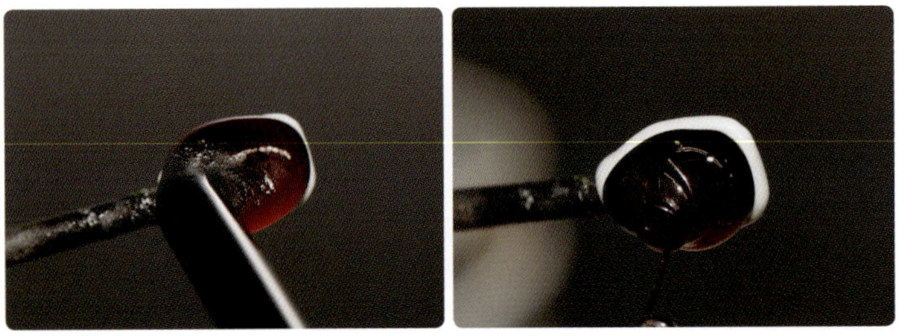

02 黒いガラス（A-30）を熔かし、平らにした白いガラスの片面全面にのせます

03 反対側の面にも、同様に黒いガラスをのせます

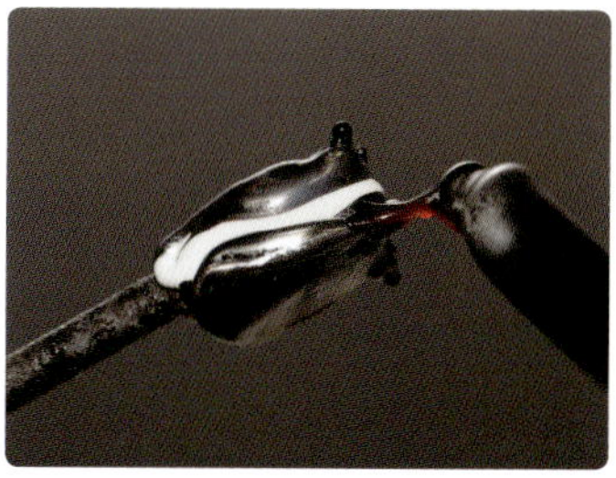

04 ガラスが足りない部分には足し、各ガラスの厚みが一定になるように黒いガラスをのせます

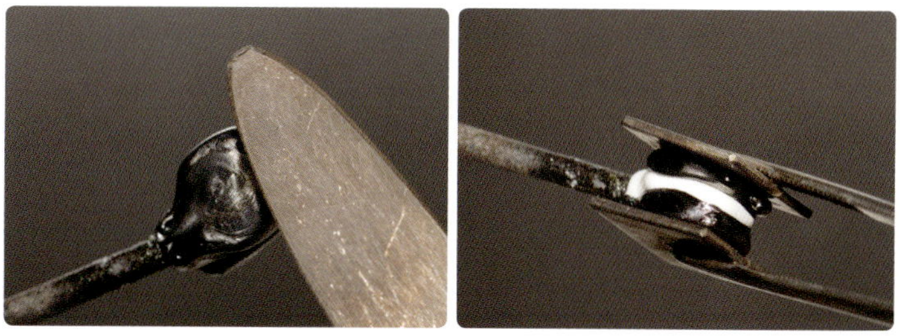

05 のせたガラスをヘラで整え、フラットピンセットで挟んで平らに均します

06 横側面もフラットピンセットで挟み、全体を四角く成型します。この段階で黒いガラスが足りない部分がある場合は、足りない部分にガラスをのせて埋め、再度四角く成型します

07 06で成型した横側面に、先端から芯棒側へ向けて塗り延ばすように白いガラスをのせます

08 反対側の横側面にもガラスをのせ、ヘラで平らに均します

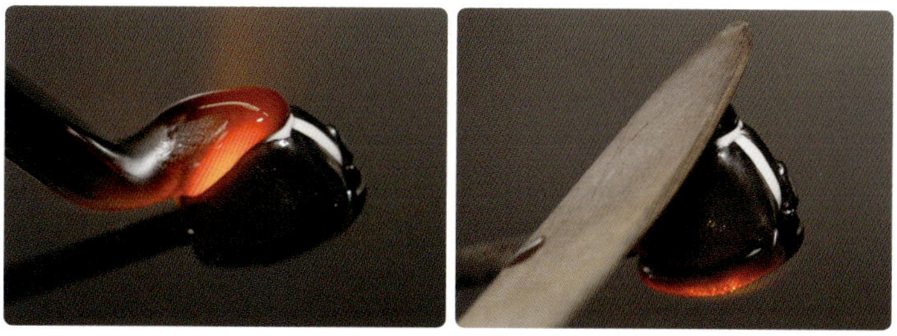

09 黒いガラスをたっぷり熔かし、06〜07でのせたガラスの上にのせ、ヘラで表面を整えます

10 各側面をフラットピンセットで挟み、白いガラスと黒いガラスの境目となる溝を全て消すと共に、全体を四角く成型します

11 ガラスの先端を中心に集めてつまみ取ります

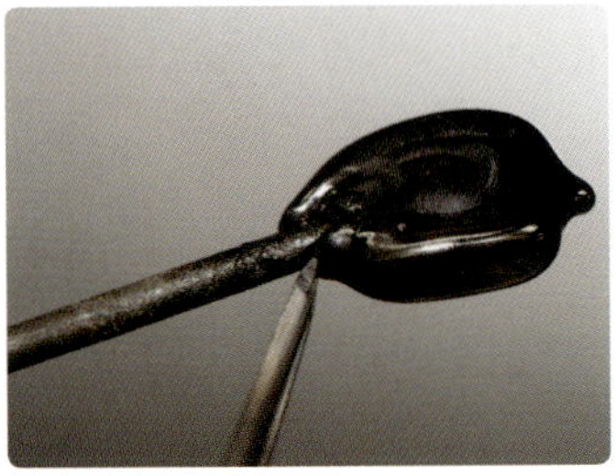

12 のせたガラスの芯棒側を、芯棒に寄せ付けます

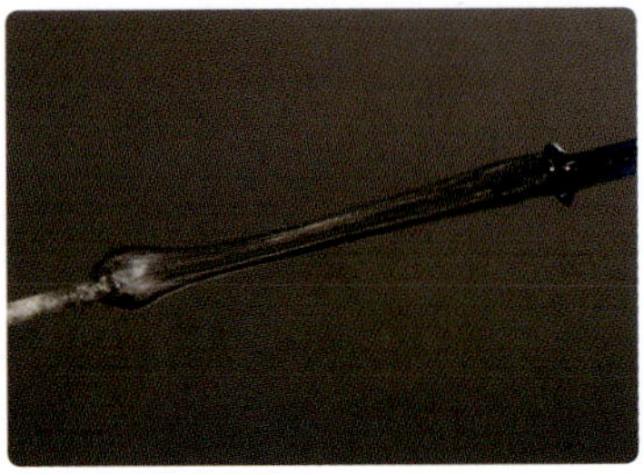

13 先端の中心にポンテを合わせて引きます（※ガラスを引く直前にガラスの角が落ちている所があった場合、左写真のように、その面を押さえ用鉄板の上にのせて角を付け直します）

「O」のムリーニを作る

14 ステンレス芯の先に黒いガラスを円柱状に巻き、側面をフラットピンセットで潰して楕円型にします

15 楕円型にしたガラスの全側面に白いガラスを薄くのせ、ヘラで表面を整えます。そして、楕円型を崩さないように注意しつつこての上で転がし、表面の凹凸を均します

16 白いガラスの全側面に、やや多めに黒いガラスをのせます。そして、楕円の四隅へさらに黒いガラスをのせます

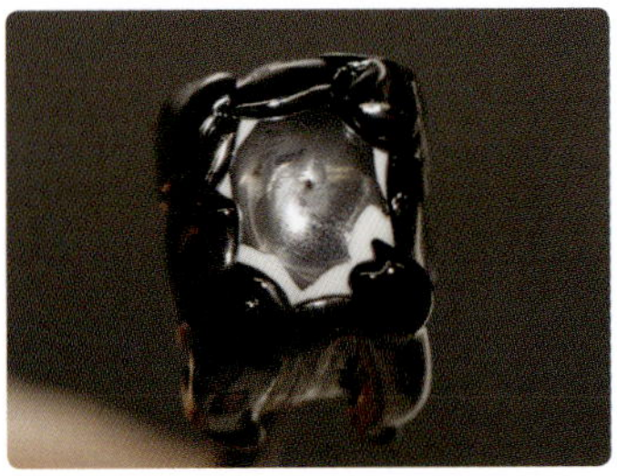

17 楕円の四隅にガラスをのせた状態です

18 フラットピンセットでガラスの各側面を挟み、四角く成型します

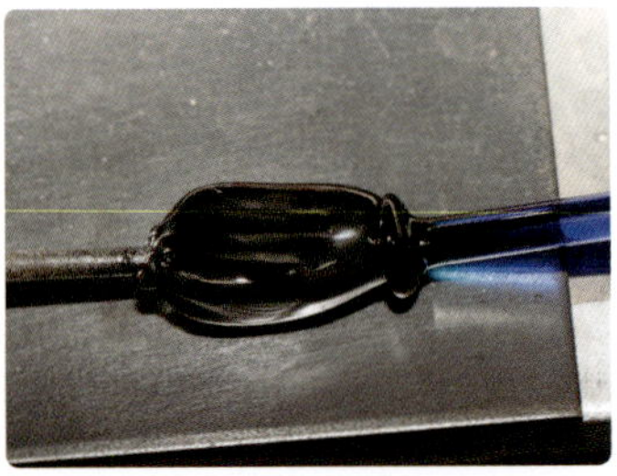

19 11〜13と同じ手順でガラスを引きます

20 四角い形状を崩さないよう、芯棒とポンテを同時・同方向に回しながらガラスを引きます

「R」のムリーニを作る

21 ステンレス芯の先端に黒いガラスを巻き取り、円柱状に成型した後、側面をこてにあてて面を付けます

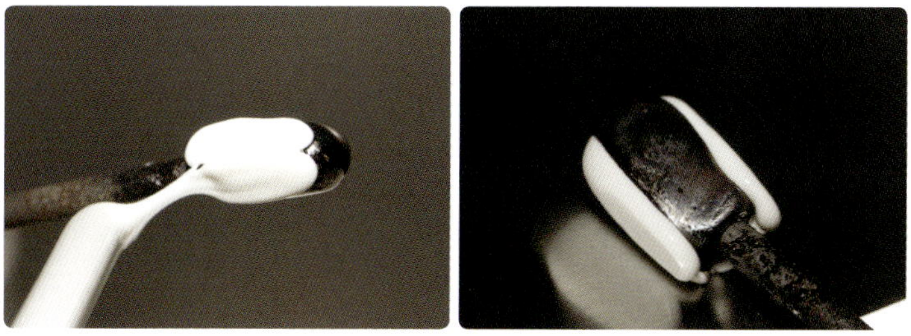

22 21で付けた面の際から反対側の際へ向け、面以外の山なりの面に白いガラスをのせ、ヘラとこてで表面を平滑に整えます

23 22でのせた白いガラスを、芯棒に寄せ付けます

24 平面際の片側のみ、白いガラスが表出する部分を僅かに残し、白いガラスの上へ黒いガラスをのせて表面を整えます

25 Rの上右側の線が完成した状態。写真の下側が、残した白いガラスの表出面です

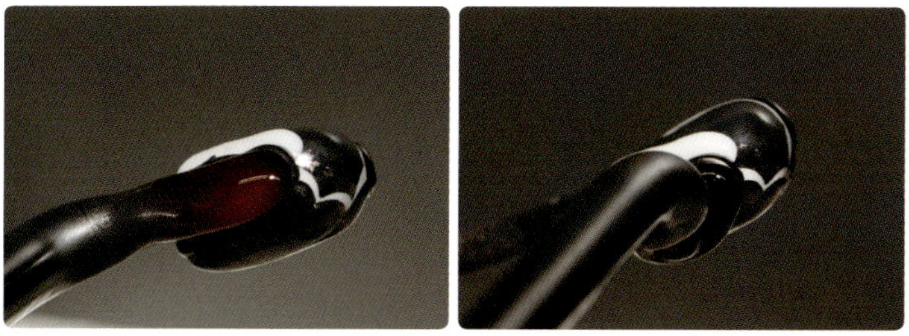

26 Rの上右側から斜めに延びる線の足（土台）を作るため、白いガラスの表出面際、黒いガラスの上へ黒いガラスをのせて重ねます

27 3層程度にガラスを重ねたら、充分に熱した後、表面を整えます

28 Rの上右側(白いガラスの線)とのバランスを見ながら、適切な長さになるまで黒いガラスを重ねます

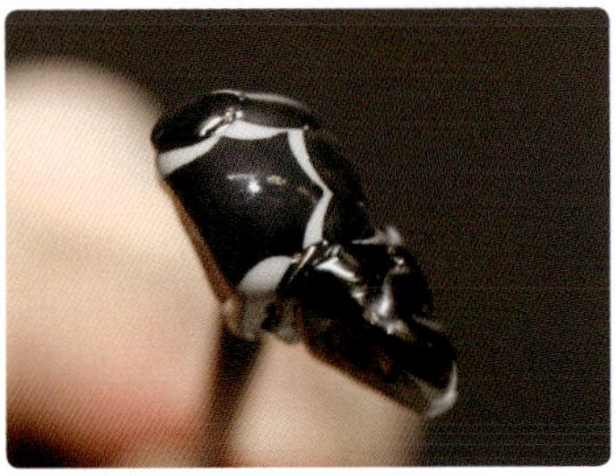

29 25の状態に、斜めに延びる線の足を付けた状態。線がつながる白い部分は残しています

30 26〜28で付けた足の平面側に、24で残しておいた白いガラスにつなげる形で白いガラスをのせ、のせたガラスを平滑に整えます

31 30でのせた白いガラスの上へ、22でのせた白いガラスの際を残して黒いガラスをのせます。そして、次の32の写真のようにフラットピンセットで挟み、最初の面につながる面を付けます

32 ここまでの状態。平面上には、Rの左側の線とつながる白い線を残しておきます

33 31でつけた(つなげた)面の上へ、白いガラスを塗り延ばすようにのせていきます。この時、Rの上右側の上側(矢印の位置)は、面の白い線(ガラス)の際へ正確にガラスをのせます

34 33でのせた白いガラスにヘラをあて、表面を均します

35 31でつけた面の上に白いガラスをのせることで、Rの形が明確に現れます

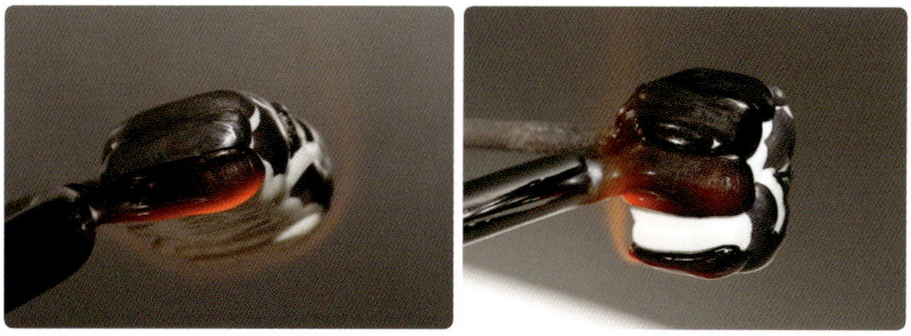

36 33でのせた白いガラスの上に、黒いガラスをのせます。この時は、熱により全体がダレるのを抑えるため、先に上下の角へガラスをのせ、その間を埋めるようにガラスをのせていきます

37 33でのせた白いガラス全体を覆うように黒いガラスをのせたら、のせたガラスの表面をヘラで平滑に整えます

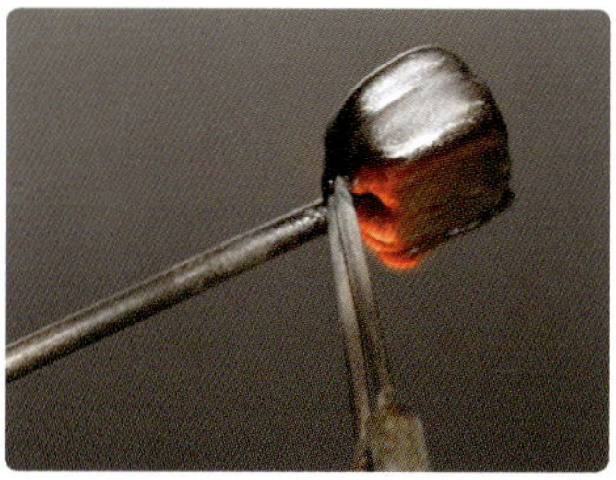

38 側面の芯棒側のガラスを、芯棒に寄せ付けます

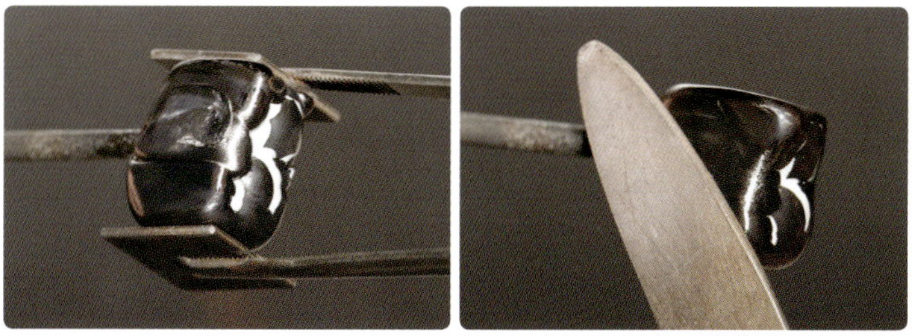

39 ガラス全体を熱し、フラットピンセットとヘラで側面を四角く整えます

40 ガラスの先端を中心に寄せ、つまみ取ります

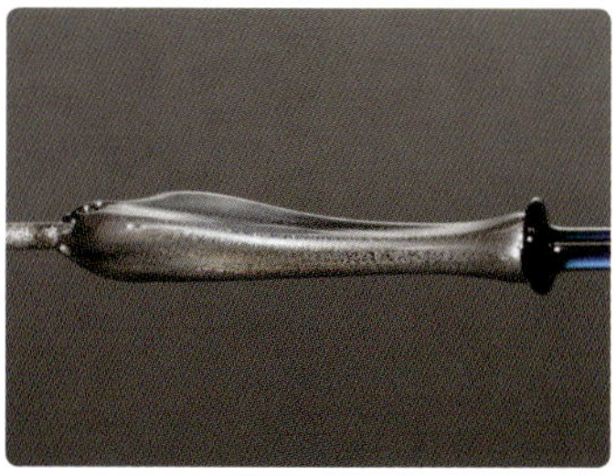

41 寄せた先端にポンテを合わせ、ゆっくりとガラスを引きます

完成

各文字とも、引いたガラスを徐冷した後にカットすれば、完成です

42

AFTERWORD

あとがき

学生時代、学んでいた彫金の授業の一環で出会ったとんぼ玉。

その彩りに魅せられ、いつしかそれは私の仕事になっていました。

20年来、作りたいデザインは後から後から出てくるのですが、

それを形にするまでには、色ガラスの組合わせ、火のかけ方、形のバランス等、

技術的な試行錯誤を繰り返してきました。

それが2〜3cmの小さなビーズの中でのことなので、

微妙なさじ加減ひとつで出来栄えが大きく変わってしまうのです。

この本では、これまでの経験から私が修得した成功のポイントを、

編集さんとカメラマンさんが見やすくまとめてくださり、

私自身も本の制作を通し、手順を見直す良い機会となりました。

とんぼ玉の制作においては、人それぞれの僅かな癖やタイミングにより、

上手くいかないことが出てくるかもしれません。

そんな時は、火のあて加減やガラスの量等、

ほんのちょっとした事を自己流にアレンジしてみてください。

成功するまでには何度も何度もアレンジをする必要があるかもしれませんが、

それが成功した時、誰のものでもないあなた自身の作品ができているはずです。

とんぼ玉の制作、ぜひじっくりと楽しんでください。

なかの雅章

なかの雅章 *Masaaki Nakano*

とんぼ玉とガラスモザイク 海津屋主宰　北区伝統工芸保存会 会員

経 歴

1971年　東京都生まれ
1993年　とんぼ玉制作を始める
　　　　日本宝飾クラフト学院卒業
2000年　とんぼ玉教室を開く
2009年　「ビーズグランプリ ガラス部門」大賞受賞
2011年　「東京都の伝統工芸品チャレンジ大賞」優秀賞･奨励賞受賞
2014年　ミクロモザイク教室を開く
　　　　日本橋三越、横浜高島屋、名古屋三越、福岡岩田屋三越等のデパートにて期間出店。神楽坂フラスコギャラリーにて、年1回個展を開催。

とんぼ玉とガラスモザイク 海津屋

本書の監修者であるとんぼ玉作家、なかの雅章氏が主宰する「海津屋」は、とんぼ玉とガラスモザイクの教室と、作品制作・販売をする工房です。

とんぼ玉作りの指導と、高度な作品制作を展開

基本的な作品の作り方から高度な作品の作り方まで、本書にてとんぼ玉作りの技法を惜しみなく解説して頂いたなかの雅章氏は、東京都北区にて「とんぼ玉とガラスモザイク 海津屋」を主宰しています。同工房は、とんぼ玉作りの基本から応用技術までを学べる教室の他、世界でも稀有な「ミクロモザイク」というガラス工芸の教室を開催する一方、なかの氏自らの創作活動の場ともなり、本編のアレンジサンプルや前頁、以下に紹介するような作品の販売（Webショップ：Ca'd'Oro）も行なっています。興味が湧いた方は電話やHPを通じ、ぜひアクセスしてみてください。

なかの氏が得意とするムリーニを中心に、とんぼ玉のあらゆる技法を投入して制作された作品の数々。これらの作品は海津屋で販売される他、全国主要都市の有名百貨店や個展などの期間出店で販売されることもあります

小さな小さなガラス片をピンセットで並べ、独特の模様を描くミクロモザイク。18世紀にバチカンで発祥したこのガラス工芸は、イタリア国内でも継承している所は少ないようです。海津屋では、ムリーニを応用したパーツ作りを含め、ミクロモザイク全般の技法を学ぶことができます

「楽しく、気楽に、マイペースで」をモットーとする教室

とんぼ玉とガラスモザイク 海津屋

住所：東京都北区東十条4-7-18-2F

TEL：03-3927-2217

URL：http://www.k3.dion.ne.jp/~tonbo-nm/

とんぼ玉の技法

MAKING TECHNIQUE OF GLASS BEADS

監修 なかの雅章 海津屋

2016年 5月30日 発行

STAFF

PUBLISHER
高橋矩彦　Norihiko Takahashi

EDITOR
行木　誠　Makoto Nameki

DESIGNER
小島進也　Shinya Kojima

ADVERTISING STAFF
大島　晃　Akira Ohshima
久嶋優人　Yuto Kushima

PHOTOGRAPHER
梶原　崇　Takashi Kajiwara（Studio Kazy Photography）

SUPERVISOR
なかの雅章　Masaaki Nakano（海津屋）

SPECIAL THANKS
佐竹ガラス株式会社
ロペット・コバタ電気工業株式会社
株式会社 スタジオサカミ

Printing
中央精版印刷株式会社

PLANNING, EDITORIAL & PUBLISHING
(株)スタジオ タック クリエイティブ
〒151-0051 東京都渋谷区千駄ヶ谷3-23-10 若松ビル2階
STUDIO TAC CREATIVE CO.,LTD.
2F, 3-23-10, SENDAGAYA SHIBUYA-KU,TOKYO 151-0051 JAPAN
[企画・編集・広告進行]
Telephone 03-5474-6200　Facsimile 03-5474-6202
[販売・営業]
Telephone & Facsimile 03-5474-6213

URL http://www.studio-tac.jp
E-mail stc@fd5.so-net.ne.jp

2206B

警告　WARNING

■ この本は、習熟者の知識や作業、技術をもとに、編集時に読者に役立つと判断した内容を記事として再構成し掲載しています。そのため、あらゆる人が作業を成功させることを保証するものではありません。よって、出版する当社、株式会社スタジオ タック クリエイティブ、および取材先各社では作業の結果や安全性を一切保証できません。また、本書の趣旨上、使用している工具や材料は、作り手が通常使用しているものでは無い場合もあります。作業により、物的損害や傷害・死亡事故が発生する可能性があります。その作業上において発生した物的損害や事故について、当社では一切の責任を負いかねます。すべての作業におけるリスクは、作業を行なうご本人に負っていただくことになりますので、充分にご注意ください。

■ 使用する物に改変を加えたり、使用説明書等と異なる使い方をした場合には不具合が生じ、事故等の原因になることも考えられます。メーカーが推奨していない使用方法を行なった場合、保証やPL法の対象外になります。

■ 本書は、2016年4月20日までの情報で編集されています。そのため、本書で掲載している商品やサービスの名称、仕様、価格などは、製造メーカーや小売店などにより、予告無く変更される可能性がありますので、充分にご注意ください。

■ 写真や内容が一部実物と異なる場合があります。

STUDIO TAC CREATIVE
㈱スタジオ タック クリエイティブ

ISBN978-4-88393-751-6